EMPIRE

How Britain made the modern world

帝国

[英] 尼尔·弗格森◎著
雨珂◎译

中信出版集团 | 北京

图书在版编目（CIP）数据

帝国 / (英) 弗格森著；雨珂译. —北京：中信出版社，2012.1 (2024.5 重印)
书名原文：Empire: How Britain Made the Modern World
ISBN 978-7-5086-2929-2

I. 帝… II. ① 弗… ② 雨… III. 英国－历史－研究 IV. K561.07

中国版本图书馆CIP数据核字（2011）第142576号

帝国
DIGUO

著　　者：[英] 尼尔 · 弗格森
译　　者：雨　珂
出版发行：中信出版集团股份有限公司（北京市朝阳区东三环北路27号嘉铭中心　邮编　100020）
承 印 者：北京通州皇家印刷厂
开　　本：787mm × 1092mm　1/16　　**印　　张**：21.75　　**字　　数**：400千字
版　　次：2012年1月第1版　　**印　　次**：2024年5月第13次印刷
京权图字：01–2010–3481
书　　号：ISBN 978–7–5086–2929–2 / K · 198
定　　价：68.00元

服务热线：400–600–8099
投稿邮箱：author@citicpub.com

EMPIRE
HOW BRITAIN MADE
THE MODERN WORLD

目录

黄昏时分，那条古老河流的宽阔主干静静地流淌。造福于两岸人类多年之后，在宁静而肃穆中流向地平线的尽头……潮涌潮落，奔流不息，曾几何时，人们乘着船只在这里往来穿梭，无论是故乡的安憩还是海上的战斗。它熟悉并帮助过所有这个民族引以为傲的人们……它承载过各式各样的船只，它们的名字如夜晚闪耀的珠宝般璀璨。它了解那些人和那些船。那些冒险家和拓荒者，乘着属于国王和各色人等的船队，那些船长、海军司令、阴险的东方贸易商、东印度舰队的雇用“将军”们，从德特福德、从格林尼治、从伊里斯起航远征。那些带着剑，有时还举着火把的陆上万能之王的使者，追逐黄金和荣耀的人们，都如此随水而逝。可是，无论有多么伟大，它们都会随着河流的退潮驶入那流向未知之地的神秘、河流……人类的梦想、英联邦的种子和帝国的萌芽……

约瑟夫 · 康拉德，《黑暗之心》

前言

英国如今控制着3.5亿海外殖民地居民的命运，如果没有一支强大军队的保卫，这些人无法获得有效保护，往往容易遭受掠夺和不公正的待遇。英国对殖民地居民的统治并非无懈可击，这点毋庸置疑，不过我敢说，在此之前，没有任何一个宗主国能够给予其附属国人民如此礼遇。

乔治·M·朗教授，1909年

殖民主义导致了种族主义、种族歧视、排外情绪，以及与之相关的狭隘的民族主义……非洲人民和非洲裔人民，以及亚裔人民和原住民都是殖民主义的受害者，并且至今仍受殖民主义所带来的恶果影响……

《德班宣言》，

反对种族主义、种族歧视、仇外心理和相关的不容忍现象世界会议，2001年

曾经有这么一个帝国，它统治着约占全球1/4的疆域和人口，以及几乎全部的海域。不用说，这个帝国就是英国，其规模之大可谓空前绝后。这个远眺欧洲大陆西北沿岸的多雨的群岛国家何以能在全球称霸？不仅英国历史关注这一问题，甚至世界历史也需要对此获得答案。同样的，这也是本书希望能够回答的问题之一。本书所要解答的第二个问题是，这个帝国的存在究竟是人类的一大幸事，还是不幸，或许这个问题很难回答。

如今我们普遍的说法是，总体来看英国的出现是人类的不幸。它之所以背负如此恶名，一个主要原因可能是它曾经参与了大西洋贩奴贸易，并支持奴隶制。这个问题不再是一个历史问题，它已经成为政治问题，也有可能成为法律问题。1999 年 4 月，非洲真相与和解委员会在阿克拉召开会议，公开要求“西欧及美洲参与贩奴贸易，并从贩奴及殖民统治中受益的所有国家和机构”应该作出赔偿。根据“奴隶贸易中非洲损失的人口，以及殖民统治期间非洲被掠夺的黄金、钻石及其他矿产的价值估计”，赔偿总额应该达到 777 万亿美元。1850 年之前，1 000 万左右被运往大西洋各国为奴的非洲人中，有 300 万人是乘坐英国的船只漂洋过海的，因此，英国应承担的赔偿款可能高达 150 万亿英镑。

这样的巨额索赔看起来似乎不太现实。但是，这些观点在 2001 年夏于南非德班召开的联合国反对种族主义、种族歧视、仇外心理和相关的不容忍现象世界会议上还是获得了声援。此次会议的最终报告“承认”，奴隶制和奴隶贸易是“有违人道的犯罪”,“非洲人民和非洲裔人民，以及亚裔人民和原住民”都是“受害者”。在此次大会的另一项声明中，“殖民主义”被随意地与“奴隶制、奴隶贸易……种族隔离……和种族灭绝”等放在一起谴责。该声明对联合国各成员国提出了一个号召，要求大家“尊重历史惨剧受害者的记忆”。它指出：“有些国家已经为它们曾经犯下的滔天罪行作出了道歉，并进行了必要的赔偿。”此次会议“呼吁那些尚未为恢复受害者尊严而作出任何努力的国家和个人，以合适的方式采取行动。”

这样的呼吁在英国也并未被人忽略。2002 年 5 月，位于英国伦敦的智囊团的主任提议，英国女王应该“遍访世界各国，为英国曾经所犯的罪行道歉，这是提升英国政府职能和国际地位的第一步”。对此进行报道的媒体还增添了这样一条注释：“英国在 1918 年的鼎盛时期统治了世界 1/4 的疆域和人口，英国批评家声称，它的巨额财富是建立在压迫和剥削之上的。”

我写本书时，恰好在英国广播公司的网站（一个显然是面向学生的板块）上看到了一则针对英国历史的评述，这段评述同样也很深刻：

> 英国的辉煌是建立在屠杀和掠夺之上的：它的军队屠杀了无数军备实力

较弱国家的人民，并掠夺了他们的国家，虽然这种方法后来有所改变：当英勇的革命者和抗议者圣雄甘地，以及像他那样的人开始关注人民的诉求时，穷兵黩武的制度……瓦解了，用机枪大肆屠杀的行为遭到了舆论的谴责。

近来，一位知名的历史学家在英国广播公司电视台节目中提出了一个问题，可以说这个问题浓缩了当前人们对英国历史的传统思考和认识。他问道："一个自认为自由的民族何以奴役了世界上如此广大的疆域……一个自由之国何以变成了一个奴役之国？"为什么"出自善意"的英国人却因"市场崇拜"，而牺牲了"共同人性"？

受益者

多亏了英国的殖民统治，才让我的亲戚现在遍布世界各地——加拿大的艾伯塔、美加交界的安大略地区、菲律宾，以及澳大利亚的佩斯。多亏了英国的殖民统治，我的爷爷约翰才能在他刚满 20 岁时就到厄瓜多尔向印第安人贩卖五金器具和烈酒。我奶奶的起居室墙上挂着两幅很大的油画，就是爷爷当年带回来的，美丽的安第斯山脉的风景简直让家里光彩照人，我从小就是看着这两幅画长大的。我还记得奶奶的展示柜里有两个满脸愁苦的印第安娃娃，似乎是不堪背上木柴的重负，它们极不协调地摆在几个瓷器人偶旁边。也多亏了英国的殖民统治，我的外公汤姆 · 汉密尔顿才会在英国皇家空军当了 3 年多的军官，曾在印度和缅甸与日本人作战。他的家信一直被我的外婆珍藏着，这些信以敏锐的观察和雄辩的事实精彩地记录了战时英国对殖民地的统治，信中充满了对自由主义的怀疑，这几乎成为我外公的哲学理念的核心。我至今仍记得当年我翻阅外公驻防印度时所拍摄的那些照片时的喜悦，听他给我讲俯冲而下的鸢鹞鹰和炎热气候故事时的激动。多亏了英国的殖民统治，我的叔叔伊恩 · 弗格森在获得建筑师资格后的第一份工作就是去位于加尔各答的公司工作。伊恩是在英国皇家海军中开始其职业生涯的；之后，他辗转于非洲，后来又到了海湾各国，在国外度过了余生。对我来说，伊恩就是流放者、探险家的典型：被太阳晒得黝黑的脸庞、酗酒、极度愤世嫉俗。

他也是第一个从我很小的时候起就以大人的称谓称呼我的人，我早就领教了他满口亵渎神灵的语言，以及他的黑色幽默。

伊恩的兄弟——我的父亲也曾漂泊异乡。1966年，我的父亲在格拉斯哥学医结束后，不顾亲友的劝阻，带上妻子和两个年幼的孩子举家搬到了肯尼亚，他在内罗毕工作了两年，一边行医，一边教书。所以，多亏了英国的殖民统治，我的童年记忆里才有了非洲殖民地的故事；虽然肯尼亚已经独立3年了，广播里也不停地播放肯尼亚第一任总统乔莫·肯雅塔以其标志性的语调号召大家“让我们团结起来”，但那里的情况从“白色祸害”开始到现在，几乎没有任何改变。当时，我们在那里建造自己的平房、拥有佣人，并且偶尔说一些斯瓦希里语。除此之外，我们还有一种坚不可摧的安全感。那真是一段美妙的时光，外出觅食的印度豹、吉库尤女人的歌声、第一场雨的气息，以及熟透芒果的滋味，这一切都深深地印刻在我的记忆深处。我怀疑，这也是我母亲过得最幸福的时光了。尽管我们后来回到了格拉斯哥，不得不忍受灰蒙蒙的天空和寒冷潮湿的环境，不过我们的家里摆满了从肯尼亚带回来的物品。沙发上铺着羚羊皮，墙上挂着马赛武士的肖像，还有一个雕刻粗糙却装饰精美的脚凳，我和姐姐总爱坐在脚凳上。我和姐姐每人都有一个斑马皮做的鼓，一个蒙巴萨产的漂亮篮子，一个羚羊鬃毛制的苍蝇掸子，还有一个吉库尤玩偶。事实上，我们简直生活在一个小型的后殖民地博物馆中，尽管年少的我们一无所知。我至今还珍藏着一些河马、疣猪、大象和狮子的木雕，它们曾经都是我的宝贝。

不管怎么说，我们还是回到了英国，此后再也没有返回肯尼亚。唯一没有回英国的是我的姑奶奶阿格尼丝·弗格森（认识的人都叫她阿吉）。她出生于1888年，是我的曾祖父詹姆士·弗格森（他是一位园丁）和他第一任妻子的女儿。要想知道帝国的梦想有多大的改变力量，看看阿吉就明白了。1911年，受图册上美丽的加拿大牧场风光的诱惑，她和她的新婚丈夫欧内斯特·布朗决定步其兄弟的后尘：离开他们在法夫郡的家，离开他们的亲朋好友，向西行进。吸引他们的是萨斯喀彻温省160英亩无人问津的荒地。唯一的规定是，土地所有人必须在那里定居下来，并开垦土地。家族中曾经有人流传这样一种说法，阿吉和欧内斯特原本是要乘坐泰坦尼克号出航的，但阴差阳错，他们并没有上船，倒是行李被送上了船，随着泰坦尼克号一同沉没。他们确实命大，可问题是这也意味着他们要从零开始建设他们的新生活。如果阿吉和欧内斯特认为，他们就此将告别苏格兰可怕的冬天，那么他们很快就会发现自己上当了。格兰岩是一片狂风肆虐的荒原，那里的温度会骤然降低，远比阴雨连绵的法夫郡冷多了。欧内斯特在给他嫂子内尔的信中说，这里"简直冷得可怕"。他们为自己建造的第一座房子简陋极了，用他们的话来说，就是一个"鸡窝"。离他们最近的城镇穆斯乔在152公里之外。一开始，他们周边的邻居都是印第安人，不过他们还算友好。

不过，从他们每年圣诞节寄给亲戚们的黑白照片来看，照片里的他们和他们在"牧场的家"，无不述说着这对夫妇白手起家、勤劳致富的故事。阿吉成了三个健康孩子的母亲，当初那位远离家乡的新娘脸上的愁苦已经烟消云散。欧内斯特也因长年辛苦农作而晒黑了脸庞，身体也变得结实不少；他刮掉了胡子，原本哭丧的脸也变得英俊起来。他们的"鸡窝"不见了，取而代之的是一座体面的木制农舍。渐渐地，附近的苏格兰人越来越多，这化解了他们初到时的寂寞感。在远离家乡的异地能与同乡共度新年，确实是件令人欣慰的事，因为，"在这些苏格兰人来之前，他们很少有过新年的感受"。如今，他们的10个孙辈生活在加拿大的不同城市。这个国家的人均收入已经比英国高出了近10%，仅次于美国。这些也多亏了英国当年的殖民统治。

如果说我是在英国的帝国阴影中长大的，恐怕你联想到的会是一片惨淡景象。但是对苏格兰人来说，英国的帝国统治代表着光明的太阳。到了20世纪70年代，英国昔日的版图已经所剩无几，但是我的家族却依旧笃信帝国的理想，毫不怀疑它的重要性。确实，英国的帝国传奇无处不在，无人不知，我们已经将其视为人类历史的一部分了。在加拿大度假，也没让我们改变这种想法。天主教国家——爱尔兰——的持续丑化，也没有改变我们的观念。当时，克莱德南部的爱尔兰在我们的生活中仍是不可分割的一部分。长大后，我还沾沾自喜地认为，格拉斯哥是（英国的）"第二大城市"；也从未质疑过赖德·哈格德和约翰·巴肯的小说；还喜欢英国特色的运动——最棒的就是“不列颠雄狮”队在澳大利亚、新泽西以及南非的巡回橄榄球赛（不过可惜的是，在南非的比赛后来被终止了）[①]。在家里，我们吃的是“英式饼干”；在学校，我们学的是“英式射击”。

反面例子

不可否认，当我十几岁的时候，身穿红制服，头戴圆帽盔，满脸严肃的英国人统治世界的印象差不多已成一个笑话，也成为电影中的素材。可能这种原型来自蒙蒂·派森电影《生活的意义》的一个片段：在与祖鲁人的战役中身受重伤、浑身血污的“汤米”神往地欢呼道：“我是说，我杀了15个坏蛋，先生。现在，如果我回去的话，我肯定会被吊死的！可是在这里，我还能得到奖章，先生！”

1982年我考上牛津大学时，英国的帝国梦想早已被人遗忘，甚至已经没人拿它作笑料了。那时，牛津的学联还会讨论一些严肃的话题，比如“议会对殖民统治表示后悔”，年轻鲁莽的我立即对这个议题提出了反对，我的学生政治领袖生涯也因此早早地夭折了。事实上，我是在那时候才有所醒悟的：显然，不是所有人都和我一样，对英国的过去怀有一种甜蜜的眷念。事实上，现在的很多人看到我竟然打算为英国的帝国统治作辩护，都会心生反感。当我热切地钻研这一课题时，我才发现，我和我的家庭竟然不幸地被误导了：英国的崛起所产生的成本实际上远远超出了它所带来的利益。它的出现最终还是人类的一大悲剧。

在此，我没有必要详细阐述反对帝国主义的论点，它们归结起来无非有两点：第一，殖民统治给殖民地的人民带来了灾难；第二，殖民统治也给殖民者本身带来了恶果。前者是民族主义和马克思主义的观点，从《先知穆塔吉赫林》（1789年）的作者著名历史学家高拉姆·侯赛因·汗，到《东方主义》（1978年）的作者巴勒斯坦学者爱德华·萨伊德，包括列宁以及成百上千的其他思想流派都

① 非洲巡回比赛遭禁实际上与我年少时信奉的那种开明帝国观并无冲突。显然，南非的白人们之所以否定南非黑人的公民权利和政治权利，只是为了让后者看清自己真正的肤色，并想要证明，早先文明的英国人打破他们自治的行动（可惜并未成功）是完全正确的。恐怕我从未想到过，种族隔离政策会与英国的统治有任何关联，或者说，从未想过英国也会系统地实施种族隔离政策。

体现了这个观点。后者属于自由主义观点，最早是由亚当·斯密提出来的。亚当·斯密认为，多年来即使是从英国自身的角度来看，大英帝国的建立也只是“浪费金钱”。

民族主义者和马克思主义者的核心论点是这样的，帝国主义就是一种赤裸裸的经济剥削，从本质上讲，殖民统治的方方面面，甚至包括欧洲人显然是真心实意地理解和研究原住民文化的努力，都是为了最大限度地榨取被殖民者的剩余价值。而自由主义的核心观点则更加复杂。自由主义者认为，由于帝国主义运用了从军事武力、特惠关税到有利于宗主国商业垄断等种种手段，从而扭曲了市场力量，因此，即使是对宗主国自身的长远的经济利益来说也是不利的。这种观点认为，对世界经济的其他部分来说，自由的经济融合要比通过帝国主义手段实行强迫性融合更有效。因此，对英国来说，投资于国内的产业可能要比向遥远的殖民地一掷千金更有意义，因为如果没有开拓和保卫帝国巨大版图的开销负担，纳税人完全可以把这些钱花在购买现代消费品上。一位历史学家在《牛津大英帝国史》中甚至推算出，如果英国在19世纪40代中期就甩掉帝国的包袱，那么它将有望获得的“去殖民化红利”相当于减税25%。这笔节省下来的税赋可用于投资电力、汽车、耐用消费品行业，从而极大地促进家乡工业的现代化。

将近一个世纪以前，J·A·霍布森和伦纳德·霍布豪斯等人就进行过类似的争论。从某种程度上说，他们分别继承了19世纪40年代和50年代的理查德·科布登与约翰·布莱特的思想衣钵。在《国富论》（1776年）中，亚当·斯密也质疑了“建立一个国家，让整个国家的消费者不得不从其殖民统治下的各个产品生产国购买供应给他们的所有产品”的理念。但是，最早坚信英国在进行贸易扩张的同时，必须实行彻底不干涉外交政策的人还是科布登。他坚持认为，贸易本身就是一剂“万能良药”：

> 它就像一项有益的医学发现，给世界各族人民带来对文明社会的健康追求和体验。英国向那些文明程度更低的社会输出的，不仅仅是大宗货物，还有智慧的种子和丰硕的思想果实；而造访过英国大规模工业基地的商人回到

自己的国家后，也将变成一个传播自由、和平与良政的布道者。与此同时，我们的足迹遍布欧洲各个港口的蒸汽船，以及备受各国瞩目的铁路，这些都成为我们宣传文明体制价值最好的广告和入场券。

科布登的核心观点是，无论是贸易还是英国文明的传播，都不需要帝国主义组织的强制推行。相反，使用武力可能一事无成，如果它与全球自由市场的良性法则背道而驰的话：

就我们的海外贸易而言，武力和暴力无法维持其繁荣，也不会严重阻碍其发展。外国客户光顾我们的市场，并非出于对武力的恐惧或者迫于英国外交的压力，他们不是被我们的舰队和军队掳掠来的，当然，他们来到这里也并非出于朋友的情谊，那句话怎么说来着？“生意场上无友谊”。这句至理名言无论对个人还是对国家来说，都是适用的。事实上，正是在自身利益的驱动下，欧洲和世界其他国家的商人才会派出船队来到我们的港口，满载我们生产的产品回国。回顾各个历史阶段，也正是在同样的利益驱动下，各国商人才会争先赶往提尔[①]、威尼斯和阿姆斯特丹；随着时间的推移，一旦某个国家的棉花和羊毛产品的价格低于英国和世界其他地方（这是很有可能的），那么全世界的商人同样会蜂拥而至——即使他们可能因此葬身于遥远的异国他乡。没有任何人的力量，没有任何舰队和军队可以阻止曼彻斯特、利物浦和利兹重蹈曾经辉煌的荷兰、意大利和腓尼基前辈的命运……

因此，大英帝国完全没有存在的必要，贸易能够解决一切，包括世界和平。1856年5月，科布登甚至说道：“他认为，当英格兰在亚洲大陆不再有寸土片瓦的时候，那就是一个普天同庆的日子。”

无论在过去还是现在，所有此类观点的一个共同要旨都建立在这样一种假设之上，即国际贸易所带来的利益本应该，也能够在不建立帝国的条件下实现。说得更简单一些，你能够在没有炮舰的情况下推进全球化吗？

---

① 古腓尼基的著名港口，现属黎巴嫩。

大英帝国及全球化

有一种观点似乎已经成为一种共识，那就是今天的全球化与1914年之前几十年间的世界经济融合有很大的共通之处。但是，“全球化”这个已经被用滥了的词语背后到底有什么确切的含义？难道真像科布登暗示的那样，全球化完全是一种经济主导的现象，因为商品的自由交换往往会成为“连接人与人之间和平的纽带”？或者因为自由贸易的推行要求建立一个与之匹配的政治架构？

最“左翼”的全球化反对者们很自然地会把全球化视为令人厌恶的国际资本主义卷土重来的最新明证。与此相反，现代自由主义经济学家的共识是，经济的逐步开放提高了生活水平，尽管在国际竞争中总会产生一些彻底的失败者，那些特权阶层或者长期受保护的社会群体不得不卷入这场争斗中。但是，经济学家和经济史学家们更倾向于关注商品、资本和劳动力的流动，而较少讨论知识、文化和制度的传播。他们也更关心政府如何通过各种解除管制的方法推进全球化，而不是积极推销或是强制实施全球化。法律、金融和管理体制的重要性受到越来越多的重视，包括法治、货币信用管理、透明的财政体系和廉洁的官僚机构在推动资本跨国流动中所发挥的作用。但是，这些体制的西欧版本如何才能在最大、最广的范围内推广呢？

少数国家——最典型的是日本——曾有意识地、自主地仿效这个体制。更常见的情况是，欧洲体制主要通过武力，确切地说是在枪炮的威逼下被强制实施的。从理论上说，全球化有可能在多边合作的国际体系中自发形成，就像科布登所设想的那样。但是，如果这个世界上的某个霸权国家推崇经济自由主义的话，它也完全可以强制推行。帝国，特别是大英帝国，就是我所能想到的这样一个例证。

今天，劳动力、资本和商品在全球范围内实现最佳配置的主要障碍来自两个方面：第一，内战、法制落后和腐败的政府，这些因素共同造成了撒哈拉以南的非洲大陆和亚洲部分地区许多国家几十年间的贫困；第二，美国及其盟国不愿意传播及实行自由贸易，或是不愿意从自己丰富的资源中拿出微不足道的一部分用于经济援助计划。而与此形成对照的是，大英帝国在其存在的大部分历史时期

（当然，正如我们所见，不是全部时期），都是作为一个主动的力量，在世界近1/4的疆域中强制推行自由贸易、法治、投资保护和相对廉洁的政府。大英帝国还秉持“自由贸易的帝国主义”理念，大英帝国还在它的正式版图以外受其经济影响的地区，做了大量工作以推行这些体制。因此，乍看起来，许多似是而非的例证表明，帝国的建立改善了全球的福利——换句话说，帝国的出现是人类的福音。

我们当然可以对大英帝国提出很多指控，我们在下文中还会对此有所提及。我不会像约翰·斯图亚特·穆勒那样宣扬，认为英国人对印度的统治“不仅在意愿上是最纯洁的，而且在行动上也是人类历史上最仁慈的”，我也不会像印度总督寇松勋爵那样，认为“大英帝国是我们曾见过的天底下最伟大的福祉创造国”；我更不会像施木茨将军那样，宣称大英帝国是“人类历史上赋予人类自由的最大体系”。事实上，帝国从来就不是那么无私的。相反，在18世纪，英国人曾经热切地寻求占有和剥削奴隶，就如同他们后来同样热心地消灭这一制度一样。英国人在当时长期地实施着种族主义和种族隔离政策，这些政策在今天看来格格不入。当帝国的权力受到挑战时，印度是1857年，牙买加是1821年和1865年，而南非是1899年，英国人的反应是十分残忍的。当大饥荒来袭（爱尔兰是19世纪40年代，印度是19世纪70年代）时，他们却熟视无睹、漫不经心，从一定程度上来说，他们应该遭受谴责。甚至当他们对东方文化表示出学术兴趣时，他们或许也会在此过程中微妙地诋毁和破坏这种文化。

但是，迄今为止一个不可否认的事实就是，历史上没有一个国家或组织在促进商品、资本和劳动力的自由流动方面比19~20世纪的大英帝国做得更出色，也没有任何一个国家和组织比大英帝国更热衷于向全世界强行推广西方的法律、秩序和统治模式。然而，把这一切都描述为“绅士资本主义”，似乎不足以体现大英帝国在经济领域所取得的成就，以及对现代化进程的贡献。正如那些批判英国在海外的统治“表面开明”（实际等级森严）的观点，往往都忽略了一个显而易见的美德，即它在当地高度清廉的行政管理一样。显然，并非只有我的家庭从这些品质中受益。

人们很难认可大英帝国的功劳，他们认为这些功劳都是理所当然的，但他们并不这么看待大英帝国所犯下的罪行。我们可以试着想象一下，一个没有大英帝国的世界会是怎么样的，这有可能会让我们有所启发。但是，尽管我们有可能想象得出，没有法国大革命或者没有第一次世界大战，世界会如何演变，但是如果想象一部没有大英帝国的虚拟现代史，可能还需要费些周折。

当我在2002年上半年周游列国，寻访大英帝国的遗迹时，我时常为其无所不在的创造力所震撼。要想象一个没有大英帝国的世界，无异于在地图上抹去加拿大威廉斯堡和老费城优雅的林荫大道，或者把牙买加皇家港固若金汤的城墙扫入大海，让悉尼美丽的城市地平线重新变回密布的灌木丛，还要夷平塞拉利昂弗里敦海边水雾弥漫的矮房，填平美国金伯利巨大的露天采矿场，推翻南非鲁曼的传道会，再把利文斯顿小镇推入维多利亚瀑布——这样就可以改回它原来的名字莫西奥图尼亚了。如果没有大英帝国，就不会有加尔各答、孟买、马德拉斯。事实上，只要印度人愿意，他们可以无数次地更改这些城市的名字，但无论改成何种名称，它们永远都是英国人建立和建设起来的城市。

当然，一定会有人反驳说，所有这一切迟早都会发生，只是发生的方式有可能不同。比如，也许铁路会被另一个欧洲强国发明并输出，电报电缆也可能由别国铺设在海底。也许就像科布登所说，即使没有那些好战的帝国对和平贸易的干预，我们也会看到同等规模的贸易，而改变着各个大陆的文化和人种结构的人口大迁徙或许同样会发生。

但是，我们还是有理由怀疑，在没有大英帝国的情况下，世界是否还会呈现相同，甚至只是相似的面貌？即使我们认同，在过去的300年间，贸易、资本和人口流动也可能会“自然发生”，但我们仍然无法回答文化和制度的传播问题。事实上，在这些领域，大英帝国留下的印记似乎更加清晰，且难以抹杀。

当英国人统治一个国家，或者仅仅通过军事和金融力量影响当地政府时，他们也在有意识地传播着英国社会与众不同的特征。其中，比较重要的包括：

1. 英语。

2. 英式的土地使用期限制度。

3. 苏格兰和英格兰式的银行业。

4. 法律。

5. 新教。

6. 团队体育。

7. 政府权力有限的“守夜人”国家。

8. 议会体制。

9. 自由的观念。

最后一项可能是最重要的，因为它始终是大英帝国最显著的特征。正是这一特征使得英国与欧洲大陆的竞争对手们拉开了距离。当然，我并不是说所有的帝国主义者都是自由主义者，他们当中有些人远远不是。但是，在大英帝国的历史上，一个显著的规律是，每当英国人做出专制暴虐的行为时，总会从英国社会内部涌现自由的批评声。事实上，这种一以贯之的强有力的声音始终以自由主义的准则来裁决英国的种种帝国主义行为，这相当于赋予了大英帝国某种自我修正的品格。一旦一个殖民社会完全采纳，并实行了英国人带给他们的这套制度，那么英国人就很难再阻止这些人寻求和行使政治自由了，这种自由对于英国人来说也极为珍视。

其他的帝国是否也能带来同样的结果？似乎不可能。我在旅途中也常常能目睹其他帝国所遗留的痕迹。在破败的钦苏拉，我感慨，如果荷兰帝国没有衰败，整个亚洲将会陷入怎样的萧条；在一贫如洗的印度本地治里，我感慨，如果法国在七年战争中取胜，那么整个印度也将呈现类似的情景；在肮脏的德里，我感慨，如果印度兵变没有被镇压，莫卧儿帝国就有可能重建；在潮湿的泰国北碧，我感慨，日本帝国曾使用英国人作为奴隶，修建桂河大桥；此外，如果1664年荷兰人没有向英国人投降，并交出新阿姆斯特丹，那么这座城市会发展成为如今众所周知的纽约城吗？它会不会变得更像南非的布隆方丹——一个十足的荷兰殖民统治的遗留物？

英国化

市场中已经有好几本优秀的讲述大英帝国通史的书籍了，我无意步人后尘，我只是想记录大不列颠及其殖民地推动下的全球化发展，或者可以说成全球英国化发展。本书总体上以时间顺序为框架，划分成六个主题。为简单起见，本书内容可以概括为：

1. 商品市场的全球化。
2. 劳动力市场的全球化。
3. 文化的全球化。
4. 政体的全球化。
5. 资本市场的全球化。
6. 战争的全球化。

或者，就每个主题的主角而言，这六个章节分别描写的是：

1. 海盗。
2. 殖民者。
3. 传教士。
4. 官僚。
5. 银行家。
6. 破产者。

第一章强调的是，大英帝国的崛起主要表现得是一个经济现象。它的发展完全是由商业和商品消费推动的。为了寻找糖，商人们赶往加勒比海沿岸；为了寻找香料、茶叶和织物，商人们又远赴亚洲。但是，从一开始，这就是依靠炮舰推行的全球化，因为英国并非第一个建立帝国的国家，它就像海盗，收拾葡萄牙、西班牙、荷兰和法国等早期帝国留下的残局。可以说，英国是帝国主义的效仿者。

第二章描写了移民的角色。英国的殖民主义史也是一部人口的大规模迁徙史、一次空前绝后的人口大迁移。有些人离开英属爱尔兰是为了寻求宗教自由，有些人则为了寻求政治自由，有些人则是为了追逐利润。还有其他人则没有选择，因为他们是作为奴隶或者罪犯被流放到异国他乡的。因此，本章的核心主题就是描写英国的自由主义理论和帝国主义政府的实际作为之间的矛盾，以及最后这个矛盾是如何被化解的。

第三章强调了在大英帝国的扩张过程中自愿的非政府行为，尤其是福音派教会与传教士团体在英国势力的扩张中，起到了越来越重要的作用。本章的一个关键要旨是强调这些组织——维多利亚时期的“非政府组织”——所自觉发挥的对社会现代化发展的推动作用。这里的矛盾就在于，坚持使本土文化英国化的主张激发了19世纪最激烈的反帝国主义运动。

英国政府可能最接近于一个国际政府。同时，它也是一个精简运作的典范。英属印度文职机构不过区区千人，但是却管理着多达几亿人口的印度。第四章中提出了这个问题，一个微型的官僚政府如何才能管理庞大的帝国，同时也探讨了英国统治者和当地精英阶层（无论是保守人士，还是新贵精英）之间那种不可持续的共生关系。

第五章主要阐述的是，在“争夺非洲”的年代军事力量所起的作用，探讨了欧洲列强之间的军备竞赛和金融全球化之间的相互作用。这个时代出现了三个关键的现代化迹象：真正意义上的全球市场的出现、军事和工业相辅相成的发展，以及大众媒体的发展。虽然此前已经有人预测到这些趋势，但它们真正出现还是在这一时期。在大英帝国发展到鼎盛时期的过程中，这些要素的影响至关重要。其中，媒体的发展更是让大英帝国滋生了一种——用希腊人的话来说——狂妄自大的心态。而这种自大往往就是失败的先兆。

最后，第六章阐述了大英帝国在20世纪的角色。大英帝国发现，它的挑战倒不是来自民族主义的反抗，对付这些它游刃有余，而是来自它的对手——更加肆无忌惮的帝国。1940年，大英帝国面临着抉择：是向希特勒的邪恶帝国妥协，还是奋起反抗，哪怕代价惨重。它作出了改变历史力量平衡的举措。在我看来，它的决定是完全正确的。

一本书中涵盖400年左右的全球发展史，这将不可避免地会出现一些疏漏，我很清醒地意识到这一点。但是，我还是尽量考虑周全，以免本书看起来像为大英帝国歌功颂德。奴隶制和奴隶贸易的罪行是无法开脱的，就像它对于爱尔兰土豆饥荒，剥削南非马塔贝勒人，以及阿姆利则惨案等事件上负有不可推卸的责任一样。但是，它的过错也不意味着我们就应该抹杀它的贡献。本书希望能够还原一个真实的大英帝国，它不仅仅关乎种族主义、种族歧视、仇外心理和相关的不容忍现象—这些早在殖民主义出现之前就已存在。事实上，它的出现还伴随着：

1. 资本主义作为最优的经济组织体系的胜利。

2. 北美和澳大利亚的英国化。

3. 英语的国际化。

4. 新教作为基督教一个分支的持续影响。

5. 议会体制的生存（20世纪40年代，更恶劣的中央集权帝国曾刻意清除过这种体制）。

年轻的温斯顿 · 丘吉尔参与第一次殖民战争归来后，问了一个问题：

一个文明的社会所从事的事业中，还有什么比开垦蛮荒之地，让其土地富饶、人丁兴旺更为崇高和利人利己的呢？给争战不休的部落带来和平，给野蛮暴力的社会带来公平和法制，打破奴隶身上的枷锁，从土地中收获财富，种下商业和教育的种子，帮助整个民族追求幸福，消除痛苦，还有什么理想比这些更加美好，更有价值，更能激发我们的努力？

但是，即使在这样的理想激励下，丘吉尔也认识到，大英帝国的实际作为并没有表面看来的那般美好。

当我们从瑰丽的理想转向丑陋的现实，不同的观点会油然而生……在征服和统治之间，不可避免地存在着空隙，而这空隙中填满了贪婪的商人、不称职的传教士、野心勃勃的士兵，以及说谎成性的投机家，他们搅乱了被统治者的视听，也激发了征服者卑鄙的野心。任何有思想的人看到这些罪恶的迹象，都很难相信通过污秽的道路会达到光明前景的说教。

无论是好是坏，是圣洁还是污秽，我们今天所看到的世界，从很大程度上说就是大英帝国时代殖民统治的产物。现在的问题不是讨论大英帝国主义是否有污点，它当然有，但问题是，我们是否应该另辟蹊径，找到一条不这么血腥的现代化之路？从理论上说，这或许可能。但是，从实践中来说呢？我希望读者在读了本书之后，能够自己作一个判断。

EMPIRE
HOW BRITAIN MADE
THE MODERN WORLD

第一章

英国何以强大？

塞缪尔·约翰逊，《拉塞勒斯》

欧洲人为什么变得如此强大；或者说，为什么他们能轻易踏上亚洲和非洲的土地，无论是开展贸易还是进行掠夺，为什么亚洲人和非洲人未能踏上欧洲人的海岸线，在欧洲人的港口建立殖民地，并在殖民地制定法律呢？要知道，把他们带回去的那阵风同样也能把我们带到那里。

1663年12月，一个名叫亨利·摩根的威尔士男子驾船航行800公里，穿越加勒比海，奇袭了西班牙沿海前哨，尼加拉瓜湖北部的格兰纳达。这次冒险的目的很简单，就是为了寻找和偷窃西班牙的黄金，或者其他可以搬运的财物。据牙买加总督向伦敦发回的报告得知，当摩根和他的手下登陆格兰纳达后，“他们猛开了一阵火，打死了18个神枪手……占领了士军长的驻地，里面都是当地人的武器和弹药，还在大教堂囚禁了300个青壮年……这场劫掠持续了16个小时，最后他们释放了所有关押的囚犯，击沉了所有的船只后扬长而去。”就此拉开了17世纪最令人瞩目的“打、砸、抢、掠”狂欢的序幕。

别忘了，大英帝国就是通过这种方式发家的：漂洋过海用暴力和劫掠的手段给当地人民带来灾难。当然，对于力求在异国建立英国式法律体制的帝国主义者，或者希望在海外开展新生活的殖民者来说，他们并不赞同这样的观点。对于他们来说，摩根和那帮“吃熏肉”[①]的同伙其实就是小偷，想要偷走其他帝国的利益。

---

① “吃熏肉”的人是对海盗的称呼，原本指的是那些棕色皮肤的海员或者逃亡的奴隶，他们常在一种简陋的烤架上熏烤肉条，也就是熏肉。

这帮海盗们自称“海岸兄弟会”成员，他们建立了一个复杂的分赃体系，包括伤病保险政策。从本质上说，他们从事的是有组织的犯罪。当1668年摩根再次在巴拿马发起对西班牙殖民地波特贝洛小镇的劫掠时，他带回来大量战利品—总共2 500枚金币—这些金币在牙买加完全可以当做合法钱币使用。采用这种方式，仅仅一次劫掠就相当于获得了6万英镑。英国政府不仅对摩根的行为睁一只眼闭一只眼，甚至还积极地鼓励他。在伦敦政客的眼中，海盗行径只不过是向英格兰的欧洲宿敌西班牙发起的一场低成本战争。事实上，英国王室还给海盗们颁发了“武装民船”的执照，为他们提供了合法的身份，以便从他们的战利品中分得一杯羹。大英帝国的起家不仅靠官方的武装力量，也靠民间的掠夺力量，摩根的海盗生涯就是一个经典例子。

海盗

曾经有人认为，大英帝国是“不经意间”建立起来的。殊不知，英格兰的扩张远非机缘巧合，完全就是有意识地模仿。经济历史学家常常将英国称为“第一个工业国家”，但是，在欧洲各国争建帝国的竞赛中，英国绝对属于起步晚的。比如，英国直到1655年才统治了牙买加。那时，大英帝国的版图不过包括加勒比海的几座小岛，北美的几个“种植园”，以及印度的一些港口。而1.5个世纪之前，克里斯托弗 · 哥伦布就已经在美洲建立了西班牙殖民地。西班牙帝国成为全世界觊觎的中心，它西起西班牙马德里，东到菲律宾马尼拉，还囊括了秘鲁和墨西哥——美洲大陆上最富有，人口最多的国家。比西班牙帝国幅员更辽阔，但财富稍逊的则是葡萄牙帝国，西起大西洋的马德拉群岛和圣多美，东到巴西的广大领土，还在西非、印度尼西亚、印度，甚至中国建了无数的贸易港口。1493年，罗马教皇发出公告，将其在美洲的贸易转到西班牙，在亚洲的贸易转到葡萄牙。在殖民地统治中，葡萄牙人获得了糖、香料和奴隶。但是，最让英国人嫉妒的，是西班牙人在美洲殖民地发现的宝贝——黄金和白银。

从亨利七世开始，英国人就开始梦想着找到他们的“黄金之国”，以期自己也能依靠美洲的贵金属发财。但长期以来，他们总是无功而返。获得财富的方法只是利用他们的航海技能去掠夺西班牙的船只和殖民地。早在1496年3月，显然是受3年前哥伦布代表西班牙王室发现美洲的故事所触动，亨利七世向威尼斯航海家约翰·卡伯特颁发了许可证，全权授权他及其儿子开展以下行为：

> 打着大英帝国的旗号乘船开赴太平洋东岸、西岸和北岸（南岸就不去了，以免与西班牙利益相冲突）的所有地区……以开发和探索那些对基督教教徒来说未知的、野蛮人和异教徒聚居的任何岛屿、国家、地区或者省份，无论它位于世界的哪个位置……从而攻克、占领和占据他们发现的任何有能力统治的城镇、城堡、城市和岛屿，因为我们在那里的封臣、代理总督和代表已经为我们获得了治理这些城镇、城堡、城市和岛屿的统治权、资格和司法权……

宗教改革后，英国建立帝国的野心变得愈发强烈，当时一些支持英国与天主教西班牙开战的人开始声辩，英国负有建立一个新教帝国，以抗衡西班牙和葡萄牙"教皇"帝国的宗教责任。伊丽莎白时期的学者理查德·哈克卢特也声称，如果教皇能够赋予费迪南德和伊莎贝拉以占领基督教世界之外的、"你已经发现的，或者即将发现的……那些岛屿和土地"的权力，那么英国王室也有责任代表新教"扩大和推动……基督教信仰"。因此，英国建立帝国的初衷就是为了对抗老对手西班牙。大英帝国是建立在新教基础之上的，就像西班牙是建立在天主教基础之上一样。

当然，两国的政治差别很明显。西班牙帝国是一个集权的独裁帝国。当国库中充满了从美洲掠夺来的贵金属时，西班牙国王便按捺不住一统世界的野心了。这些钱除了用来增添他的荣耀之外，还能干什么呢？英国的情况却不同，君王并非独享权力，相反，君王的权力是有限的。国内富有的贵族阶层，以及上下两院，都瓜分了君王的权力。1649年，一位英国国王甚至因为竟敢反抗议会的政治声明而遭到处决。由于在财政上依赖于议会，因此英国国王只能依靠民间的探险力量发动他们的战争。但是，英国王室的弱点从长远来看却成为一大优势。主要原因在于，政治权力越分散，财富也就越分散。同时，征税政策只有得到议会的批准才能实行。因此，有钱人有充分的理由相信，不会有一个绝对的权威来强行征收他们的财产。事实证明，这成为探险者最重要的驱动因素。

最关键的问题在于，英格兰应该在哪里建立起它的反西班牙统治权呢？1589年，哈克卢特从他同名同姓的堂兄弟那里看到了这种无尽的可能性：

> ……我发现（我堂兄的）桌子上躺着一张……世界地图。看到我好奇地瞅着这张地图，他便开始启发起一无所知的我。他告诉我，以前我们都将地球分为三部分，不过按照最近的更好的划分法，可分为更多的部分。他拿起一根棍子指向所有已知的海域、海湾、海峡、海角、河流、帝国、王国、公爵领地，以及其他各个地区，并告诉我这些地方有什么特产，或者缺什么东西，多亏了如今交通的发展和商人的介入，各地的物资都极大地丰富了。把地图放到一边，他又拿出了一本《圣经》，翻到《诗篇》第107页，指给我看23行和24行的句子：在海上坐船，在大水中经历事务的，他们看见耶和华的作为，还有他在深水中的奇事。

但是，哈克卢特的堂兄并没有告诉他，这个世界上还有哪些地方存在着未被占领的黄金和白银产地。

历史上有记录的，以寻找金银矿为目的的首次英国探险发生在1480年，当时，意气风发的航海家乘船从英国西部港口布里斯托尔出发，寻找“爱尔兰西部的布拉希勒岛”。这次成功的探险并未被记录下来，这似乎有些令人困惑。威尼斯航海家约翰·科布登曾在1497年从布里斯托尔出发，成功地穿越大西洋，但是次年他就在海上失踪了。科布登自称发现了通向亚洲的新路线（导致他丧命的第二次海上探险的目的地是日本，当时被称做Cipango），不过在英格兰很少有人相信他这种说法。很可能，早年从布里斯托尔出发的船只抵达的目的地是美洲。当然，早在1501年，西班牙政府就开始头痛英国远征者会不会把西班牙人驱逐出墨西哥湾富饶的领地——西班牙政府甚至雇用了一支远征军，企图“阻止英国人前往那个方向探险”。如果说布里斯托尔的航海家，比如休·埃利奥特确实在早年就横渡大西洋，他们到达的应该是现在的加拿大纽芬兰，他们找到的也不是黄金。

1503 年，亨利七世的家谱中记录了支付给“从纽芬兰岛回来的劫掠者们”的酬金。对布里斯托尔的商人来说，他们更感兴趣的是纽芬兰沿海广大的鳕鱼捕猎海域。

当初，吸引理查德 · 格林维尔爵士到达南美洲最南端的就是黄金。或者，就像 1574 年他在请愿书中所写，吸引他的是“从那些国家带回黄金、白银和珠宝等财宝的可能性，就像其他君王从类似地区获益一样。”3 年后，同样也是“寻找黄金和白银的巨大希望”——更不用说寻找“香料、药材和胭脂虫”了——激励了弗朗西斯 · 德拉克爵士去南美洲探险。（“毫无疑问。”哈克卢特曾满怀激情地说道：“我们将为英格兰获得秘鲁的所有黄金矿藏……”）马丁 · 弗罗比舍在 1576 年、1577 年和 1578 年的探险也是为了寻找珍贵的矿产。从 1606 年颁发给托马斯 · 盖茨爵士及其他人的许可证来看，发现和挖掘“黄金、白银和铜矿”也是建立弗吉尼亚殖民地的初衷。（直到 1607 年，人们仍对弗吉尼亚“富藏黄金和铜”抱有一线希望）这是当年人们的固定思维。沃特 · 罗利爵士在《广阔、富饶、美丽的圭亚那帝国，以及黄金城市马诺的发现》中宣称：西班牙的伟大与“大宗的塞维利亚柑橘贸易……”毫无关系，“而是因为它在印度发现的黄金……威胁和扰乱着欧洲所有的国家”。罗利爵士在 1595 年尽职地航行到特立尼达岛，袭击了西班牙在圣何塞–德奥鲁尼亚基地，并抓获了东尼奥 · 德贝里奥。他认为此人一定知道“黄金之国”的方位。坐在奥里诺科三角洲一艘肮脏的船上，罗利哀叹道：“我敢打赌，英格兰没有任何监狱会比这更令人恶心和憎恶了，尤其是对我这样多年来一直过着养尊处优生活的人来说。”

如果他们最终发现了那些金灿灿的贵金属，那么所有的困难还算是值得的。可是，他们没有一个人如愿以偿。弗罗比舍只带回来一个爱斯基摩人；而罗利期望发现“广阔、富饶、美丽的圭亚那帝国”的梦想也没有实现。罗利在奥里诺科河上看到的最令人愉悦的东西并非黄金，而是一个当地女人（我此生从未见过比她更迷人的女人：不高不矮、黑色的眼眸、丰腴的身材、姣好的面容……我在英格兰也见过像她一样漂亮的女人，但是像她这样肤色的，我敢说我从来没有见过）。在卡罗尼河口，他们找到了一些铁矿，但没有发现黄金。据他妻子回忆，他“带着最高荣誉”回到了英国普利茅斯港口，但是“带回的财宝却不多”。女王很失望。同时，在了解到一位名叫克里斯托弗·纽波特的人在弗吉尼亚发现的一处矿产后，罗利彻底打消了寻找黄金的念头。正如沃特·科普爵士在1607年8月13日向沙利斯伯利勋爵报告说："以前我们都向您汇报黄金的信息，而现在，我们最多只能汇报一些铜矿的消息，我们的探索证明，这块土地是我们的迦南地[①]，而不是奥斐[②]……最终所有一切都将归于尘土。"同样，1618~1621年间，远赴冈比亚寻找黄金的三次旅程都一无所获；事实上，他们还损失了5 600英镑。

西班牙在征服秘鲁和墨西哥后，发现了大量白银。而英国人找遍加拿大、圭亚那、弗吉尼亚和冈比亚，却一无所获。因此，不走运的英国人只有一个办法，那就是掠夺西班牙人。16世纪70年代，德雷克就是靠这种方法在加勒比海和巴拿马挣钱的。这是霍金斯在1581年袭击亚述尔群岛的原因，也是德雷克在4年后袭击喀他赫纳（哥伦比亚的一个海港）和圣多明各的主要目的。通常来说，如果探险过程中出现问题——就像汉弗莱·吉尔波特爵士在1578远赴西印度群岛探险途中，船只在爱尔兰沿海不幸沉没——幸存者往往当海盗赚钱生存。罗利爵士也是依靠这种方式为他寻找"黄金之国"的探险之旅筹措资金——他指示他的船长埃米雅斯袭击了加拉加斯、里奥阿查和圣玛尔塔。1617年，罗利在说服詹姆士一世将他从伦敦塔中释放出来（从1603年起，他就被以叛国罪关在了里面），并再次进行探险努力时，也是通过在海上打劫筹钱的。罗利好不容易筹集了3万英镑，并集结了一个舰队。但此时，西班牙在当地的军备已经非常先进，军备管理也极其森严，结果此次探险以悲剧告终。罗利的儿子违背了他对詹姆士一世的承诺（即不再制造任何与西班牙的摩擦），袭击了西班牙控制下的圣多美，并付出了生命的代价。这次运气不佳的探险的唯一收获就是两块金条（还是从圣多美总督的保险箱中拿出来的），还有一些银盘、一些祖母绿宝石和一些烟草，另外还抓了一个印度人，因为罗利希望此人能够知道那个虚无缥缈的金矿所在。西班牙大使谴责罗利和他的手下是"海盗、海盗、海盗！"（这么说其实也很公正），罗利在回国后便被如期处死。他至死都还相信，"圣多美方圆4.8公里之内……肯定有金

① 《圣经》中的富饶之地、乐土。——译者注

② 《圣经》中的产金地。——译者注

矿”。罗利在绞刑架上宣称：“我全心全意地寻找黄金，为的就是国王陛下的利益，以及那些追随我的人，和我所有同胞的利益。”

即使英国船只远征的目的只是为了寻找价值远不如黄金的其他货物，它们与其他列强的利益冲突仍不可避免。当约翰·霍金斯在16世纪60年代试图参与西非的奴隶贸易时，他很快就发现自己与西班牙的利益发生了冲突。

以无耻的海盗传统为基础，英国发展了“武装民船”或民间海战制度。面对西班牙的直接威胁——强盛的西班牙发展起了强大的“无敌舰队”，以及更强大的国力——伊丽莎白一世作出了一个显然很敏感的决定，准许了这种民间海盗行为，反正这一切已经发生了。就这样，掠夺西班牙就成了一项战略行动。英国在1585~1604年间与西班牙多次发生战事，每年差不多有100~200艘船负责在加勒比海骚扰西班牙船只，抢夺回来的财物每年至少价值20万英镑。这是彻底的海上大混战，同时，英国的“暴力复仇船只”会攻击任何一艘离开或者驶入伊比利亚港口的船只。

“海洋是唯一一个自然归属于我们的帝国。”英国萨尔托恩的作家安德鲁·弗莱彻曾在17世纪末这样写道。在18世纪初叶，詹姆斯·托马斯也曾写道，英国建立了一个“当之无愧的海上帝国”。可以说，大英帝国崛起的关键就在于无敌舰队建立后的1个世纪里，海上帝国的梦想变成了现实。

为什么英国人是抢夺高手？要知道，他们必须克服很多自然劣势。比如，大西洋的风和洋流呈顺时针流动，使得葡萄牙和西班牙的船只比较容易到达伊比利亚半岛和中美洲地区。相比而言，大西洋东北部的大部分时间吹的是西南风（来自西南方向），这使得去北美洲的英国船只不得不顶风行驶。如果他们顺着南大西洋常见的东北风开往加勒比海，就比较容易。长期以来，在沿海活动的水手们需要花很长时间才能掌握海洋航行的技巧，而葡萄牙人在这方面的技术已经相当娴熟。1586年德雷克原本打算从卡塔赫纳到古巴的西印度群岛探险之旅，也因为航海失误和磁罗经的综合作用，在16天后以返回喀他卡塔告终。

在航海技术上，英国人也落在了后面。从速度上来说，葡萄牙人是最快的。在15世纪末叶，他们就懂得了建造三桅帆船，一般以方形的船帆作为前帆，主帆和一个三角形的船帆作为后帆，这样船更容易根据风向抢风航行。他们也是轻型帆船的开创者，这种船是在一个坚实的内部框架的基础上建造的，而不是以鱼鳞迭接的方式建造。这么做不仅成本低，而且能够容纳下一个防水的炮眼。但它的问题就在于，当时海上交战是很频繁的事。如果论海上射击，利比里亚轻型帆船远不是威尼斯巨型舰的对手，因为后者可以负载更重的辎重。1513 年，亨利八世就亲眼目睹了地中海巨型舰在布列塔尼沿海轻而易举地击沉了他的一艘船只，并将另一艘船只损毁，他的海军部长也因此牺牲。威尼斯巨型舰可以发射重达 27 公斤的炮弹。直到 16 世纪 40 年代，英国和苏格兰海军才懂得制造带有专门填补弹药的轻型帆船式军舰，能够负载足够多的军火。

但是，英国人在航海技术上也奋起直追。到伊丽莎白一世时，一种“帆船式巨型舰”的结合体，或者说大型帆船诞生了，上面能够装载四门朝前开火的大炮，这种大型帆船成为英国舰队的主力。它的打击力或许不如巨型舰，但是在速度和军火装运方面已经完全可与之媲美了。在船只设计不断进步的同时，英国的枪炮也随着铁矿的发现和铁用途的增加而得到了改进。英国人自己生产的铁制加农炮虽然很难发射，但造价便宜（是一般加农炮价格的 1/5）。这就意味着“每英镑打出的炮”更多，这种技术优势差不多持续了一个世纪。另外，随着德特福的港务局重组、欧几里得几何学的应用、对磁罗经以及磁极认识的提高，以及对诸如《水手的镜子》等书中用荷兰语绘制图表的翻译，和一些更加精确的地图的出版（莎士比亚的《第十二夜》中就提到过“新增了东西印度群岛的新版地图”），英国水手的航海技术也逐渐提高了。

英国人对海员健康的关注和改善，也开了先河。在欧洲人的探险之旅中，疾病在很多方面都被证明是所有困难中最折磨人的。1635 年，卢克 · 福克斯曾这样描写水手的命运，说水手们“只能忍受和忍耐坚硬的船舱、冷咸肉、常常被打搅的睡眠、发霉的面包、湿漉漉的衣服，以及没有火的生活”。坏血病是长途海航过程中常见的疾病，因为传统的水手食物中缺乏维生素C；另外，船员也很容易得脚气病和食物中毒，瘟疫、斑疹伤寒症、疟疾、黄热病和痢疾（可怕的“便血”）。乔治 · 沃特森在 1598 年出版的一本书《偏远地区的疾病治疗》，是这方面的第一本教科书，虽然它的用处不大（因为他的治疗方法多半是放血或者改变饮食）。直到 18 世纪下半叶，医疗方面才算有了突破。当然，大不列颠岛似乎从来不乏能够忍受海上艰难生活的强壮男人——比如莱姆豪斯的克里斯托夫 · 纽波特，他是从一个普通的水手成长为一个富有的船主。最早，纽波特在西印度群岛打劫为生；1599 年，他袭击了墨西哥的塔瓦斯科，在与西班牙人的作战中失去了一只胳膊。看来，亨利 · 摩根式的人物还真不少。

摩根对格兰纳达的袭击只是他无数次入侵西班牙帝国中的一次。1688 年，他袭击了古巴的太子港、巴拿马波特贝洛、委内瑞拉库拉索岛和马拉开波岛。1670 年，摩根占领了普罗维登斯岛，越海踏上大陆海岸线，并穿过地峡占领了巴拿马。我们不应该对其行动的规模夸大其辞。事实上，参与行动的船只往往都是些手划小船，1688 年在摩根掌控之下的最大的船只也不过 15.4 米长，上面只架设 8 门炮。充其量，摩根的行为只不过“骚扰”了西班牙商业的发展。即便如此，也足以使他成为一个富翁。

不过，最令人称奇的是摩根用他掠夺来的资金所做的事情。本来他完全可以回到蒙默思郡，过上安逸的退休生活，就像他说的，成为“高贵优雅的绅士”。但是，他并没有就此闲下来，而是投资了牙买加的房地产，在米尼奥河流域（现在是摩根河谷）购置了 5 068 亩土地。后来，他在圣伊丽莎白教区又添置了 24 280 亩土地。值得一提的是，这些都是种植甘蔗的理想土地。而这正是英国的海外扩张本质发生普遍改变的一个关键因素。大英帝国以掳掠黄金起家，但是却在甘蔗种植中得以发展。

17 世纪 70 年代，英国王室花了几千英镑在牙买加的罗亚尔港修筑了防御工事，以保护这里的港口。这些城墙如今依然屹立（不过由于一次地震改变了海岸线，这些城墙离海更远了）。由于当年的牙买加很快成为一个海盗根据地，因此，这笔投资看上去还是很有必要的。英国王室已经从牙买加的蔗糖进口关税中获取了丰厚的利润。该岛已经成为英国的一个经济基地，因此值得不惜成本进行防御。不可思议的是，在罗亚尔港监察工事建造的不是别人，正是亨利 · 摩根——此时的他已经被封为亨利爵士了。就在他袭击格兰纳达之后的几年内，摩根不仅变成了一个大种植园主，还成为罗亚尔港驻军的副海军上将和司令官，英国海军部法庭的法官、治安法官，甚至牙买加代理总督。曾经的摩根只是一个得到官方许可的海盗，一个民间探险家，如今却受雇于大英帝国，可以统治一个殖民地。不过，1681年在“一次醉酒后……由于反复发表种种夸张言论”，他失去了所有的官职。不过，他最终还是体面而光荣地退休了。他在1688年8月去世时，罗亚尔港的船只依次鸣炮22响向其致敬。

摩根的生涯生动地体现了大英帝国建立和发展的过程。只有从海盗国家转变为政治强国才可能改变世界，但是如果国内没有发生一些革命性事件的话，这个变化也不可能出现。

英国蔗糖热

丹尼尔·笛福是一位伦敦商人的儿子，也是畅销书《鲁滨孙漂游记》和《摩尔·弗兰德斯》的作者。他对当时英国人的生活曾有深刻而尖锐的洞察。在他的眼里，18世纪初叶的英格兰正孕育着一个完全不同的经济体：世界上第一个大众消费社会。笛福在《英国商人手册》（1725）中写道：

> 英国是世界上第一大外国商品消费国，它从多个产地进口货物……这些进口物资除了棉花、靛蓝、大米、姜、甘椒或牙买加胡椒、可可或者巧克力、朗姆或者糖蜜之外，主要还有糖和烟草，在大不列颠，这些物资的消费量简直让人难以想象……

大英帝国的崛起与其说与新教道德伦理或者英国个人主义思想的传播相关，还不如说与英国人嗜甜的口味相关。在笛福的一生中，糖的年进口量涨了一倍，而这还只是最大的一次消费激增而已。随着时间的推移，原本只是富有精英家庭珍藏的物资逐渐成了平民百姓普通生活的一部分。从18世纪50年代开始，糖就超过外国亚麻制品成了英国最大的进口物资，直到18世纪20年代才落后于原棉的进口量。到了18世纪末，英国的人均糖消费量是法国（每人每年的消费量为20磅）的10倍。英国人对进口物品贪得无厌的胃口是欧洲其他国家所无法企及的。

尤其是，英国消费者喜欢的是将糖与一种极易上瘾的可卡因口服药共同饮用，同时再吸入一种同样很容易上瘾的物质——尼古丁。在笛福的眼里，茶、咖啡、烟草和糖都是新物品，而所有这些商品都是进口的。

英国人寻找茶叶的记录，最早可追溯到1615年6月27日威克姆先生（东印度公司在平户岛的代理）写给他在澳门的同事伊顿的一封信。信中威克姆先生请澳门的同事给自己寄一些“口味上佳的茶”。但是，直到1658年，英格兰才出现了第一则茶叶广告，茶后来也就逐渐成为英国的国饮。这则广告刊登在一本官方资助的周刊《政治信使》9月30日这版中，内容为：“所有医生都推崇的绝好的中国饮料，中文称做茶，其他国家称为Tay或者Tee……现在伦敦皇家交易所旁，斯威汀斯–伦茨大楼内的咖啡店有售。”差不多在同一时期，咖啡店的主人托马斯·加拉韦又刊登了一整版文章，题为“茶的生长、质量和益处详解”，声称喝茶能够治疗“头疼、胆结石、尿结石、水肿、便秘、坏血病、失眠、失忆、消化不良、多梦和肠绞痛”等疾病。他还信誓旦旦地对潜在客户们说：“如果与蜂蜜而非糖混合食用，有助于净化肾脏、清洁尿道；如果加水冲泡并混入牛奶，则有助于消除便秘。如果你身材肥胖，喝茶有助于消脂；如果你饮食过度，它又能够促进消化。”不管出于什么原因，查理二世的葡萄牙籍皇后也是茶的忠实拥趸：埃德蒙·瓦勒曾在这位皇后的生日赋诗一首以表祝贺：“茶，是缪斯女神的密友，功效多么奇妙。热腾腾的蒸汽笼罩着我们的脸庞，让灵魂的殿堂平静安详。”1660年9月25日，英国作家和政治家塞缪尔·佩皮斯喝了他的“第一杯茶”（一种中国饮料）。

不过，英国以足够低的价格大量进口茶叶要追溯到18世纪初叶，由此开创了茶叶的大众市场。1703年，一艘名为“肯特”的船载着29 250公斤茶叶抵达伦敦，一艘船所运载的茶叶量几乎接近于上一年度英国进口的茶叶总量。茶叶的“国内消费量”在18世纪40年代初的年均不足360 000公斤，到1746~1750年这一数字飙升至11 125 000公斤，这期间实现了一个质的飞跃。1756年，喝茶成了英国人日常生活中一个普遍的习惯，以至于汉韦写下“关于茶”一文对此现象大加奚落：“因为喝茶，妙龄少女们的脸颊都失去了往日红润的光泽。”（塞缪尔·约翰逊则予以驳斥，虽然对茶叶，他的评价也是毁誉参半。他自称自己是一个“无可救药但永不后悔的茶客”）。

争议更多的是烟草。烟草是沃特 · 罗利爵士引入的，也是罗阿诺克占领弗吉尼亚计划（这是被人反复谈论的少数几个话题之一）失败后的产物（见第二章）。与茶叶一样，烟草的推广者也坚称烟草具有医疗功效。1587 年，罗利的仆人托马斯 · 埃利奥报告说，这种“草药”在晒干和点燃后，“会散发出大量的烟和呛人的气味，从而打开身体的所有毛孔和经络：这样不仅防止血脉阻塞，而且……能在短期内打通经络：因此他们能够保持健康，远离疾病，帮助我们的国人抵御疾病的侵袭。”早期的一则广告宣称，烟草能够“保护我们的健康，减少我们的痛苦。让我们找到感官的享受，放松我们劳累的大脑。”当然，不是每个人都信这套。对詹姆士一世来说——他在其他方面的想法也超越了他的那个时代——这种燃烧的杂草 “看上去令人生厌，闻上去令人作呕，既损害大脑，又危害双肺。”但是，随着弗吉尼亚和马里兰州的烟草种植迅速扩大，烟草的价格也急剧下跌（从 17 世纪 20 年代每磅 4 英镑 36 便士降至 17 世纪 60 年代每磅的 1 便士），烟草逐渐成了一种大众消费品。17 世纪 20 年代一般只有绅士阶层才有资格吸烟，到了 17 世纪 90 年代，吸烟成了一种“习惯和时尚——所有农民都抽着烟斗”。1624 年，詹姆士将他对烟草的狐疑放到一边，建立起了烟草贸易的皇家垄断权；只要能从烟草进口中攫取的利润迅速飙升，显然让国人吸入更多这种“有害”的气体也值得，虽然全面实行垄断最终被证明是不可行的。

这些新的进口商品改变的不仅仅是经济，还有国民的生活方式。笛福在他的《英国商人手册》中说：“淑女们偏好的茶室和绅士们喜欢的咖啡店似乎都是新的发明……”人们之所以喜欢这些新的饮品，是因为它们所提供的刺激不同于欧洲的传统饮品——酒。酒可以作为一种镇静剂，而葡萄糖、咖啡因和尼古丁则在 18 世纪承担了酒的功能。总的来说，这些新饮品带给英国社会莫大的冲击；可以说，大英帝国是建立在对糖、咖啡因和尼古丁的狂热需求之上——这种狂热几乎每个人都经历过。

同时，英格兰—尤其是伦敦—成为这些新刺激商品在欧洲的中心。到 18 世纪

70年代，85%的进口烟草和94%的进口咖啡实际上都被英国再进行出口，主要出口到北欧。这部分内容反映出当时不同进口货物在关税上的差异：对咖啡征收的沉重进口税限制了国内咖啡的消费，使得茶叶行业迅速发展起来。英国人的许多特点都和他们的财政政策相关，他们喜欢喝茶胜过喝咖啡也是源于这个因素。

通过将他们从西印度和东印度进口的商品部分出口到大陆市场，英国人赚了足够的钱来满足他们另一个长期压抑的欲望，即服饰的革命，这也是新消费主义的重要组成部分。彼得·斯塔布斯在1595年的一篇文章中评论道："世界上没有人比英国人对新款衣服抱有更强烈的兴趣。"在他看来，英国消费者对新款服装需求越来越多，这种需求到了17世纪初叶，甚至导致了一整类立法的失效。这就是奢侈品禁令，该禁令规定，英国男人和女人只能根据他们的社会地位选择他们的穿着。笛福再一次注意到了这个趋势，他在他的文章"众人负责等于无人负责"中写道：

> ……朴实的乡村女孩摇身一变，变成了精致的伦敦贵妇，会喝茶、吸鼻烟，品位越来越高、越来越挑剔。她有了自己的社交圈子，就像她的女主人一样；原来寒酸褴褛的亚麻、羊毛混织小外套也换成了上好的丝绸衣服，至少得有4码或5码宽。

但在17世纪，有品位的英国消费者只愿去一个地方买衣服，那就是印度人的服装店。从质量、设计、做工和技术方面来说，印度织品非常符合英国人的需求。当英国商人开始从印度购买丝绸和印花棉布，并将其带回英国后，几乎在国内掀起了一场服饰革命。1663年，佩皮斯陪同妻子伊丽莎白到伦敦最时尚的购物区康希尔购物，"在一番精挑细选之后，我太太终于为她的新书架配了一块印花棉布，也就是印染着图案的一种印度棉布，确实非常漂亮。"在等候一位艺术家约翰·海耶斯时，佩皮斯还特地去租了一套时尚的印度丝绸晨袍穿在身上。1664年，英格兰进口的印度棉布达25万匹。当然，孟加拉丝绸、平纹皱丝织品，以及纯白薄细棉布的需求量也与印度棉布不相上下。笛福在1708年1月31日的《每周评论》中说："这些东西不知不觉地进入了我的家，我的衣橱、我的卧室、窗帘、垫子、椅子，最后连床都铺满印度棉布或者印度的织品。”

这些进口织物的一大优势在于，它们的市场简直是无穷大的。说到底，一个人能够消费的茶和糖都是有限的，可是他对新衣服的渴求永远是贪得无厌的，过去如此，现在也是如此。既然笛福笔下“朴实的乡村女孩”都能买得起印度织物，这就意味着，喜欢畅饮茶的英国人如今不仅满足了口腹之欲，穿着也更体面、漂亮了。

早期进口贸易的经济情况相对简单。17 世纪的英国人找不到多少印度人自己不生产的物品可以与印度人进行以物易物。因此，他们一般都用在其他贸易中赚到的黄金来购买印度的产品。如今，我们将这一过程的推广称为全球化，意思是将全世界连接成同一个市场。但是，17 世纪的全球化还是在一个重要方面与如今的全球化存在差异。把黄金运到印度，再把印度的商品运回来，就这么一个买卖的过程就意味着需要走 19 200 公里左右的路程，而每公里都会因风暴、沉船、海盗等许多不确定的因素而充满危险。

然而，最大的威胁并非来自挂着骷髅头旗帜的海盗船，而是在于，其他欧洲人也试图在做同样的事情。因此，亚洲即将成为争夺市场份额这场残酷战争的中心。

而这次的全球化则是由炮舰开路的。

英国的商品贸易

宽阔浑浊的胡格利河是孟加拉恒河三角洲最大的一条支流，也是印度最古老的一条贸易动脉之一。从它在加尔各答的河口，你可以溯流而上到达恒河，随后经过帕坦纳、瓦拉纳西、阿拉哈巴德、坎普尔、阿格拉和德里。另一个方向在孟加拉湾，顺着季候风和海道，你就能到达欧洲了。所以，当欧洲人到达印度做生意时，胡格利是他们最喜欢去的地方。可以说，它就是进入南亚次大陆的经济关卡。

如今，加尔各答北部钦苏拉镇还可以零星地看到一些西方古建筑，它们正是当时世界上最大的贸易公司之一——东印度公司——在印度首个前哨留下的遗迹。100 多年来，该公司占领了亚洲贸易的交通要道，几乎垄断了从香料到丝绸的各类产品的贸易。

但是，这个是荷兰的东印度公司，并非英国的东印度公司。钦苏拉那些荒废的别墅和仓库当初都不是为了英国人建造的，而是为来自阿姆斯特丹的商人建造的。这些荷兰人在亚洲做生意的历史要比英国人久远多了。

荷属东印度公司成立于1602年。正是当年大规模的金融革命使阿姆斯特丹成为欧洲最先进、最有活力的城市。自从在1579年摆脱了西班牙的统治，荷兰就一直站在欧洲资本主义发展的前端。荷兰创建了公债体制，使其政府得以以很低的利率从公民手里借钱。它建立了现代央行的雏形，它的货币体系很健全。它的税收体系—主要基于货物税—也是简单有效的。荷属东印度公司则是商业组织历史上的一个里程碑。直到1796年解散，荷属东印度公司为它的原始股东带来的是年平均18%的收益率，在这么长的时间里保持着如此高的回报确实非常惊人。

当然，在伦敦也有一群商人筹集了3万英镑，准备“组织一次前往东印度和附近其他岛屿和国家……的旅行”，他们只等着获得皇家的垄断授权；1600年9月，伊丽莎白一世向“远赴东印度做贸易的伦敦商人公司”授予15年的东印度贸易垄断权；次年，一支由四艘船组成的船队开往苏门答腊岛。但是，从1595年开始，荷兰商人已经经由好望角前往印度开展贸易了。到1596年，他们已在爪哇岛万丹扎下了根基，1606年，首批发往欧洲市场的中国茶叶就是从这里运出的。另外，荷属东印度公司还是一家永久性股份制公司，这点与英属东印度公司不同，后者到了1650年才成为永久性股份制公司。虽然比英属东印度公司晚两年建立，但是荷属东印度公司很快就主导了与印度尼西亚摩鹿加群岛的香料贸易（曾经被葡萄牙垄断），利润丰厚。荷兰人做生意的规模很大：他们向亚洲派出的船只数量是葡萄牙船只数量的5倍，是英国船只数量的2倍。部分原因在于，荷兰公司与英国公司不同，它根据净收入而非净利润对经理们进行激励，这就鼓励了后者增加交易量。17世纪，荷兰扩张迅速，在印度东海岸的玛苏里帕特纳姆、西海岸的苏拉特以及锡兰的贾夫纳建立了基地。但到了17世纪80年代，荷兰运回国的货物中最多的就是来自孟加拉的织物。钦苏拉几乎要成为荷兰在印度贸易基地的首都了。

但是，从另一方面来说，两家东印度公司也有很多共同之处。我们不应该简单地将它们等同于现代的跨国公司，因为它们更像是由国家许可的垄断公司，另外，它们也比加勒比海的海盗联盟更为复杂和微妙。创建这两家公司的荷兰人和英国人都能够在政府的垄断政策保护下，汇集所有的资源以进行大规模、高风险的冒险事业。同时，公司也允许政府将其海外扩张项目私有化，从而将大量的风险转嫁出去。如果赚了钱，公司就要上缴一部分收益，或者更常见的是提供一些贷款，以换取许可延期。而私人投资者也大可放心，因为公司能够百分之百地获得市场份额。

这两家公司的经营模式并非第一家，当然也不可能是最后一家。还有一家公司成立于 1555 年（从商的探险者为开拓未知的地区、领土、岛屿和地方建立的公司），它就是与俄国进行贸易的俄国公司。1592 年，威尼斯和土耳其公司合并成立利凡特公司。1588 年和 1592 年，分别希望在西非的塞内冈比亚和塞拉利昂获得贸易垄断权的公司获得了授权。继它们之后是 1618 年的几内亚公司（伦敦探险者为进入西非各港口进行贸易而创建的公司），1631 年，该公司重新获得了为期 31 年的西非贸易垄断权。到了 16 世纪 60 年代，一个强大的新公司——皇家探险者非洲公司——诞生，获得了几乎持续 1 000 年的垄断权许可。这是一个非常赚钱的公司，因为就是在这里，英国人找到了黄金——终于找到了；虽然当地出口量最大的还是奴隶。在气候截然相反的地区，我们则能看到 1670 年创立的哈德逊湾公司（英格兰探险者为进入哈德逊湾进行贸易而创建的光荣公司），垄断了加拿大的皮毛贸易。1695 年，苏格兰人效仿英格兰人，建立了进入非洲和印度群岛进行贸易的苏格兰贸易公司。1710 年又建立了南海公司，旨在垄断与西班牙统治下的美洲的贸易。

但是，授予这些公司的垄断权是否真的有效呢？以两家东印度公司为例，麻烦就在于，它们不可能同时拥有在亚洲与欧洲进行贸易的垄断权。那种提出伦敦和阿姆斯特丹实行不同商品贸易的主张简直就是荒谬之极，虽然荷兰和英格兰市场相距很近。1613 年，英属东印度公司在印度西北海岸的苏拉特立足，显然目的就是为了在利润丰厚的香料贸易中分一杯羹。如果香料出口量缺乏弹性，那么它只有将生意从荷属东印度公司中抢过来才算胜利。这就是当时许多人的假设，用当时的政治经济学家威廉·佩蒂的话来说："世界各国的贸易量占比总是一定的。"东印度公司的总监约西亚·蔡尔德就希望"其他与我们在同一业务上竞争的公司不要将我们的生意抢走，希望我们的生意能够继续并繁荣，而他们的交易量随之减少"。经济就是一个零和游戏，这就是所谓重商主义的核心。但是另一方面，如果香料出口量是有弹性的，那么对英格兰的香料供给量势必增加，从而抑制了欧洲的香料价格。英属东印度公司的首次苏拉特贸易之旅就赚得盆满钵满，利润率高达200%。但是此后，盎格鲁-荷兰竞争还是带来了一个不难预测的效应，即压低了价格。那些第二批投资东印度公司（在1617~1632年间投资160万英镑）的人最终都亏钱了。

英国人这样挤占东部贸易的举措不可避免地引发冲突，尤其是香料贸易当时占了荷属东印度公司贸易总额的3/4。早在1623年就发生了暴力事件，荷兰人在印度尼西亚的安汶岛谋杀了10位英国商人。1652~1674年间，英国人与荷兰人交战三次，主要目的就是为了争夺出入西欧的主航道——不仅是从西欧到达印度群岛，还有到波罗的海、地中海、北美和西非要道的控制权。此前很少有因为纯粹的商业利益之争而引发的战争。英国人决意要在海军力量上争取优势，因此，他们将商船海军的规模扩大了一倍，并在区区11年间（1649~1660年）将海军船只的数量增加了216艘。1651年和1660年，《航海法》各法律条款相继获准，其中宣称，来自英格兰殖民地的商品理应由英格兰船只运送，目的就是以牺牲荷兰商人的利益（多年来，荷兰商人一直在海洋运输贸易中占据优势）为代价来扩张英国船队。

然而，虽然一开始英国人取得了一些胜利，但荷兰人最后还是占据了上风。英国人在西非沿海的所有贸易据点几乎都被拔除了。1667年6月，一支荷兰舰队甚至北上泰晤士河，占领了希尔内斯和肯特郡，损毁了查塔姆和罗切斯特的船坞和船只。在第二次与荷兰人的战争中，英国人又被赶出了苏里南和波拉罗恩；1673年，纽约也暂时失守，这让许多人大吃一惊。毕竟英国人的数量是荷兰人的2.5倍，而英国的经济实力也更强。在第三次与荷兰的战争中，英国人得到了法国人的支持。可是，在先进的金融体系的帮助下，荷兰还是给了两大经济强国以狠狠的一击。

相比而言，对英国人来说，战争的失败让英格兰落后的金融体制不堪重负。政府在破产的边缘苦苦挣扎：1671 年，查理二世被迫延期偿付一些政府债务，这就是所谓的“国库停止支付”事件。这次金融动荡造成了深远的政治影响；因为在查理二世统治时期，伦敦与英国政治精英们之间的联系前所未有地密切。无论是在伦敦议事厅还是王宫，或者新贵族们的豪宅中，英荷战争的失利都引起了人们的恐慌。坎伯兰郡公爵是皇家非洲公司的创始人之一，后来又担任哈德逊湾公司的管理者。约克郡公爵，也就是未来的詹姆士二世，是成立于 1672 年的新皇家非洲公司（之前的公司被荷兰人毁于一旦）的管理者。1660~1683 年期间，查理二世获得东印度公司的“自愿捐款”，金额达 324 150 英镑。与荷兰之间激烈的竞争逐渐拖垮了复辟的斯图尔特王朝，英国必须另寻出路。最终他们找到了一个解决方案，那就是合并（这在商业史上经常发生）——不是两家东印度公司之间的合并，而是一场政治联盟。

1688 年夏，由于怀疑詹姆士二世积极恢复天主教信仰，同时也担心他的政治野心，一个由英国新贵族组成的强大寡头集团发动了政变。值得注意的是，他们得到了伦敦商人的支持。他们邀请荷兰执政奥兰治亲王威廉入侵英格兰，几乎是兵不血刃地驱逐了詹姆士二世，史称“光荣革命”。这次革命往往被描写为一次政治事件，是英国自由主义派和议会君主制的胜利，但同时它也带有英荷联盟的意味。荷兰的奥兰治亲王威廉实际上成了英国的领导者，而荷兰商人也成为英属东印度公司的大股东。发起光荣革命的人认为，他们在宗教和政治上已无须再向荷兰人学习，因为与荷兰人一样，英国人已经有了自己的宗教，也建立了议会制政府。而他们可以向荷兰人学习的是后者的现代金融。

尤其是，1688 年的英荷联盟让英国人首次得以了解荷兰几家重要的金融机构，以及它们先进的金融机制。1694 年，英国成立英格兰银行，负责管理政府借贷和国家货币，与 85 年前创建的成功的阿姆斯特丹银行类似（但不完全相同）。伦敦也引入了荷兰的国家公共债务体系，通过一个能够自由买卖长期债券的证券交易所融资。这使得政府能够以很低的利息贷款，从而增强了开展大规模项目——包括发动战争的实力。向来敏锐的丹尼尔·笛福很快就意识到，廉价的借贷对一个国家将产生什么样的影响：

> 信贷制造战争，也带来和平；它能帮助我们召集军队、装备海军、打响战役、围攻城镇；总之，称它为战争的力量源泉比直接称它为钱更合适……信贷可以让士兵不拿军饷就上战场，让军队没有物资供给也能行军……它就是坚不可摧的防御工事……它让白纸变成钱……给国库和银行注满了钱，只要需要，想有多少钱就有多少钱。

复杂先进的金融机制让荷兰人不仅能够为它在全球范围内的贸易融资，也让他们得以建立一流的海军来保护他们的安全。如今，这些机制将在英格兰得到更加广泛的应用。

英荷联盟之后，英国人在东方有了更大的行动自由。他们达成了一个交易，实际上将印度尼西亚和香料贸易留给了荷兰人，而把较新的印度纺织品贸易留给了英国人去发展。这个交易看起来对英属东印度公司更有利，因为纺织品市场的规模迅速超过了香料市场。事实上，胡椒、肉豆蔻、肉豆蔻皮、丁香和肉桂——荷属东印度公司的利润来源——的需求弹性远远小于白棉布、印花布和棉布。这也是英属东印度公司到了18世纪20年代，就在销售额上超越其荷兰竞争对手的原因之一；以及1710~1745年期间，英属东印度公司只有两年的亏损纪录，而荷属东印度公司的利润却不断下滑的原因之一。英属东印度公司的总部迁到了利登霍尔大街，这里是公司的两大监管机构——董事会（持有2 000英镑或以上东印度公司股票的股东）和业主会（持有1 000英镑或以上股票的股东）——开会的地方。但是，反映出这家公司日渐兴隆的真正标志是它在毕晓普斯盖特建立的一个巨大的仓库，用来储存公司从印度进口到欧洲的布匹。

进口货物从香料变成衣料，这也意味着英属东印度公司在亚洲贸易基地的转移。苏拉特于是逐渐衰落，取而代之的是三大“工厂”（当时有人是这么称呼它们的），这些加固了防御工事的贸易中心如今都是亚洲最繁荣的城市。第一个就是在印度东南海岸，梦幻般的科罗曼德海滩。东印度公司以1630年占领的海滩据点为基础，建立了一个贸易基地，也许是为了彰显它的英国属权，将其命名为圣乔治贸易基地。后来，马德拉斯城就在此兴起。就在30年后，即1661年，英格兰从葡萄牙手中夺取了孟买，并把它当做查理二世和布拉甘萨的凯瑟琳结婚的嫁妆送给了他们。最后，1690年公司又在胡格利河东岸的苏塔努提建立了一个贸易基地，后与其他两个村庄合并，发展成为更大的城市加尔各答。

今天，我们依然能够发现这些英国“工厂”的遗迹，它们可以被称为大英帝国早期的开发区。马德拉斯贸易基地现在仍在，保存得比较完整，设有教堂、广场、房屋和仓库。它们的布局并无创新。实际上，与早期的葡萄牙、西班牙及荷兰贸易基地的布局大致相同。但是，在新的英荷联盟下，诸如钦苏拉等城市代表的是过去，而加尔各答代表的是未来。

可是，英属东印度公司刚刚解决了与荷兰对手的竞争，又迎来了另一个更加恶劣的竞争，这次是与它们自己的员工。这就是经济学家所说的“代理人问题”：公司所有者所面临的基本困难就是如何控制他们的员工。而这个困难随着股东和雇员之间地理距离的增加而增加。

我们要谈的不只是距离，还有风向。到了1700年，从波士顿到英格兰只需航行4~5周就可到达了（如果从英格兰到波士顿，一般则要5~7周）。航行到巴巴多斯岛通常需要9周左右。由于大西洋上的风向影响，海上贸易通常都有季节性特征：开往西印度群岛的船一般在11~1月间起航；开往北美的船则正相反，会在仲夏至9月底之间起航。但对于在欧洲与印度之间往来的船只，航行期就要长得多；从英格兰途径开普敦到加尔各答，平均航行时间约为6个月。4~6月，印度洋主要刮的是西南风，10~3月风向逆转，转为东北风。要去印度就应该在春季起航，这样秋季你就可以返航了。

亚欧之间这么长的航行期意味着东印度公司的垄断既容易实施，也很难实施。与北美贸易比较起来，规模较小的对手很难在同类贸易上与东印度公司进行竞争；因此，虽然到17世纪80年代，往来于北美洲和加勒比海之间的贸易公司有数百家之多，但去印度做生意的人数还是比较少，毕竟这6个月航程的成本和风险让许多人望而却步，因此，生意就集中到了一家巨擘手中。但是，在员工们得花半年时间才能远渡重洋完成任务的情况下，这家巨擘要控制自己的员工也是万分困难的。从国内向印度员工发出的指令也同样要花这么长时间才能到达。东印度公司的员工享有很大的自由——可以说，大多数员工完全不受伦敦老板们的控制。由于他们的薪水相对来说比较微薄（文职人员一年 5 英镑，比英格兰的文员高不了多少），因此，大多数公司员工都会毫不犹豫地在生意中捞取一些好处。因此后来有人讽刺说："利登霍尔大街的经济潜规则是：微薄的工资，可观的灰色收入"。还有些员工则更过分，完全把公司的工作抛到一边，自己做生意。这些人就是董事们最憎恶的人：无照经营者。

托马斯 · 皮特就是无照经营者中的一个典型人物。他是多西特一个牧师的儿子，1673 年进入东印度公司工作。到达印度后，皮特干脆逃跑了，并开始从印度商人手中购买货物，再运回英格兰出售，所得的钱悉数装入自己的腰包。公司董事会强烈要求皮特回国，谴责他是"一个傲慢、暴躁、大胆无耻的年轻亡命之徒，只要有机会做坏事，他就绝对不会犹豫"。但是，皮特愉快地忽略了命令他回国的要求。事实上，他还与公司在孟加拉湾的负责人马提亚 · 文森特做起了生意，并娶了文森特的侄女。在被公司起诉后，皮特支付 400 英镑的罚金与公司了断了此事。如今，这笔钱对他来说已经不算什么了。

像皮特这样的人在东印度公司的贸易发展中，其实起到了关键作用。也就是说，随着隶属于英国政府的公司贸易的发展，一个庞大的私营贸易也在不断地发展。这就意味着英国王室授予东印度公司的盎格鲁-亚洲贸易垄断权开始动摇了。但这也许并非坏事，因为如果没有这些无照经营者，一家垄断公司未必能让英国和印度之间的贸易如此迅猛地扩张和兴旺。确实，连公司自己也逐渐认识到，这些无照经营者——甚至包括不听话的皮特——非但不会阻碍它的业务，甚至可能推动它的业务发展。

如果你认为英荷联盟的结果是把印度让给了英属东印度公司，那么你就错了。事实上，在广阔的亚洲帝国中，荷兰商人和英国商人都只是小角色。马德拉斯、孟买和加尔各答只不过是位于一个宽阔而经济发达的次大陆边缘的一些小得可怜的贸易基地。这个阶段的英国只不过是寄居在外围的寄生虫，依赖的是与印度商人的合作关系，无论是在马德拉斯还是在孟加拉。而政治力量仍然集中在德里红堡，这里是莫卧儿皇帝、穆斯林的“万物之主”的主要居住地。莫卧儿帝国的祖先在16世纪从北方南下，横扫印度，并从此统治了大半个南亚次大陆。造访印度的英国人托马斯·罗尔爵士曾对他在德里的所见所闻表示了蔑视（“宗教好像无所不能，法律制度却几乎是一片空白。在这样的混乱状况下你还能期望什么？”这是罗尔在1615年的结论），但是，莫卧儿王朝是一个富裕而强大的帝国，欧洲各国根本不能与之相提并论。1700年，印度的人口是英国的20倍，印度的产值估计占世界总产值的24%——也就是近1/4；而英国只占世界总产值的3%。你要是在17世纪对造访过德里的人说，英国有朝一日会统治印度，那他们一定会惊异于你的荒谬。

事实上，东印度公司只有在获得莫卧儿皇帝允许，以及当地官员的首肯后才能开展贸易。这个过程并不总是一帆风顺。正如公司董事会所抱怨的：

> 这些（本地）的地方长官……知道该怎样欺负我们，向我们勒索他想要的财宝。他们的办法就是围攻我们的工厂①，在恒河上拦截我们的船只。除非我们让他们意识到，我们的实力就像真理和正义一样，是在我们这一边的，否则他们是绝不会善罢甘休的……

但这说起来容易、做起来难。就当时来说，取悦莫卧儿皇帝还是东印度公司的要务之一，因为失宠就意味着金钱的损失。他们必须去拜访莫卧儿宫廷，公司代表必须在德里红堡内庭（即公众会见厅）的孔雀王座前卑躬屈膝。他们还不得不与莫卧儿王朝签订复杂的条约，必须向莫卧儿官员行贿。所有这些都要求商人们不仅要懂得做生意，还要善于周旋和应对。

1698年，公司尽弃前嫌，派无照经营者托马斯·皮特到马德拉斯担任圣乔治堡的地方长官。他的薪水每年只有200英镑，但是他的合同上写明，允许他自己

---

① 在这里，董事们指的是仓库；公司本身并不涉足工业生产。

做些私人生意。就这样，一个偷猎者就变成了猎场看守者（当然，他还是能时不时地进行一些偷猎）。上任伊始，皮特就面临着一个棘手的外交危机。莫卧儿皇帝奥朗则布宣布，不仅要禁止与欧洲人的贸易往来，还要逮捕他们，立即没收他们的货物。皮特在与奥朗则布谈判，希望后者取消禁令的同时，他还不得不在圣乔治堡设防，抵御前来执行皇帝政令的印度卡那提克行政长官（印度语中称Nawab）杜埃汗的进攻。

但到18世纪40年代，莫卧儿皇帝已经失去了对印度的控制。1739年，波斯人纳迪尔·沙阿·阿发哈尔在阿富汗-土耳其军队的帮助下攻占了德里；1747年之后，艾哈迈德·沙阿·阿卜杜拉又率领阿富汗人频繁地侵略北印度。除了这些“种族冲突”，莫卧儿王朝以前在一些省的代理人也开始自己占山为王了—比如阿尔果德省的行政长官和海德拉巴邦的邦主（印度语中称Nizam）。在西部，马拉塔人则在没有德里授权和允许的情况下实行了自治。印度进入了一个各自为政、相互残杀的战争阶段，英国人后来将这一时期称为“无政府时期”—并认为这是印度人不善于管理自己的明证。实际上，这种为争夺印度统治权的战争，与哈普斯堡王朝为争夺欧洲统治权而发起的战争毫无二致。尤其是来自北部的威胁迫使印度统治者提高了统治效率，改进了他们的税收体系，以帮助他们支付庞大的军费开支，这与欧洲统治者的所作所为如出一辙。

欧洲人一直在加强他们在印度殖民地的防事。但在那个危险时期，他们不得不紧急增加驻军。由于无法从英国员工中招募足够的军力，东印度公司开始从南亚次大陆的当地人中召集人力组建自己的军队—比如南部的泰卢固农民、西部的底比斯人、恒河中心流域的拉吉普特人和婆罗门人—并用欧洲的武器武装他们，让他们听令于英国军官。理论上说，这仅仅是公司的安全保卫队，旨在战时保卫公司的财产。不过实际上，这就是一支私人武装，并很快成为公司贸易推进过程中的一个关键要素。从一开始的贸易公司起步，东印度公司现在有了自己的殖民地、自己的外交官，甚至自己的军队，俨然就是一个王国。在这里，我们可以看到亚洲和欧洲的一大区别。欧洲列强之间尽可以打得你死我活，最终胜者也还是欧洲人。但是，当印度各领邦开始相互厮杀时，最终取胜的则可能是一个与印度根本没有血缘关系的王朝。

只有一个问题尚不明朗，那就是谁为胜者？

战争中的人

京吉是卡那提克最壮美的贸易基地之一。它盘踞在一个平地拔起的山坡上，占据了科罗曼德海岸的内陆地区。但是在18世纪之前，驻防在这里的并非英国人，也不是当地的统治者。京吉控制在法国人的手里。

英国人与荷兰人的战争是由贸易引起的。从根本上说，这是一个商业问题，他们争夺的是市场份额。而英国人与法国人的战争——他们几乎在世界的任何一个角落里遭遇，就好像是英法百年战争的世界版——则决定了谁将统治这个世界。战争的结果根本无法预测。

据说，不论哪个早上，法国教育部长都确切地知道其控制下的每所学校的教学内容。每个法国学生学的都是同样的课程：同样的数学课、同样的文学课、同样的历史课、同样的哲学课。这是一种实实在在的霸王式教学法。它不仅在印度小城法国人办的中学实行，也在巴黎的国立中学实行。如果18世纪50年代的历史改写，印度最终成为法国殖民地，那么印度所有的学校都将实行同样的教育——法语，而非英语，它将成为世界的通用语言。

如果那样的话，历史会变得更为有趣。要知道，英荷联盟已经大大地增强了英国的实力。1707年，随着议会的合并，苏格兰和英格兰合二为一，造就了一个更加坚不可摧的实体：大不列颠合众国。这个名词最早是詹姆士一世提出，用来说服苏格兰成为英格兰的附属国——当然也说服英国人服从苏格兰国王的统治。到西班牙王位继承战争（1713年）结束前夕，这个新国家已经无可争议地成为欧洲最强大的海上强国了。在占领了直布罗陀和米诺卡岛后，英国人控制了出入地中海的门户。但是，在欧洲大陆，法国仍然维持着它的优势。1700年，法国的经济规模是英国的两倍，人口是后者的3倍。另外，和英国一样，法国也把触角伸向了欧洲之外的世界其他海域。法国人在美洲建立了路易斯安娜和魁北克，这被称做“新法国”。法国的产糖岛，比如马提尼克岛和瓜德罗普岛是加勒比海最富裕的地区。1664年，法国人还成立了他们自己的东印度公司，总部设在本地治里，离英国人在马德拉斯的殖民地不远。在法国与英国争夺世界霸权的战争中，法国人的威胁是不可小觑的，在大半个世纪里都是如此。用1756年《评论》杂志中的话来说：

> 对于法国的勃勃野心、法国政府力求独霸全球的渴望，以及它对邻国不断的侵蚀，想必每个英国人都不陌生……我们的贸易、我们的自由、我们的国家，甚至欧洲其他地区，都面临随时落入虎口的危险，我们这个共同的敌人，这个无处不在、贪得无厌的家伙，只要一有机会，便会吞噬整个世界。

从商业角度来看，法属东印度公司对英属东印度公司的威胁确实相对较小。起初，它在得到政府补贴的情况下还产生了巨额亏损，因此不得不在1719年进行重组。与英属东印度公司不同，法国的这家公司在政府的牢牢掌控之下，并由新贵族管理，而新贵族醉心于政治权力的争斗，对贸易不甚关心。因此，法属东印度公司对英属东印度公司的威胁，与荷属东印度公司不同。荷兰人争夺的是市场份额，法国人争夺的是地盘。

1746年，印度本地治里的法国总督约瑟夫·弗朗索瓦·杜布雷决定给在印度的英国势力一拳重击。他的印度地方官（印度语中称dubash）阿南达·兰加·菲兰在日记中就生动地描写了杜布雷兵变前夜法国堡垒中弥漫的情绪。“公共舆论认为，从此胜利的天平将向法国倾斜……人们……都说运气将离开马德拉斯，而降临到本地治里。”杜布雷也向菲兰保证说：“那家英国公司注定要灭亡。它的财政入不敷出已经很长时间了，它的唯一优势就是依靠着他们的国王，可这个家伙的倒台也是迟早的事了。英国首都肯定要沦陷，这必定导致英国政权的崩溃。记住我的话好了。很快就会有我们的捷报传回，到时你会发现，我的预言都已经实现了。”菲兰记录道，1747年2月26日：

> 法国人向马德拉斯发起了进攻……就像一头狮子冲进了象群中……包围了堡垒，在一天时间内，让当地总督……和那里的所有人民震惊不已、惊恐

万分……他们攻占了堡垒，将他们的旗帜插上了城墙，包围了整个城市。在马德拉斯，他们就像太阳一样，散发出耀眼的光芒照亮了整个世界。

沮丧万分的英属东印度公司非常害怕自己会被法国对手“彻底摧毁”。伦敦董事收到的一份报告称，法国人的目的“无它，就是想将我们驱逐出沿海地区（马德拉斯地区），并从一定程度上驱逐出印度。”

可实际上，杜布雷并未把握好行动时间。1748 年《亚琛和约》的签订结束了欧洲奥地利王位继承战争，这迫使杜布雷放弃了马德拉斯。但随后，1757 年，英国和法国之间的仇恨重新燃起——这次则是以一个前所未有的规模。

七年战争是 18 世纪最接近于世界战争的一次战争。和 20 世纪的世界大战一样，这从本质上说还是一场欧洲战争。英国、法国、普鲁士、奥地利、葡萄牙、西班牙、萨克斯、汉诺威、俄国和瑞典都是参战国，而战争的炮火却从新西兰的科罗曼德尔蔓延到加拿大，从圭亚那蔓延到瓜德鲁普，从马德拉斯蔓延到马尼拉。印度人、美洲原住民、非洲奴隶和美国殖民者都被卷入这场战争。而帝国的未来也充满了不确定性。现在的问题很简单：这个世界是英国的还是法国的？

在汉诺威王室的这场世界末日之战中，主导英国政策导向的不是别人，正是威廉·皮特。一点也不奇怪，其家族的兴衰就维系在盎格鲁-印度的贸易上，他也绝不想将英国的世界霸主地位拱手让给它的欧洲宿敌。他本能地从全球视角来考虑这场战争，确实不愧为托马斯·皮特的孙子。他的战略就是依靠英国所拥有的一个优势：他们的舰队，及其背后的造船厂。英国的普鲁士同盟军在欧洲牵制着法国和它的同盟，而英国皇家海军则希望在公海上开辟它们的帝国，接下来对各殖民地的占领就留给分散在各地的英国陆军去做。因此，关键就在于确立明显的海上优势。正如皮特在 1755 年 12 月向英国议会汇报时所说，要在正式宣战前确立这一优势，虽然在各殖民地间的战争早就开始了：

我们应该在宣战前全面精良地武装我们的海军……在战争即将爆发的当前，难道不是我们采取任何我们所能想到的所有方法，鼓励能干、专业的海军为国王效劳的时候吗？事实上，公开战争已经开始：法国人攻击了国王陛

> 下在美洲的军队，而国王陛下的船只也在那里对法国国王的船队展开了反击。这还不是公开的战争吗？……如果我们不把印度盟国的所有土地，以及我们在美洲的所有土地从每个法国堡垒、每个法国驻军的手上解救出来，那么我们将不得不放弃我们的种植园。

皮特从英国议会获得了招募55 000名海军的批准。同时，他将舰队船只增加到了105艘，势头远远超过了法国50艘船只的舰队。在此过程中，皇家造船厂成为世界最大的工业企业，员工多达数千人，主要从事船只的建造与维修。

皮特的政策部分依赖于英国崭露头角的经济优势：无论是造船、冶金，还是枪械制造，它都明显地走在了前列。英国人不仅是在用技术，也是在用科学来争夺海上霸权。当18世纪40年代乔治·安松驾驶着6艘船环球航行时，人们还未找到坏血病的治疗方法，约翰·哈德逊还在研究他的第三版海上经度测试仪。海员们一批批地死去，而船只也会频繁失踪。但当1768年詹姆士·库克船长的“奋进号”航船向南太平洋航行时，约翰·哈德逊已经赢得了导航委员会的奖章，而库克的船员们也已经懂得如何预防坏血病。“奋进号”上还乘载了一群自然主义者，最有名的是植物学家约瑟夫·班克斯。库克此行背负着两个使命：一是提出澳大拉西亚[①]归属英国海军部，从而“捍卫英国的权力、领土和主权”。二是为英国皇家学会记录金星凌日的奇观。就此看来，这艘船不啻为科学和战略结合的缩影。

只是海军军规还一如既往地严厉。最有名的一个故事是，海军上将约翰·宾由于没能摧毁米诺卡城外的一支法国军队，在战争开始不久就被枪毙了，判决依据是他违犯了《战争法》第12款：

> 军队中任何因胆怯、玩忽职守或者不满……而没有尽自己的最大能力去攻占或者击毁敌军的船只，没有尽到自己责任的人；任何犯下这些罪行，并

① 一个不明确的地理名词，一般指澳大利亚，新西兰及附近南太平洋诸岛，有时也泛指大洋洲和太平洋岛屿。——译者注

被军事法庭判决有罪的人，将被处以死刑。[①]

而一些能力超凡的人，比如宾的堂兄弟乔治 · 波科克，就把法国人的舰队从印度沿海击退了。这样的人还有很多，比如詹姆士 · 库克率领着他的军队为了帮助沃尔夫将军，沿着圣路易斯河北上进攻魁北克。比如乔治 · 安松——他如今已经是英国海军部部长了——策划了对法国的封锁。这可能是所有战争中最能彰显英国海军优势的一次战争了。

1759 年 11 月，法国舰队最后发起了垂死一搏，入侵英格兰。等待他们的是爱德华 · 霍克爵士。英国海军在狂风暴雨中将法国舰队驱逐到了布列塔尼岛南岸的奎贝隆海湾深处，并将舰队打得落花流水——2/3 的船都被沉没、烧毁或者攻占。法国人的侵略计划也因此中断。英国的海上霸权现在完整了，夺取法属殖民地也是志在必得的事了，因为在切断了法国与其殖民地之间的联系后，英国海军为英国的地面部队赢得了关键的优势。英国部队占领魁北克和蒙特利尔后，结束了法国人在加拿大的统治。富饶的加勒比海产糖岛——瓜德鲁普岛、玛丽 · 加朗特岛和多米尼加岛——也落入了英国人手里。1762 年，法国的西班牙盟军被驱逐出了古巴和菲律宾。同年，法国驻军撤出了在京吉的贸易基地。而他们在印度的所有根据地——包括本地治里——都被英国占领了。

这是一个凭借海上霸权取得的胜利，而英国之所以能取得海上霸权，是因为英国较之法国有一个关键优势：借贷的能力。英国拥有的 1/3 的战争经费都是通过融资获得的。英国金融机构在威廉三世时期就复制了荷兰的模式，现在已经将这些模式完全融入自己的体制中。皮特的政府通过向投资公众销售低利率债券的方式分摊了战争的成本。而法国却只能被迫乞讨或偷窃。正如伯克利主教所说，信贷是“英国超越法国的主要优势”。支撑英国海军每一场胜利的是国家债务，国债规模的增长——在七年战争中从 7 400 万英镑增加到 1.33 亿英镑——也正反映了这个国家金融实力的增长。

---

① 有感于宾的命运，伏尔泰说出了那句名言：“在这个国家里，时不时地杀一个海军少将以儆效尤被认为是再合理不过的事。”

17 世纪 80 年代，英格兰和“美洲的大英帝国”之间还有些许区别。而到了 1743 年，人们可能已经将“大英帝国视为一个完整的整体了，包括大不列颠、爱尔兰、美洲的种植园和渔场，以及它在东印度和非洲的领地”。也就是到了那时，乔治·麦卡特尼爵士才会感叹“在这个庞大的帝国里，太阳永不落，帝国辽阔的疆域无边无际”。皮特唯一遗憾的是（在他离职后，英法两国才停止交战），法国还是被允许保留它在海外的所有领地，尤其是英国还将那几个加勒比海小岛还给了法国。他在 1762 年 12 月向英国议会抱怨说：

> 新政府对最根本的原则视而不见，要知道，在商业和海军力量上，法国是我们最主要的，或许应该说是唯一的威胁……如果把西印度群岛宝贵的岛屿还给它……我们相当于给了法国东山再起的基础……这些地方的贸易利润最为丰厚……如果法国损失这些岛屿，那么我们得到的收益将是他们的 4 倍。

皮特猜想得很对，“战争的种子”已经在和平的名义下萌芽了。在 1815 年之前，除了短暂的喘息之外，英法的世界霸权之争无休无止。但是七年战争不可逆转地决定了一个事实，那就是，印度被英国而非法国收入囊中。在此后近 200 年的时间里，英国贸易有了巨大的市场，英国的军队有了取之不尽的资源。印度不仅仅是“皇冠上的明珠”，你更可以把它比做一个巨大的钻石矿，或许它确实是一个名副其实的钻石矿。

那么，印度的人民呢？答案就是他们允许自己被分裂，甚至最后被统治。甚至在七年战争爆发之前，英国人和法国人就已经干涉印度的内政了，他们试图决定印度德干的州长和卡那提克的邦主继承人。罗伯特·克莱夫被称为东印度公司最足智多谋的人，他起初来印度的任务是为了围攻印度南部的特里奇诺波利，因为英国为德干选择的州长候选人穆罕默德·阿里被囚禁在那里；但后来他攻占了卡那提克的省会阿尔果德，以此要挟穆罕默德·阿里的竞选对手昌达·萨希卜放弃竞选。

当七年战争爆发后，孟加拉的行政长官西拉杰·吴德·道拉对英国在加尔各答的殖民地发起了进攻，在后来被称为威廉堡的“黑洞”中关押了60~150名[①]英国囚犯。西拉杰背后有法国人的支持。而他的对手——亚盖塔·塞特银行业家族——则资助了英国人的反击。克莱夫又设法说服了西拉杰阵营中支持敌对的行政长官米尔·加法尔，让加法尔的士兵在1757年6月22日的普拉西之役中背叛西拉杰一方。在战役胜利，并当上孟加拉总督之后，克莱夫却又罢黜了米尔·加法尔，而让他的女婿米尔·卡西姆继位，担任傀儡政府的统治者；在发现后者可塑性不强后，又驱逐了他，重新让米尔·加法尔复位。又一次，欧洲人利用了印度内部的宿怨为自己牟利。在普拉西之役中，克莱夫统领的2 900人的军队逾2/3都是印度人，这在当时是一种很典型的现象。用印度历史学家吴拉姆·侯赛因·汗于1789年发表在《当代评论》的文章所说：

> 这种或者此类（印度统治者之间）分裂的后果就是，印度的大多数要塞，不，应该说，几乎整个印度，已经落入了英国人之手……两个土邦邦主争夺一个国家，其中一个投靠英国人，告诉他们掌控印度的方式和手段。他提供情报，英国人提供援助，狼狈勾结，他得以拉拢他在这个国家统治阶级中的要员，让后者成为他的朋友，而这些人也早就忙不迭地跑来巴结他；与此同时，英国人却已经按其自己的意思与他签订了一些条约和条例。英国人一开始还算遵守这些条例，等到他们了解了这个国家的政府和习俗，熟悉了这个国家的各个党派后，他们便开始训练军队，获得一个党派的支持，并很快消灭另一个党派，逐渐融入这个国家，并最终征服了它……英国人看似顺服，好像甘愿受人领导，而实际上却是他们在驱动着这个国家机器的运转。

他认为，“这些商人能够发现掌控这个国家的手段并不奇怪”，因为他们“利用了一些傲慢无知，同时也十分愚蠢的印度统治者”。

到了1764年，克莱夫在伯格萨尔翦除了他在印度剩余的敌对势力后，对东

① 当代的文献说是146名囚犯，大多数人窒息而死。但可能实际人数要比这一数字少，不过毫无疑问，大多数人死掉了。当时印度正值盛夏。关押犯人的“黑洞”是一个80英尺长、40英尺宽的小房间。

印度公司的未来作出了一个惊人的推断。他认为，公司仅在印度做生意是不够的。正如他在写给伦敦董事的信中所说：

> 我可以在一定程度上自信地说，只有区区200个欧洲人组成的军队就能彻底征服这个富饶而繁荣的国家……印度人的懒惰、奢侈、无知、懦弱超出你的想象……他们总是通过背信弃义，而非武力来解决所有事情……那么，除了这支军队，还有什么能让背信弃义、忘恩负义者一无所得，让我们当前的利益得以确保，甚至增加呢？

根据《阿拉哈巴德条约》，莫卧儿皇帝将孟加拉、比哈尔和奥里萨邦的行政管理权（印度语中称diwani）授予了东印度公司。虽然不包括印钞权，但也是仅次于印钞权的权利：征税权。东印度公司被授予向2 000万人征税的权利。假设这些人的劳动产出至少有1/3被指定为赋税，那么就相当于公司每年能有200万~300万英镑的收入。由此，它涉足了看似印度最大的生意：政府生意。1769年，该公司驻孟加拉大使在致股东的信中就写道："从此，你们的贸易看上去更像是将钱源源不断地输入英国的渠道。"

靠当海盗起家，又靠当商人发达的英国人现在成为海外几百万人民的统治者——而且还不只是在印度。海上力量和金融实力的结合使它成为欧洲帝国之争的赢家。原本的贸易诉求也变成对政治权力的追逐。

英国人现在要问他们自己的问题是：如何对印度进行统治呢？对克莱夫那样的人来说，他们不假思索地选择劫掠——他确实也是这么做的，虽然他后来坚持认为，他"对自己的节制表示震惊"。他是一个生性暴虐的人，倘若没有对手，他当即想到的就是自我毁灭。克莱夫就是英国作家吉卜林的小说《要做国王的人》中，放纵骄横的帝国建设者们的先驱：

> 我们将……动身去其他地方，在那里，你会心无旁骛、找回自我……在人们征战过的任何地方，知道如何训练军队的人常常就是国王。我们要去那些地方，问我们遇到的任何一个国王："你想消灭你的敌人吗？"接着，我们

将向他演示如何训练军队，这是我们最擅长的事情。然后，等他消灭了敌人、扩大了势力，我们就将推翻这个国王，夺取他的王位，并建立一个王朝。

但是，如果英国在孟加拉的统治不仅仅是延续海盗式的打砸抢掠，那么就需要一个更为巧妙的方法。1773 年的东印度公司《管理调整法令》任命沃伦 · 黑斯廷斯为第一任总督，似乎就是在尝试这种方法。

黑斯廷斯身材矮小，但极为聪明，他的聪明才智就像克莱夫的残暴野蛮一样有名。黑斯廷斯曾是威斯特敏斯特的宫廷学者，在 17 岁时作为一名作家加入了东印度公司。他精通波斯语和北印度语；越是学习印度文化，他就越尊重这种文化。他在 1769 年写道，学习波斯语“会开拓我们的思路，用我们的宗教谆谆教导的仁爱慈善启发我们，从而为整个人类谋福利”。在为他翻译的印度圣典《博伽梵歌》所写的前言中，他写道：

每次我们有机会认真审视印度人的真实性格，我们便会更有度量地认同他们与生俱来的权利，承认我们应以评价我们自己的标准来评价他们。但是，我们只有在阅读他们的文字时才会产生这种感觉；而且，即便是在英国结束对印度的统治之后，在那些曾经产生过财富和权力的源泉被人们遗忘的时候，他们的文字，也能永世流传。

黑斯廷斯还赞助了伊斯兰文献的翻译，并创立了加尔各答伊斯兰法律学校。他告诉曼斯菲尔德伯爵：“穆斯林法律是一部完备而审慎的法律，较之欧洲大多数国家的法律毫不逊色。”同时，他还积极地鼓励大家研究印度的地理和植物。

在黑斯廷斯的鼓励下，一个新的混合型社会开始在孟加拉发展起来。不仅英国学者们开始翻译印度的法律和文学，东印度公司的一些职员也开始与印度妇女联姻，吸纳了印度的习俗。这个文化融合的美妙时光让我们现代人十分向往，也似乎为大英帝国并无种族歧视之“原罪”的看法提供了证据，但这是否是问题的关键呢。黑斯廷斯时代有一个重要的特点很容易被人忽略，那就是，东印度公司部分或者完全“本地化”的职员中，大多数人本就属于英国的少数民族——苏格兰人。

18 世纪 50 年代，居住在苏格兰的人口只是英属爱尔兰人口的 1/10。而东印度公司中，至少 1/2 的人是苏格兰人。就拿黑斯廷斯在任的最后 10 年来说，在被公司董事派驻孟加拉的 249 名作家中，119 人是苏格兰人。在 1782 年，为公司的孟加拉军队招募的 116 名预备役军官中，56 人为苏格兰人①。得到公司董事允许，作为“自由商人”进入公司工作的 371 人中，有 211 人是苏格兰人。在公司招募的 254 名助理外科医生中，有 132 人是苏格兰人。黑斯廷斯本人就将他最亲密的顾问称为他的“苏格兰监护人”，包括明托的亚历山大 · 艾略特、彼得黑德的约翰 · 萨姆纳和巴斯维尔的乔治 · 博格尔。在黑斯廷斯任总督期间，被他委以重任的 35 人中，至少有 22 人是苏格兰人。在伦敦，黑斯廷斯也很依赖苏格兰股东支持他对公司业主会的管理，最有名的是韦斯特豪尔的约翰斯通斯。1787 年 3 月，身为苏格兰副检察长的亨利 · 邓达斯就曾以开玩笑的口吻对被提名担任马德拉斯总督的阿希巴尔德 · 坎贝尔爵士说：“很快所有印度人都会落入我们的手……你们坎贝尔家族的人会越来越多地移民到马德拉斯，苏格兰阿盖尔郡的人口只怕要越来越少了。”（黑斯廷斯的第一任妻子也是一位苏格兰人。她叫玛丽 · 艾略特，来自坎巴斯兰，是布坎南上校的遗孀。布坎南上校是在“黑洞”中去世的。）

之所以会出现这种比例失衡的现象，主要是因为苏格兰人更愿意出海碰运气。当然，17 世纪 90 年代，他们的运气并不好。那时，苏格兰公司曾试图在巴拿马东岸的达连建立殖民地，但是那里环境恶劣，冒险成功的机会渺茫，而西班牙人和英格兰人的阻挠也加速了他们的失败。不过，幸亏 1707 年苏格兰和英格兰两地议会的合并同时也促成了两地经济的合并，确切地说，应该是帝国野心的合并。现在，苏格兰富裕的企业家、工程师、医生、步兵就可以在英格兰的资金支持和英格兰的海军护卫下更好地在海外施展他们的技术和热情。

苏格兰人也比英格兰南部居民更容易融入当地社会。被黑斯廷斯派往不丹和西藏考察的乔治 · 博格尔娶了一位西藏女人为妻，并育有两个女儿。他还非常赞叹西藏独特的一妻多夫的风俗（即一位女性可以同时嫁给多名丈夫）。约翰 · 马

① 相比而言，爱尔兰人则在等级较低的士兵中占据大多数。在 19 世纪初叶，英国驻孟加拉军队中有 34% 是英格兰人，11% 是苏格兰人，48% 是爱尔兰人。

克斯维尔——新马哈尔（近阿伯丁郡）一位牧师的儿子——后来成为《印度公报》的主编，对亲眼所见的印度奢华而精致的生活也非常感兴趣，他曾娶过多名印度妻子，育有至少3个孩子。威廉·弗雷泽是19世纪早期从因弗内斯到印度的五兄弟之一，曾为征服廓尔克军队立下了汗马功劳；他收藏了很多莫卧儿时代的手稿，也“收藏”了不少印度妻子。据一份史料记载，他有六七位印度妻子，数不清的孩子，“根据宗教和他们母亲的社会地位来看，分属印度教和穆斯林教”。而弗雷泽的战友詹姆斯·斯金纳则是这种异国婚姻的结晶，他的父亲是来自蒙特罗斯的苏格兰人，母亲则是拉其普特公主。斯金纳是骑兵队“斯金纳骏马”的创始人，他自己至少有7名妻子，子女人数竟然多达80。“在上帝面前，白人和黑人不会有多少区别。”他有一次这么评论说。虽然他的士兵都戴着红头巾，配银边腰带，穿亮黄色的束腰大衣，而且他本人也是用波斯语写回忆录的，但是，斯金纳却是一名虔诚的天主教徒，他曾在德里建造了最华美的教堂——圣詹姆斯教堂，以感谢主让他在一场血腥战争中幸存。

当然，不是所有人身上都能看到这么多元的文化。事实上，吴拉姆·霍塞恩·汗在他写的《现代印度史》中就抱怨过另外一种相反的倾向：

> 这片土地上的人们和成为他们主人的外来者之间那扇沟通和交往的大门被关闭了；后者时常表示出对印度社会的憎恶，以及对与印度人交流的蔑视……英国的绅士们没有一个人愿意或喜欢与这个国家的绅士们为伍……英国人公开地表示对当地人的憎恶，也毫不掩饰对他们的蔑视，说到底，在征服者与被征服者之间，不可能有爱和团结（顺便说一句，这两样东西是所有联盟和伙伴关系的关键，是所有秩序管理及和平相处的根本）。

我们也不应该让18世纪印度-克尔凯文化融合的瑰丽色彩蒙蔽了双眼，以至于忘记了一个基本事实，即东印度公司的存在不是为了学术研究或者文化融合，而是为了赚钱。黑斯廷斯和他的同伴们都成了非常富有的人，虽然出于刺激英国制造业的考虑而出台的贸易保护主义措施，限制了他们的主要产品—印度纺织品—在其主要市场上的销量。况且，不管他们对印度文化是如何着迷，他们的目的还是将利润送回他们的祖国。印度向英国源源不断的资金外流已经开始了。

这种资金外流最早可能要追溯到托马斯·皮特的时代，甚至更早。1701 年，皮特还在担任马德拉斯邦总督的时候，就有了将他在印度的收益送回英格兰的完美方法。“我最重要的事情，”他回忆道：“我最关心的问题，我的所有就是这世上最名贵的钻石。”当时，皮特有一颗世界上最大的钻石，重 410 克拉；经切割后，它的价值有 125 000 英镑。皮特从未完整地透露过他到底是怎么找到这个宝贝的（几乎可以肯定地说，钻石采自莫卧儿皇帝在戈尔康达的钻石矿，虽然皮特并不承认）。不管怎样，他后来将钻石卖给了法国摄政王，后者又将钻石镶到了法国国王的皇冠上。但是，皮特却因这颗钻石而出名了：此后，人们都称他为“钻石”皮特。对于一个志向远大而聪明能干的英国人来说，还有什么比钻石能更有力地象征他在印度所创造的财富呢？皮特曾率领很多人到印度寻找钻石。克莱夫也将他在印度获得的钻石作为他的财富运回英格兰。从印度运回英国的钻石价值总计 1 800 万英镑。自 1783 年之后的 10 年内，有价值高达 130 万英镑的钻石因这种方式从印度流失。正如吴拉姆·霍塞恩·汗所说：“英国人近几年来养成一个习惯，在这里住上几年，然后再回国短暂地逗留，但是却没有一个人表示愿意永远地定居这里……除此以外，这些移民还养成了另一个习惯，而且每个人都视之为自己的神圣责任，那就是在这个国家尽可能地搜刮钱财，大量地运回英国；毫不奇怪，这两个习惯合并在一起，就能够破坏和摧毁这个国家，而且成为这个国家再次繁荣的外部障碍。”

当然，并不是每个东印度公司的作家都像克莱夫一样。以 645 个来到孟加拉的文职人员为例，他们中 1/2 以上的人死在了印度。在 178 个回到英国的人中，相当多的人——大约 1/4——并不特别富有。正如塞缪尔·约翰逊对博斯韦尔所说：“一个人在英格兰生活 10 年可以储蓄 1 万英镑，也比他在印度生活 10 年积累 2 万英镑生活得更好，因为你必须计算你多得的这笔钱的代价；一个在印度生活 10 年的人，必须放弃 10 年间在英格兰所获得的社会福利和优势。”

然而，一个新的词汇即将进入英国人的语言，那就是“nabob”（暴发户），这是对印度尊贵的头衔行政长官（nawab）的一种戏称。暴发户就是诸如皮特、克莱夫和黑斯廷斯这样的人，他们将自己在印度积累的财富带回家，并建造了富丽堂皇的宅邸，比如皮特在斯沃洛菲尔德、克莱夫在克雷蒙特、黑斯廷斯在戴尔斯福特都有豪宅。他们的钱不仅仅用来购买房地产。托马斯·皮特还用他在印度赚的钱购买了议会中代表老塞勒姆地区的席位。后来，他的曾孙威廉·皮特（在历史上比他出名得多）在美国议会中所代表的也是这个地区，最终这个地区成为臭名昭著的“腐败选区”。如此看来，威廉·皮特在1770年的抱怨看起来简直太虚伪了：

> 在亚洲发财的富人源源涌入，不仅带来了亚洲的奢华，恐怕也带来了亚洲式的政治模式……从国外携黄金归来的人已经挤入了议会，世袭的地位和财富哪里经得住这种私人腐败风潮的冲击？

12年后，他再次抱怨道：“坐在我们中间的有坦加布尔的王公和阿尔果德的行政长官，还有微不足道的东方专制君王的代表。”

在萨克雷的小说《名利场》中，收藏家卜克雷·沃拉的妻子贝基·夏普想象自己“穿戴着……数不清的披肩、头巾、钻石项链，还……骑着一头大象”，因为“他们说所有印度的暴发户都富得流油”。因肝脏不舒服而返回伦敦的那位暴发户：

> 在公园里遛马；在时尚的酒店里用餐……他是剧院的常客，看戏可是那时候的时尚，或者去听歌剧，不怕麻烦地穿起紧身衣，带着三角帽……考虑到获得总督支持的苏格兰人的人数……这家伙可是够精明的……丽贝卡小姐对这位苏格兰副官的故事……可是非常高兴。

这个人就是何赛·赛德利，你可能很难想象比他更胆小懦弱的人了。但事实上，这些暴发户的收益越来越多地是以英国在印度庞大的军事力量为后盾所获得的。在沃伦·黑斯廷斯时期，东印度公司的军队人数超过10万人，而且好像一直处于没完没了的战争中。1767年，他们在迈索尔打响了第一枪，与这个土邦拉开了一场旷日持久的战争。次年，他们又从海得拉巴的邦主手中夺过了东部沿海

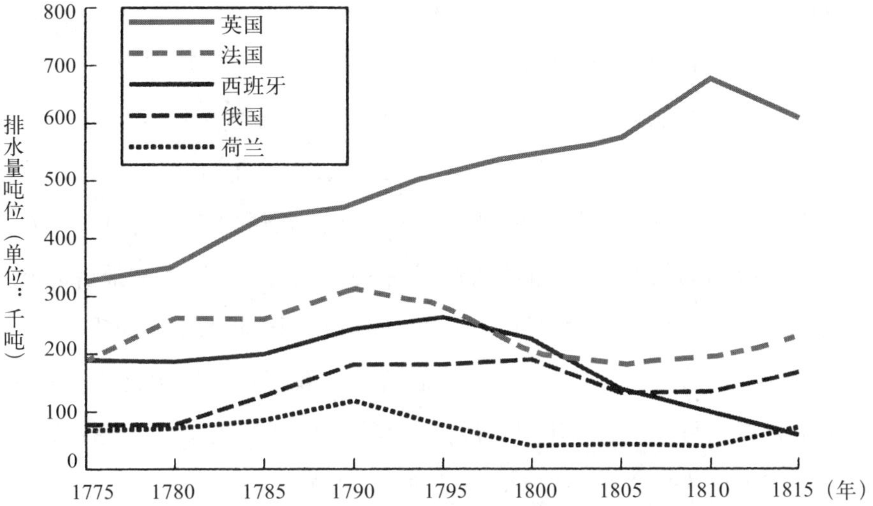

欧洲海军：1775~1815 年期间，排水量吨位在 500 吨以上的船只总吨位。到 18 世纪末，大不列颠已成为真正的海上霸主。

的北萨尔卡斯。7 年后，他们又从奥德邦的行政长官那里抢来了贝拿勒斯和加兹布尔。原本只是以保护公司贸易为使命的非正式安全武装，如今却变成了公司存在的理由：参与新的战役、征服新的领地，以此偿付以往战争的负债。英国在印度的势力还取决于英国海军抵御法国人骚扰的能力，比如，17 世纪 70 年代法国人再次向英国势力发起了挑战。这些战争需要的钱更多了。

我们很容易看出大英帝国的建立让谁发了财，但问题是，谁又在为之付出呢？

帝国税收

罗伯特 · 彭斯就是一位曾经想到大英帝国广阔的疆域中碰碰运气的人。事实上，1786 年，由于感情受挫，他曾认真想过到牙买加闯荡的问题。但最后，他误了航船，在仔细思量了一番之后，又决定留在苏格兰。他的诗歌和信件都为我们审视 18 世纪英国的政治经济提供了一个有价值的视角。

彭斯出生于 1759 年，时值七年战争的激战期，他是阿洛韦一位贫穷园丁的儿子。早年在文学上取得的成功虽然给他带来了成就感，但却没带给他金钱。他曾尝试过种田，但是生活并未改善多少。不过，第三个机会朝他打开了大门。1788年，他向一个消费税委员会申请成为收税员。这份工作比他那广为人知的酗酒和斗殴等不良习气更令他尴尬。正如他向一个朋友坦白的："我并不否认……我坐下来在这张可憎的，沾满了'像马背上的寄生虫一般受诅咒的消费税'的血腥气息的纸上，给你写信……为了光荣的赚钱事业，我会做任何事，成为任何人。"但是，"一年35英镑的收入对一个贫穷的诗人来说，确实是个不错的最后选择。"他承认："做一名收税员确实有辱门楣，可是我也没打算让我的职业为我争光；虽然工资比较微薄，但是我25年的人生经历告诉我，我不可能期望比这更多的奢侈了。""人们言谈间可能会表露出对收税员的不耻，但是对我来说，支撑我的家庭，并让我在这世上成为一个独立的人，也是非常重要的。"

为了收税员的收入而压抑自己作为诗人的成就感，彭斯由此成为帝国伟大的金融链条中的一环。英国对法国的战争是靠一而再、再而三的举债支撑的，英国的实力也是国家负债所支撑的。这笔债务随着大英帝国新领地的扩大而相应增加。当彭斯开始为消费税委员会工作时，英国的政府负债高达2.44亿英镑。因此，消费税委员会的一个重要任务就是征收必要的税负，以支付这笔债务的利息。

那么，谁来缴税呢？当时主要的应税货物包括烈酒、红酒、丝绸和烟草，还有啤酒、蜡烛、肥皂、淀粉、皮革、窗户、房屋、马匹和马车。理论上说，所有税负都是向应税商品的生产商征收的，但实际上，这些税负都转嫁给了消费者。人们喝的每一杯啤酒、每一杯威士忌，以及每根烟的价格实际上都含税了。正如彭斯所说，他的工作就是"用征税这一无情的车轮碾碎酒店老板和无赖们的面子"。但是，好的东西也要被征税。人们看书时点的每支蜡烛，甚至洗东西用的肥皂都得纳税。当然，对暴发户来说，这些税负微不足道，但是对一个普通家庭来说，这笔税负就占到了相当大的部分。因此，大英帝国海外扩张的成本——确切地说，就是国家债务的利息——实际上是由英国的贫困家庭负担的。那么，谁收取了这笔利息呢？那就是少数精英阶层，主要是英国南部的一些债权人，约有20万个家庭，是他们将其财富的一部分投入这个高收益的"基金"之中。

18世纪80年代最大的疑问之一，就是为什么当时的政治革命会在法国——那里的税负更轻，实行递减税的情况也更少——而不是在英国爆发。彭斯本人就是一个深受革命思想吸引的人。事实上，他的诗作《无论何时都要保持尊严》就为革命年代谱写了一曲永恒的赞歌。作为一名文化精英，彭斯极其憎恶“自负乡绅的极度愚蠢，或者一步登天的暴发户们的极端傲慢”。虽然他自己是收税员，但他还是写过一首鞭挞收税工作的流行诗《魔鬼也要远离收税官》。但是，为了保住自己的工作，彭斯还是放弃了他的政治信仰。在邓弗里斯郡的一家剧院里，当他被人看到献唱一首革命歌曲后，他不得不向苏格兰消费税委员会写了一封表示悔过的解释书，发誓今后将在革命的问题上“封上自己的嘴”。

艾尔郡可怜的饮酒者和吸烟者，远非大英帝国中最惨的人。在印度，英国征税所带来的冲击更大，因为扶摇直上的印度军队的经费不算在英国纳税人需要支付的帝国开支之列。不幸的是，在孟加拉税收增加的同时，一场严重的饥荒正在肆虐，孟加拉 1/3 的人口（约 500 万人）在这次饥荒中丧生。吴拉姆 · 侯赛因 · 汗认为，“每年向英格兰输出的大量金钱”与这个国家的灾难之间存在明显关联：

> 各地区产出的减少，进一步增加了被饥荒夺走的无数生命，死亡率继续攀升，导致这个国家的人口不断减少……如今英国人是这个国家的统治者和主人，在这个国家只有他们是富人，穷人们辛苦劳作后却只能指望富人们施舍劳动的果实，穷人们付出却让富人们得益？……无数的手工业者……如今除了乞讨和偷窃之外别无活路……许多人已经背井离乡，而那些不愿意离家的人，只能忍受饥饿和疾病的折磨，最后在自己的草舍中死去。

英国人不仅把他们在印度赚的钱悉数运回了英国，甚至他们也仅购买英国商品，而非印度商品。情况并非如此，1783~1784 年间又发生了一次饥荒，夺去了印度平原上 1/5 人口的生命。紧接着，1791 年、1801 年和 1805 年又发生了物资大匮乏。

而伦敦的股东们也甚感不安，这从东印度公司的股价上就能清晰地看出来。在克莱夫任总督期间，公司股价曾经飙升，而黑斯廷斯在任期间，股价却大幅下挫。如果孟加拉的牛市不再，那么公司丰厚的利润来源也将枯竭。黑斯廷斯也不

1753~1821年间东印度公司每份股票的价格。

能再依靠军事行动充实公司的金库了。1773年，他同意接受奥德邦的行政长官的请求，以4 000万卢布的报酬帮后者出兵攻打罗赫拉斯人——定居罗赫康德的阿富汗人，最终的结果是，这次行动的成本并不比黑斯廷斯收取的报酬低多少，何况，他最后压根没拿到这笔报酬。1779年，马拉塔人击退了前来挑战其印度西部统治地位的英国军队。一年后，迈索尔的海德尔·阿里和他的儿子提普苏丹攻击了马德拉斯。在收入急剧减少，而成本急剧上升的情况下，公司不得不依靠短期借贷和出售债券勉强维持其经营。最后，股东们不仅减少了每年的分红，还不得不依靠政府的资助——这引起了自由市场经济学家亚当·斯密的反感。亚当·斯密在他的《国富论》（1776年）中轻蔑地说道：

> 他们的债务不减反增，他们欠了财政部……40万英镑，在海关那里又拖欠了一大笔关税，在银行的巨额贷款也未及偿付，还有来自印度的账单，粗略计算，数额可能达1.2万英镑。
>
> 1784年，公司债务达840万英镑，一个强大的政治家阵营，包括亨利·邓达斯和埃德蒙·伯克——前者是一位顽固的苏格兰权力经纪人，后者是一位爱尔兰的雄辩家——也加入了批判黑斯廷斯的行列。1785年，黑斯廷斯辞去总督职务回国，这两人又对其发起了弹劾。

对黑斯廷斯的审判没完没了地持续了7年，实际上就是一群牢骚满腹的股东对一个首席执行官的公开羞辱。事实上，这也是对公司在印度的整套政策基础的审判。英国议会对弹劾黑斯廷斯的理由展开了激辩，黑斯廷斯因以下罪行被诉：

> 雇用英国士兵攻击无辜无助的人……罗赫拉斯人……犯下了违背道义的暴行，背叛了祖国的信仰。
>
> 多次敲诈勒索印度瓦拉纳西王公，并犯下暴力统治的行径。
>
> 导致了奥德皇族陷入无数不可容忍的灾难。
>
> 让奥德的整个国家陷入贫穷，人口减少，让这个昔日园林般的国家变成无人居住的荒漠。
>
> 他肆意、恶毒、不公正地滥用权力，利用印度对他的信任，推翻了这个国家多年的统治基础，纵容不公平的合约和不合理的薪酬，造成了广泛的恶劣影响。
>
> 违背公司规定、议会法案和他自己神圣的职责，收受钱财，并用这些钱进行完全不恰当和不合法的挥霍，以及在贸易过程中行贿，让自己的亲属和亲信可以在做生意时中饱私囊。

虽然并非所有的罪行都被认定，但这些也足以使黑斯廷斯以“滔天大罪”被控诉并逮捕。1788年2月13日，这个大英帝国历史上被闹得沸沸扬扬——同时也是旷日持久的案件在一种类似于伦敦西区戏剧首映晚会的气氛中开审了。在无比兴奋的观众面前，伯克和剧作家理查德·谢里登用一种艺术夸张的语言开始了起诉。

> 伯克：我以国家的名义弹劾他，他侮辱了这个国家古老的荣誉。我以印度人民的名义弹劾他，他将他们的权利践踏在脚下，将他们的国家变为荒漠。最后，我以人性的名义，以不同性别、不同年龄、不同地位的大众的名义弹劾他，他是所有人的公敌和压迫者。
>
> 谢里登：他的脑中尽是混乱的、模糊的、邪恶的、卑鄙的东西。所有朴实的外表实质都是虚伪的掩饰；他是矛盾的混合体，罪孽深重、一无是处，

但是他的心思甚至比他的罪行更加卑劣，是他堕落败坏、卑鄙无耻的明示，是他之所以被称为叛徒和骗子的明证。

相比而言，黑斯廷斯的辩词就显得苍白无力，甚至他还常常忘词。但另一方面，戏剧成功的要素毕竟还是不同于起诉成功的要素。最后，黑斯廷斯被筋疲力尽，观点也完全不同的下议院判决无罪。

不过，英国统治下的印度也已不同于以往。甚至在审判开始之前，就有人通过议会提交了一份新的《印度法案》。提交人叫威廉·皮特，是七年战争中的那位英雄（也叫威廉·皮特）的儿子，也是“钻石”皮特的曾孙。该方案的目的在于整顿东印度公司，终结暴发户们为非作歹的日子。从此，印度总督不再是公司的官员，而是直接由王室任命的贵族。当改制后的第一任总督康沃利斯伯爵到达印度（刚从美国战败归来），他立即着手改变公司的管理风格，增加了工资，减少了补贴，有意逆转了“老利登霍尔大街（东印度公司的总部）的经济原则”。这为一个以杜绝腐败而著称的体制——印度文员制度的建立打下了基础。1793 年制定别称“康沃利斯法规的《永久居留法》废除了黑斯廷斯时期任意征税的做法，而将英国式的土地私人产权和土地的土地固定主人以年金方式承担税负的方式引入了印度；这样做的效果就是让农民变成了佃户，从而巩固了新兴的孟加拉贵族的地位。

康沃利斯的继任者摩林顿伯爵理查德（后来成为韦尔兹利侯爵，他也是未来的威灵顿公爵的兄弟）在加尔各答建立了总督的新宫殿，这充分彰显了沃伦·黑斯廷斯之后的几年内，印度的英国人要的是什么。东方的腐败被清除了，传统的美德得到发扬，虽然专制仍是他们最喜欢的政治制度。正如霍瑞斯·沃尔波尔多少有些虚伪地说道：一群“和平安静的商人”成了“罗马的继承人”。

但是，有一件事却没有改变。在康沃利斯和韦尔兹利在任期间，英国人在印度的政权仍是靠武力维持。不间断的战争将英国的统治扩张到了孟加拉之外——延伸到了马拉塔、迈索尔，以及旁遮普省的锡克。1799 年，提普苏丹在首府塞林伽巴丹沦陷后被杀。1803 年，随着德里的马拉塔人被击败，莫卧儿皇帝本人最后也接受了英国人的“保护”。到了 1815 年，约有 4 000 万名印度人被英国人所统治。名义上，统治印度的只是一家公司，但东印度公司此时已经不仅仅是一家公司。它成为莫卧儿王朝的继承人，而它任命的印度总督实际上就是南亚次大陆的皇帝。

1615 年，英伦诸岛还是一个经济上缺乏活力、政治上四分五裂的二流国家。而 200 年后，大不列颠却掌控着有史以来最大的帝国，在五大洲建立了 43 个殖民地。帕特利克 · 科尔坤的著作《财富论：大英帝国的权力和资源》（1814 年）就描述了这一切。他们掠夺西班牙、偷师荷兰人、击败法国人、劫掠印度人。现在，他们成为最高统治者。

难道这些都是“在不经意间”完成的吗？显然不是。从伊丽莎白一世开始，旨在争夺其他帝国领土的战争就从未停息过。

但是，不论英国人的金融和军事力量有多么强大，仅凭他们自己的商业发展和征战是不足以取得这些成就的，他们还需借助殖民统治的力量。

EMPIRE
HOW BRITAIN MADE
THE MODERN WORLD

第二章

白人祸患

安德鲁·马维尔，《百慕大移民颂歌》（1653 年）

除了赞美他，我们还能做什么？
他引领我们穿过潮湿的玉米地，
来到长期不为人知的小岛，
偏远却远远胜过我们自己的家园？
我们的家已经被巨猛的海兽摧毁，
它们乘风破浪不可阻挡，
他让我们歇息在绿草茵茵的草地，
远离风暴和主教的狂怒，
他赋予我们永恒的春天，
让一切沐浴在光辉之中……

彼得·奥利弗，《美国革命的起源和进程》（1781 年）

我们（看到）一群人……在英国政府的资助下，在它的保护下……多年来……循序渐进地顺利发展，获得了令人艳羡的兴旺和幸福，但是我们也（看到）他们因为幸福太多而发狂，公开地背叛保护他们免受敌人蹂躏的父母。

17 世纪初叶到 20 世纪 50 年代，大约有 2 000 万人离开英伦诸岛，到海外开始他们的新生活。只有一小部分人最后归来。世界上没有其他任何国家向英国那样向外输送了那么多移民。早期移民离开英国不仅可能牺牲他们的毕生积蓄，甚至可能牺牲他们的生命。他们的旅程充满着艰辛，他们的目的地环境恶劣、荒无人烟。我们或许很难理解他们孤注一掷、誓不回头的决心。但是，如果没有数百万人的背井离乡—有些人是自愿离开的，有些则不然—大英帝国也无法建立。因为大英帝国存在的一个不可缺少的基础就是大量移民：这是人类历史上最大规模的移民。英国人的大规模出走改变了世界，将各个大陆的主导人种变成了白人。

对大多数移民来说，新世界给他们带来了自由……对有些人来说，这是宗教自由，但最重要的是经济自由。确实，英国人也喜欢将这种自由视为他们的帝国不同于——当然也优于——西班牙、葡萄牙和荷兰的一个重要特征。埃德蒙 · 伯克曾在 1766 年宣称："没有自由，就不会有大英帝国。"但是，一个帝国（比如大英帝国）对外国的统治，难道也是建立在自由的基础之上的吗？这其中难道没有矛盾之处吗？显然，并非所有人都出于自愿漂洋过海。再说，所有人都隶属于英国君王，他们能够有多少政治自由呢？实际上，也就是这个问题激发了反抗大英帝国的第一场伟大的独立战争。

从 20 世纪 50 年代开始，移民潮的方向发生了逆转。有 100 多万人从英国的前殖民地移民到了英国。这个“反向殖民”引起了激烈的争论，以至于后面几届政府对移民潮进行了严格限制。但是，在 17~18 世纪，不受欢迎的移民就是英国人，至少在那些原本就居住在新世界的原住民眼里。在大英帝国自由思想传播到的地方，这几百万移民都被视为白人祸患。

种植园

17 世纪初叶，一群勇猛的先行者穿越海峡，来到一个居住着他们视为“野蛮民族”的大陆——爱尔兰，希望在此定居并教化这片土地。

都铎王朝的女王玛丽和伊丽莎白授权对爱尔兰进行系统的殖民统治，首先是南部的蒙斯特，然后又野心勃勃地扩张到了北部的阿尔斯特。如今，我们往往认为，这是爱尔兰灾难的开始。但是，殖民统治的初衷却是为了结束这个国家长期以来的动荡。

自从 1541 年，亨利八世自己宣布成为爱尔兰国王的时候，英国人的势力仅以早期英国人在都柏林附近建造的定居点为界，再加上被团团围住的卡里克弗格斯的苏格兰堡垒。从语言、宗教、土地使用年限、社会结构来看，爱尔兰的其他地方就好像属于另一个世界。而且这里存在一个危险，那就是罗马天主教影响下的爱尔兰可能会被西班牙人当做进入新教影响下的英格兰的便利之门。因此，系统化的殖民地就成了解决这一问题的方案。1556 年，玛丽女王将利斯没收来的土地以及莱恩斯特的奥法利地区分配给了定居者，后者在那里建立起了菲利普斯镇和马里伯勒，但这些也不过是军事要塞。到了玛丽女王同父异母的妹妹伊丽莎白女王统治期间，英国殖民地的概念才初见雏形。1569 年，沃勒姆男爵圣莱加尔提议在芒斯特西南部建立殖民地；2 年后，在女王将沙恩 · 奥尼尔的不动产收归国有后，亨利 · 西德尼男爵和莱斯特伯爵说服女王在阿尔斯特也建立殖民地。

他们的观点是，只要商人们“见缝插针”地流入这些城市，只要这些城市有“能干的种田人、耕犁人、木匠、铁匠……愿意并能够居住下来，或者说，能够在当地中产阶层的管理下定居并效忠女王”，那么，“庇护所”就可以建立起来了。就像埃塞克斯伯爵沃特 · 德弗罗所说，原本“荒废”、“荒凉”和“无人居住”的土地上就会流满“奶和蜜”。德弗罗还抵押了他在英格兰和威尔士的土地，来为他在“阿尔斯特的事业”融资。

但是，殖民地的建设过程并不顺利；许多人由于“忘不了英格兰精致的生活，也缺乏在一片荒凉的土地上辛苦操劳一两年的决心”，纷纷选择回国。1575年，英国一支探险队从苏格兰攻占了卡里克弗格斯，但是埃塞克斯伯爵很快发现，他们卷入了与奥尼尔（特洛 · 卢涅奇）领导下的盖尔里克贵族的竞争之中。一年之后，埃塞克斯伯爵在都柏林死于痢疾，至死他都深信，未来的希望在于“建立英国殖民地”。到 1595 年，阿尔斯特落到了蒂龙伯爵休 · 奥尼尔的手中。在获得西班牙的支持后，他宣称自己为阿尔斯特亲王。1598 年 8 月，奥尼尔在黄堡打败英国军队。芒斯特也发生过类似的故事。在镇压了天主教的反抗之后，有人制定了在芒斯特进行殖民统治的计划。当地的土地有 480 000 公亩被分给了英格兰人，后者承诺将派遣英国佃户在这里定居。在芒斯特获得土地的人包括沃特 · 罗利男爵和著名诗人埃德蒙 · 斯宾塞，后者在他科克郡基尔克曼的家中写下了《仙后》一诗。但是在 1598 年 10 月，这些殖民者都遭到了大屠杀，斯宾塞的家也被夷为平地。

不过后来，由于西班牙没有向金赛尔派遣足够的军力，而奥尼尔的军队试图解金赛尔之围却被打败，伊丽莎白女王的殖民战略才没有被全部放弃。1607 年，奥尼尔投降后逃亡欧洲大陆，殖民战略也在伊丽莎白的继任者——英格兰的詹姆士一世（原是苏格兰的詹姆士八世）手上焕发了生机。

著名诗人约翰 · 多恩的每一位读者都知道，詹姆士一世时期的人都狂热地爱好使用比喻修辞。他们将殖民地称为“种植园”；在约翰 · 戴维斯男爵口中，殖民者是“良谷”；当地人则是“稗草”。但是，殖民统治并不仅仅是社会版园艺种植。从理论上说，种植园仅是殖民地的另一种称谓，就像古希腊在其政治边界为效忠国王的臣民建立定居地一样。但事实上，以今天的话来说，建立种植园就意味着进行“人种净化”。反叛的伯爵及其下属——实际上大多数是阿尔玛、科尔雷恩、费马纳、蒂龙、卡范、多尼戈尔这 6 郡——的土地都被收归国有。最具战略意义和农耕价值的土地被赠予——用总督奇切斯特的话说——“英格兰和苏格兰的文明公民”。詹姆士的顾问声称，种植足够多英格兰和苏格兰良谷，“这片土地就将从此成为幸福的定居之所”。国王也已经说得很清楚，如果可能的话，当地人都将被“迁走”。

一本在 1610 年 4 月出版，被称为《印刷书》的书籍非常详细地描述了种植园的运作。毗邻的 1 000~3 000 英亩土地会被重新分配。最大的一块土地会分给所谓的“承办者”，他的工作就是建立新教教堂和防御工事。最具象征意义的是德里（1610 年，被重新命名为伦敦德里）的城墙，形状似一块盾牌，保护着从伦敦城迁去的新教教徒。天主教教徒则居住在城墙之外的伯格赛德。没有什么比城墙更能凸显殖民政策所隐含的种族和宗教隔离意味。

我们很难相信，这个政策能使爱尔兰“安定下来”。果不其然。1641 年 10 月 22 日，阿尔斯特的天主教徒奋起反抗新来的移民。在被当地人称为“恐怖的血雨腥风”之中，约 2 000 名新教徒被杀。殖民统治又一次（而且不是最后一次）引发冲突，并非和谐共存。但此时，种植园的根基已经扎下。就在 1641 年暴动之前，已经有 13 000 名英格兰男女在 6 个郡的詹姆士一世式种植园定居下来，在北爱尔兰还定居了 4 万苏格兰人。芒斯特也繁荣了起来，到 1641 年，“新英国人”的人口总数达到了 22 000。这还只是一个开始，到 1673 年，一位匿名的作家已经很自信地将爱尔兰描述为“大英帝国最重要的组成部分之一”。

因此，爱尔兰是英国殖民统治的试验场，而阿尔斯特就是种植园原型。这似乎说明，帝国的建立可以不仅仅依靠商业扩张和征战，还可以依靠移民和殖民统治。现在的挑战就是如何将这一模式推广到更远的地方——不仅仅是爱尔兰海对岸，还有大西洋对岸。

与爱尔兰种植园一样，美国种植园也是伊丽莎白女王时期的创造。与以往一样，英国王室之所以支持这些行动，是为了向西班牙学习，也是因为害怕法国捷足先登[①]。1578年，德文郡一位名叫汉弗莱·吉尔贝特的绅士（也是沃特·罗利的同父异母兄弟），从女王那里获得了对原本西班牙统治下的佛罗里达北部未被占领的地区实行殖民统治的许可。9年后，一支探险队在北美切萨皮克湾南部的罗阿诺克岛上（一个现在被称为基蒂霍克的地方）建立了英国的第一个殖民地。此时，西班牙和葡萄牙在中南美的殖民统治已经持续一个世纪了。

现代史上一个最重要的问题就是，为什么北欧人对北美的殖民统治与南欧人对南美的殖民统治如此不同。要回答这个问题，我们有必要先回忆一下这两种统治的共同之处。原本只为了寻访金银矿的探险很快将农作纳入了计划。新世界有许多可以出口的农作物，比如玉米、土豆、甘薯、西红柿、菠萝、可可和烟草；而其他地方的农作物—小麦、水稻、甘蔗、香蕉和咖啡—则可以输入美国。更重要的是，在引入了那里从未听说过的家畜家禽（牛、猪、鸡、绵羊、山羊和马）后，农产品的生产力大大提高。同时，欧洲人带来的疾病（天花、麻疹、流感和斑疹伤寒），以及非洲人带来的疾病（尤其是黄热病）使得当地人口急剧减少—在拉丁美洲，原住民人口骤降了3/4。这不仅创造了一个的权力真空，也造成了人力的长期缺乏，给了欧洲人可乘之机。因此，大规模的移民在当时不仅是可能的事，也是人们所期望的事。也就是说，甚至在伊比利亚帝国统治一个世纪后，美洲大陆的绝大部分地区还没有欧洲人居住。罗利在向他尊贵的女王汇报时，将切萨皮克湾附近的地方称做“弗吉尼亚”（意为处女地），这恐怕并不仅仅是一种赞美吧。

人们对弗吉尼亚寄予了厚望，有人预言它将产出“欧洲、非洲和亚洲的所有商品”。当时，有人不无热情地说：“这片土地带来了丰富的物产，如同天赐的财富，无须耕作和劳苦就能获得收益。”诗人迈克·德雷顿称为“地球上唯一的天堂”。人们又一次地确信，这将是一片流着“奶和蜜”的土地。另一位意气风发的开拓者认为，弗吉尼亚将成为：

---

① 法国的胡格诺教徒已经于16世纪60年代，在今天的南卡罗来纳州和佛罗里达州北部建立了殖民地。

能与泰鲁斯媲美的颜料产地，能与巴珊媲美的木材产地，能与波斯媲美的石油产地，能与阿拉伯媲美的香料产地，能与西班牙媲美的丝绸产地，能与纳西克媲美的造船基地，能与荷兰媲美的渔业基地，能与波莫纳媲美的果园基地，如果精心耕耘，它也将成为能与巴比伦媲美的谷物产地，另外，它还产丰富的桑葚、矿石、红宝石、珍珠、宝石、葡萄、鹿、家禽、药、滋补品、做颜料的原料、做肥皂的岑树、建筑用的木材、放牧的牧场、产鱼的河流，以及英格兰所需的所有产品。

但有一个问题，美洲离英格兰比爱尔兰离英格兰还要远，而且那里的农耕几乎得从零开始。从踏上这片土地到第一次获得农业丰收之间的这段时期，缺乏物资供给的人们该如何生存？这是一个非常严峻的问题。对充满希望的移民们来说，还有一些威胁比阿尔斯特残暴的“森林克里牛”主教更令人害怕。

与英国人跟印度的贸易发展一样，英国人的殖民统治也遵循着一种“公私合作”关系：王室颁发特许权，但是，由谁来冒险并投资呢？还是依靠民间力量。事实证明，他们所冒的风险是很大的。在罗阿诺克的第一个殖民地就存活了不到1年；1586年6月，因为与当地“印第安人”①发生摩擦，他们放弃了该殖民地。到罗阿诺克的第二次探险是1587年由约翰·怀特率领的。他将自己的妻子和孩子留在那里，自己回英格兰寻求物资援助，但当他在1590年回来时，他的妻儿和所有其他移民都消失了。在这种背景下，大多数人不愿冒险，因此，1606年4月建立的弗吉尼亚公司也没有被人们当做重要的公司。

如今，作为公司的第一个美国前哨——弗吉尼亚的詹姆士镇——并未留下多少英国人的遗迹。虽然它可以算做英国在美国第一个成功建立的殖民地，但是，它的命运与运气不佳的罗阿诺克差不多。由于疟疾、黄热病和瘟疫的肆虐，他们到这里的第一年年末，最初的100多人就只剩下38人了。在此后10年的时间里，

---

① 我们有必要记住，在那时，英国人之所以对北美海岸感兴趣，是认为它适合为英国人在加勒比海（他们当时认为是“西印度”）的野心计划提供战略支持。因此他们用一个熟悉，但并不合适的称谓“印度人”（先译为印第安人）来称呼北美的原住民。

詹姆斯镇的人口几乎濒临灭绝。最后在一个人的顽强领导下，这个殖民地才得以生存，而这位先驱如今几乎已经被人遗忘了。

约翰·史密斯最大的不幸就在于他叫做约翰·史密斯：如果他的名字不是那么普通的话，恐怕现在已经家喻户晓了。他是一个脾气暴躁的士兵，一个勇猛无畏的航海家，曾经被土耳其人抓住当过奴隶。史密斯坚信，大英帝国的未来就在美洲殖民地上。虽然他是作为一个囚犯来到弗吉尼亚的——他在中大西洋被指控谋反——但最终，还是他通过调和与当地印第安人的关系，强制执行了殖民地的法令，扭转了弗吉尼亚成为第二个罗阿诺克的命运。即使是这样，在詹姆士镇生存一年的概率大约只有50%，在幸存者的记忆中，1609年的冬天“饿殍遍野”，史密斯不得不回英格兰寻求物资支援。只有孤注一掷的人才会在胜算概率如此渺茫的情况下，赌上自己的身家性命。詹姆斯镇需要的是熟练的手工艺者、农民和艺术家。但正如史密斯所抱怨的，这里只有詹姆斯一世时期社会的“渣子”。英国的种植园要在美洲真正扎根，还需要某些东西。

吸引那些充满希望的英国移民到这里来的一个重要原因是弗吉尼亚公司的承诺，即无限期地以几乎可以忽略不计的租金租种2 000公亩土地。在土地分配遵循“人头权利”的体制下，一个移民所带来的所有家眷每人都能得到2 000公亩土地。但是免费土地的诱惑力本身并不足以吸引到约翰·史密斯所需要的那些人。同样重要的是，1612年的一个发现，那就是，这里适宜种植烟草。到1612年，弗吉尼亚烟草的出口量已经飙升到每年350 000磅。6年后，连国王本人都向弗吉尼亚的总督和理事会哀叹：“这个省完全是建立在烟土之上的”。

表面上来看，烟草确实解决了问题。它需要的投资很少：不过就是一些工具、一个压榨机以及一个晾晒棚。种植烟草虽然很费时间，但只需一些简单的技术，比如，用大拇指和食指摘下植物顶端的诀窍等，而且烟草征税也不多。而7年的烟草种植耗尽了土地肥力的事实，反而鼓励了移民的西进。烟草种植的便利最终却几乎导致了弗吉尼亚的衰落。1619~1639年，当烟草供给量猛增到每年150万磅时，烟草的价格便从每磅3先令跌到了每磅3便士。如果是在亚洲，各大垄断性贸易公司是绝不会容忍这种暴跌出现的。但是在美洲，吸引移民才是真正的目标，因此大垄断机制并未在此建立。

简而言之，英国在美洲的殖民地经济已岌岌可危；仅从经济效益角度来看，英国的美洲殖民地根本没法建立。除了金钱的刺激，还需要一些诱因来进一步吸引人们穿越大西洋。这个诱因就是原教旨主义。

在父亲的影响下与罗马天主教决裂，在全身心地拥护她的同父异母弟弟发起的宗教改革，随后又对她的同父异母姐姐的天主教复辟行为发起批判后，英格兰终于在伊丽莎白一世女王继位后选择了一条温和的新教“中间路线”。但对那些后来被称为清教徒的人来说，以英国圣公会为国教简直就是胡闹。当詹姆士一世不顾其苏格兰加尔文主义出身，而坚持延续伊丽莎白的宗教路线时，诺丁汉郡史克罗比村一群自称为“朝圣者”的清教徒认为是离开的时候了。他们先是去了荷兰，但10年后，他们又离开了那里，认为那里太过世俗。随后，他们听说了美洲，而让其他人望而却步的原因——那里尽是荒无人烟的荒原——在他们听来却是理想的归宿。还有什么地方比处于一个“广阔和空旷的混沌”状态中，更适宜建立一个真正的神圣社会呢？

1620年11月9日，也就是在离开南开普敦近8周后，这群清教徒在科德角登陆。就好像是为了给自己一片净土，他们绕行320公里，绕开了弗吉尼亚，到了北部更为寒冷的海岸，也就是被约翰·史密斯命名为“新英格兰”的地方。你也许会好奇，如果当年“五月花”号上的乘客都是这帮清教徒，那么，新英格兰最终会变成什么样呢？毕竟这些清教徒并不仅仅是原教旨主义者，他们还希望能平均分配他们的财产和收益。实际上，在149名乘客中，只有1/4的人是清教徒，大多数人都是应弗吉尼亚公司的广告而来的，他们更多是怀着物质性而非精神性的目的穿越大西洋的。有的人实际上是为了逃离东盎格鲁纺织工业城那沉闷的家。他们希望出去闯天下，而不是为了寻找什么神圣之地，吸引他们来新英格兰的，也并非因为这里没有主教或者天主教会的其他遗风，而是这里有大量的鱼够他们生存。

纽芬兰的渔业早就吸引着英国的渔夫们深入大西洋了。但显然从美洲这边更容易进入渔区。新英格兰的沿海水域也有很多鱼。尤其是马波海德镇附近水域，鱼多得“好像穿鞋踏入水中就能踏到它们的脊背”。不知疲倦的约翰·史密斯在第一次探测这条海岸线时，就极其敏锐地看到了这里的重要性。“不要讨厌渔业这个稀松平常的词。”他后来写道：“因为它将像圭亚那或者通巴图的金矿一样给我们带来源源不断的财富，风险和成本更小，却更加稳定和便捷。”因此，英国移民跨越大西洋还有一个原因：并不是为了上帝，而是为了鳕鱼。马萨诸塞州马波海德镇那些饱经风霜的墓碑证明，英国殖民地早在1628年就存在了。但是，该镇在1684年之前根本没有教堂，也没有牧师，这些都是清教徒们建立普利茅斯60年之后的事了。此时，这里的渔业已经十分发达，每年出口的鳕鱼有成百上千桶。清教徒们来到新世界的初衷或许是为了逃离天主教的迫害，但是，马波海德镇人们的“主要生计”却是“捕鱼”。

清教徒主义加上利益的驱动，正是这些因素的综合作用使得新英格兰逐渐繁荣起来。而1629年建立的马萨诸塞湾公司，也综合利用了这些因素。公司董事长也高兴地将他个人信奉的公理会和资本主义结合了起来。1640年，马萨诸塞州已经非常繁荣了，这不仅仅归功于渔业，还归功于皮毛业和农耕业。那里有3万人居住，比当时切萨皮克湾的人口更多。波士顿的人口在仅仅30年内就增长到了原来的3倍。

但我们还不能忘记一个重要的因素：人口繁殖。与南边的英国殖民地不同，新英格兰的人口数量增长很快，1650~1700年，人口数量增长了3倍。他们的人口增长率可能是世界最高的。在英国，实际只有3/4的人结婚；而在美洲的殖民地，9/10的人都会选择结婚，而且殖民地女性结婚的年龄普遍小很多，因而她们的生育率也高得多。英属美洲和拉丁美洲有一个很大的区别。西班牙殖民者大多都是男人。在拉美洲独立之前，移民到这里的150万西班牙和葡萄牙人中，只有1/4的人是女性；大多数伊比利亚男性移民都是从当地的原住民或者（迅速增加的）奴隶中寻找性伙伴的。其结果就是，他们的下几代人中出现了大量的欧洲与印第安人混血儿及黑白混血儿（西班牙人和非洲人的混血）。[①]而英国在北美的殖

① 1800年，在拉美的1 350万人中，只有350万人是白人，其中3万人是在西班牙出生的伊比利亚半岛人。其他则是在美洲出生的克里奥人。到1820年，拉美洲有1/4的人是混血儿。

民者不仅数量上更多，而且由于当时鼓励他们举家来到这里，因而多少保持了文化的完整性。所以说，在北美与在北爱尔兰一样，英国人的殖民地建设都是靠家庭来推动的。其结果是，新英格兰也确实就像是一个新的英格兰，而新西班牙却根本不像一个新的西班牙。

无论在阿尔斯特，还是在美洲这个新世界，种植园总是意味着生生不息—不止是人，还有庄稼。种庄稼自然就要耕耘土地。但问题是，这是谁的土地呢？

在殖民者移居到这里之前，这里并非真的无人居住。仅在弗吉尼亚就有1万~2万名阿尔冈琴印第安人居住；而詹姆士镇则在保厄坦部落的心脏地带。起初，似乎殖民者确实可以通过贸易，甚至通婚的方式与印第安人和平相处。保厄坦酋长瓦汗森纳卡克曾被迫跪下并接受约翰·史密斯的加冕，被封为詹姆斯国王“陛下的封臣”。酋长的女儿波卡洪特斯是第一位与英国人结婚的美洲原住民。她嫁给了约翰·罗尔夫，后者是最早在这里开始烟草种植的先驱之一。但是，他们的婚姻实属特例。后来，托马斯·戴尔男爵也曾希望迎娶瓦汗森纳卡克最小的女儿，理由是“由于现在仍是单身，而且又非常迫切地希望在（瓦汗森纳卡克的）领地上定居，他认为，没有比这种自然的联合体更有助于争取和平及友谊了”。但是，他的求婚遭到了拒绝。瓦汗森纳卡克现在开始怀疑，他面对的是一个旨在“侵犯我的人民、统治我的领土”的阴谋。他是对的。

弗吉尼亚公司一位名叫罗伯特·格雷的牧师在他编写的手册《弗吉尼亚指南》中问道：“我们有什么权力或理由进入这些原始人的土地，剥夺他们居住在这里的合法权利，并在未经他们允许和同意的情况下，居住在他们的领地上？”理查德·哈克里特的回答是，当地的美洲人“哭喊着让我们……去那里帮助”他们。马萨诸塞湾公司（1629年建立）的图章上甚至还刻了一个印第安人，挥舞着一面旗帜，上面写着“来帮助我们吧”。但事实上，英国人是来帮助他们自己的。正如弗吉尼亚总督弗朗西斯·怀厄特爵士所说：“我们要做的第一件事就是将这些野蛮人驱逐出去，好腾出空地饲养牛和猪等，这些家畜可不仅仅能维持我们的生活，更重要的是，这比与野蛮人生活在一起要强得多。”为了给掠夺原住民找借口，英国殖民者提出了一个特别的理由，即无人所有的土地。用伟大的政治哲学家约翰·洛克（他也是卡罗来纳的皇家地产所有者委员会的秘书）的话来说，一个人只有“在土地上付出了自己的劳动，加入了属于自己的东西”，那么这块土地才算是他的。简单地说，如果一块土地尚未被人圈起来耕作，那么谁都可以抢过来。约翰·温斯洛普就说：

……在新英格兰的原住民既没有把土地圈起来住人，也没有牧养牛群来利用这些土地，因而对这些土地并不拥有自然的权利。所有，只要我们留给他们足够的土地，我们就能合法地拿走剩余的。毕竟，这里的土地无论对他们还是我们来说，都绰绰有余。

美洲的原住民只要不搅乱新兴的英国经济秩序，他们就能被容忍。加拿大的哈德逊湾公司就很乐意依赖克里族印第安人猎手来设陷阱和捕杀猎物，以便为他们的皮毛贸易提供海狸皮毛和驯鹿皮。纳拉干族印第安人也比较受尊重，因为他们会制作贝壳念珠——都是用长岛海岸的紫色和白色的海螺壳制作的，这是北美洲最早的货币。但是，一旦印第安人对具有农垦价值的土地提出所有权，那么，要和平共处就难了。如果印第安人抵制强征土地，那么，（用洛克的话来说）他们就可以，也应该“像一头狮子或者老虎，或者某种野兽那样被毁灭，因为与他们在一起，人就无法建立社会，就不会有安全感。”早在1642年，罗德岛纳拉干部落的一位酋长米安东莫，就曾在墙上写下文字告诫他的族人：

众所周知，我们的父辈拥有无数的鹿和皮毛，我们的草原上跑满了鹿，我们的森林里都是火鸡，我们的河流里都是鱼和虾。但是，这些英国人夺取了我们的土地，他们用镰刀割草，用斧头砍树，他们的牛马吃了我们的草，他们的猪破坏了我们的河岸，我们都将被饿死。

在中美洲发生过的事情，又在北大西洋沿海地区重演了。1500年，在后来成为英国殖民地的北美地区，居住着560 000名美洲印第安人。而到了1700年，这个数量已经减少了1/2。这还只是开始，随着白人殖民者的西进，整个北美洲的原住民人口都急剧减少。1500年，在现代美国的版图内，居住着200万名原住民，到了1700年，他们的人口数量降至750 000，到1820年，人口数量就只有325 000了。

与武装更精良的殖民者之间短暂但血腥的战争，使他们元气大伤。在1622年，保厄坦部落攻击了詹姆斯镇之后，殖民者的态度更加强硬了。正如爱德华·科克所说，印第安人只能是“永远的敌人……因为他们与基督徒之间，就好比魔鬼（印第安人也正是魔鬼的信徒）与基督徒之间一样，只有永恒的仇恨，没有和平可言。”大屠杀在那时是司空见惯的事情，比如，1623年和1644年对保厄坦部落的大屠杀、1637年对佩科特的大屠杀、1675年对德格斯的大屠杀，以及1676~1677年对万帕诺亚的大屠杀。但对美洲原住民来说，杀伤力最大的就是白种人漂洋过海带来的传染病：天花、流感和白喉。中世纪，老鼠带来了黑死病，而现在，白种人成了致命病菌的携带者。

另一方面，对殖民者来说，天花的致命影响进一步证明，上帝是站在殖民者一边的，因为他帮助他们方便地消灭了新世界的前居住者。1621年年末，普利茅斯的清教徒们最感恩的一件事就是，新英格兰90%的原住民在他们到达之前的10年间都死于疾病，而他们也第一次—蒙主眷顾—耕种了土地，并储存了谷物以备过冬。用17世纪90年代的卡罗来纳总督约翰·阿奇代尔的话来说：“我们显然可以看见上帝的手，他削减了印第安人的人数，从而为英国人腾出了地方。”

但是，美洲殖民地原住民的近乎灭绝并不意味着这片土地不属于任何人。这里是属于国王的，他可以将新获得的皇家土地分封给有功之臣。随着美洲殖民地逐渐繁荣兴旺，它很快成为斯图亚特王朝新的分封来源，而殖民统治与裙带关系总是密不可分的。这对新生的英属北美洲的社会结构带来了重要的影响。比如1632年，查理一世效仿14世纪王室赐予杜伦主教在其领地上享有王权的方式，将马里兰及该地的统治权赐予了巴尔的摩勋爵的子嗣，并授予“皇家地产所有者”的称号，在一种基本属于封建体制的框架下进行封赏和封地。查理二世将卡罗来纳分封给了他的8位亲信，并设计了一种等级划分更为森严的社会结构，比如，伯爵领主和男爵领主就分别拥有1 920 000公亩和960 000公亩土地，并通过一个纯粹由贵族组成的大议会对殖民地进行统治。纽约的得名就是因为英国人在1664

年从荷兰手里夺取该城后，查理国王将其赐予了他的兄弟詹姆士，后者是约克郡的公爵。

同样，查理二世为了将16 000英镑的债务分摊给他的支持者之一——威廉·潘恩（攻取牙买加时的主帅），也是以同样的方式，将一块土地的所有权赐予潘恩的儿子，这块土地就是后来的宾夕法尼亚州。这让小潘恩在一夜间就成了英国历史上最大的土地领主，领土面积甚至超过了爱尔兰。这也给了他一个机会以展示宗教热情和经济利益是可以兼顾的。就像清教徒移民们一样，潘恩属于一个激进的宗教教派：他在1667年入教友派，并因为这一信仰被囚禁在伦敦塔内。与普利茅斯的其他殖民者不同，潘恩“神圣试验”的目的是为了创建一个“宽容的殖民地”，不仅容许教友派的存在，也容许任何宗教团体的存在（只要信奉一神论的）。1682年10月，他的船“欢迎”号沿特拉华河北上，手持皇家特许证的他登陆后创建了宾夕法尼亚城，宾夕法尼亚是一个古希腊词语，意思是“兄弟般的爱”。

潘恩知道，如果他的殖民地想取得成功，首要问题就是赚钱。他曾直率地说：“虽然我热切地希望扩大宗教自由，但是我也希望我的一切努力能够得到回报。”为此，他开始大规模地出售不动产，以极低的价格出售了大片土地：当时，人们花100英镑就可以买到5 000英亩土地。潘恩也是一位颇有远见的城市规划者，他希望他的行政中心不要像伦敦那么拥挤和易发生火灾；就这样，他设计出了如今我们非常熟悉的美国式街道网络系统。但最重要的是，他是一位出色的商人，因为他知道，即使是美国梦也需要推销。他已经不满足于鼓励英国居民、威尔士居民和爱尔兰居民移居到这里了，他在宣传广告中加入了德文和其他语言，煽动欧洲大陆居民移居到这里。这招果然奏效：1689~1815年，有100多万欧洲大陆移民涌入北美洲大陆以及英属西印度群岛，这些移民中主要是德国人和瑞士人。吸引这些家庭的主要原因是宗教氛围的宽松和价格低廉的土地。这是真正的自由：自由的信仰和几乎免费的土地。[①]

① 吸引一些富有开创性的移民去美洲的另一个因素是1732年乔治亚州的建立，它是欠债者的避难所。

不过还存在一个问题。并非所有人在这个白种人的帝国中都能成为土地所有者。这里还是需要劳动者，尤其是像种植甘蔗、烟草和水稻等庄稼的时候——它们是劳动力密集型作物。不过，如何让劳动力穿越大西洋来到这里呢？就是在这个问题上，大英帝国自由理念的局限性显露出来了。

黑人与白人

17世纪和18世纪，英伦诸岛的移民之多是欧洲其他国家无法相提并论的。1601~1701年间，仅英格兰的净输出人数就超过了70万。在17世纪40~50年代的高峰时期——恰逢英国内战时期，出现大量移民看来并非巧合——每年的移民率达到0.2‰（类似于现在委内瑞拉的移民率）。

正如我们所见，第一批前往美洲的英国移民是受信仰自由和廉价土地的吸引。但是，他们与那些出卖劳动力的人相比，移居到此的原因是不同的。劳动力的到来与寻求自由毫无关系。他们很清楚，来到这里恰恰证明要放弃他们的自由。这些移民很少是依靠自己的力量漂洋过海来到这里，事实上，他们大多数人是接受了一种“契约制度”，即以短期劳役的形式来到这里，以缓解长期人力短缺的现象。为了省去旅费，他们得签订一个契约，承诺服满一个固定期限的劳役，通常是4~5年。实际上他们就是奴隶，只不过是签了固定期限合同的奴隶。在他们离开英格兰时，也许并未认识到这点。丹尼尔·笛福笔下的摩尔·弗兰德斯刚嫁到弗吉尼亚做庄园主夫人时，还需要她的母亲（以及婆婆）向她解释：

> 从英格兰到殖民地定居的大多数居民，都是出于不同的原因来到这里的；概括地说，这些居民可分为两类：一类是乘坐主人的船只来到这里被卖做劳工，我们虽然称他们为亲爱的，但他们实际上更应该被称为奴隶。另一类是囚犯，犯了重罪和其他足以判为死刑的罪行，从新兴监狱和其他监狱被送过来。当他们被送到这里后，大家就没有什么差别了：庄园主会买他们，把他们集中起来安排到田里劳作，直到期限结束……

1650~1780年间，来北美的欧洲人中有1/2~2/3的是契约劳工；来到切萨皮克的英国移民中，这个比例接近 7/10。诸如威廉斯堡（弗吉尼亚精致的殖民地首府）等殖民地严重依赖这些源源涌入的廉价劳动力来种植烟草，以及新兴的殖民地贵族所需要的所有商品和服务。契约劳工与奴隶一样，会通过当地的报纸打广告出售。比如，《弗吉尼亚公报》上就会刊登：“刚到……139 名男人、女人和男孩。铁匠、砖匠、石灰匠、鞋匠若干……一名装玻璃工、一名裁缝、一名印刷工、一名书籍装订工……女裁缝若干……”

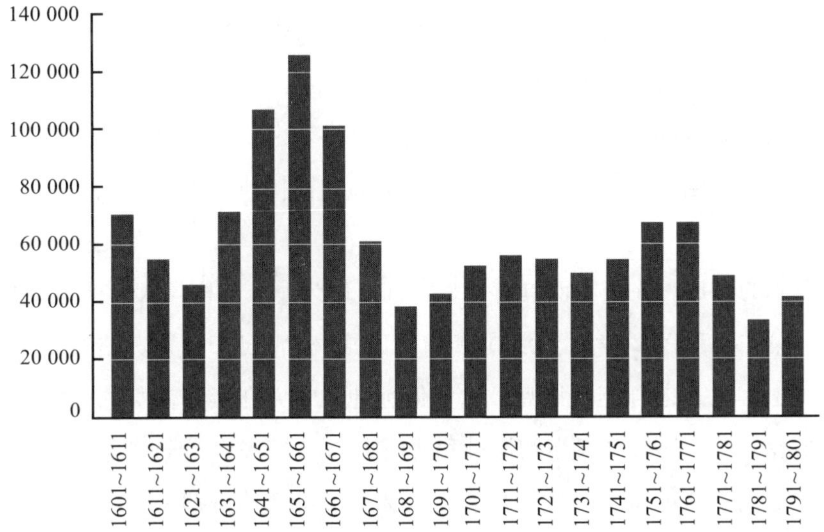

1601~1801 年期间英国净输出移民人数。

虽然契约劳工大多为 15~21 岁的年轻男子，却有一位名为约翰 · 哈罗尔的劳工已经 40 岁了，他简单地记录了他在这里的经历，希望在他有钱将妻子接过来团聚后，把这本日记送给她。在英国，为了养活妻子和几个孩子，哈罗尔到处找工作，却一连几个月一无所获。他在 1774 年 1 月 26 日（周三）的日记中简单地解释了 18 世纪末真正促使英国人移民的原因：“今天我兜里只剩下 1 先令了，看来我不得不去弗吉尼亚当 4 年教师了，以换取这期间的食宿、衣服和 5 英镑的薪水。”这是一场为自由作出的赌博，也是最后一个不得已而为之的办法。哈罗尔又继续描写了他乘坐的“种植者”号轮船在遭遇了一场可怕的大西洋风暴时，他躲在甲板下的可怕情景：

晚上8点，我们被迫将前舱和主舱全部封闭，不一会儿，在这个封闭的船舱里，我的所见所闻就变得难以忍受了。有人在睡觉、有人在呕吐、有人在撒尿、有人在拉屎、有人在放屁、有人在摇摇晃晃地走、有人在诅咒、有人的小腿和大腿已经溃烂，有人的肝、肺和眼睛已经溃烂。更难以忍受的是，有些人还在诅咒他们的父亲、母亲、姐妹和兄弟。

这些乘客一旦犯错就要遭到鞭挞或者棒击，这真切地说明，他们是完全失去了自由的。当哈罗尔在结束了2个多月身心疲惫的海上旅程，终于踏上弗吉尼亚的土地时，他那粗浅的学识便成了一笔宝贵的财富。他受雇于当地一位种植园主，给孩子们当家庭教师。不过，他的运气也就到此为止了。1777年，也就是离开家乡的3年后，他因病去世，死前还未凑齐足够的钱接他的妻子和孩子来到这里与他团聚。

哈罗尔的经历，在两方面具有典型特征。作为一个苏格兰人，他是1700年后去美洲的第二批移民：在18世纪的所有英国移民中，近3/4是苏格兰人和爱尔兰人。事实上，只有来自英伦诸岛最贫穷偏远地方的人在卖身做契约劳工时，才会损失的最少，得到的最多。当约翰逊和博斯韦尔在1773年穿过苏格兰高地和爱尔兰岛时，他们不断地看到一些被后者批判为“这种像传染病一样的移民狂潮”的迹象。约翰逊则持一种更为实际的态度：

阿瑟·李提到了有些苏格兰人到美洲购置荒地的事情，并表示不理解他们这样做的目的。约翰逊说：“为什么？先生。所谓荒凉都是相对而言的。对苏格兰人来说，那些土地算不上荒凉。”博斯韦尔说：“够了，不要吹捧英格兰人了。你现在去过苏格兰了，先生，难道你没见到那里的人仅够吃喝吗？”约翰逊回答：“当然了，先生。这些吃的喝的不过是足以让他们有力气逃离家乡罢了。”

其实，这两个人都没有认识到，让这么多男人和女人“倾城而出”的真正根源，在于地租的增加以及连续多年收成不佳的严酷现实。对爱尔兰人来说，“更好的天气，稳定的政权”更能吸引他们。1701~1780年，2/5的英国移民是爱尔兰人，随着美洲的土豆被引入英国，加上人口的急剧增长，在接下来的一个世纪中，移民率继续攀升，到19世纪40年代移民率达到了顶峰。从英国偏远地区流入美洲的移民让大英帝国始终带着凯尔特人的特征。

哈罗尔的英年早逝在当时并不罕见。新到弗吉尼亚的移民中，有2/5的人来到这里的最初几年就去世了，通常是因为疾病或者肠胃功能紊乱。要生存下来，说的委婉点，就得“经受考验”。而那些存活下来的人也往往面带菜色，明显与健康人不同。

如果弗吉尼亚始终有移民进入，那么契约劳工的人数会不断增加，这里的天气更好些，主要农作物相对来说也更容易获得好的收成。但实际上，这里的移民数量并不够。我们常常忘记，17世纪，大约69%的英国移民去的并不是美洲，而是西印度，毕竟那里才是赚钱的地方。英国与加勒比海诸岛的贸易比与美洲的贸易多得多。1773年，英国从牙买加进口的商品价值是从美洲所有殖民地进口物资的5倍。1714~1773年间，尼维斯岛出口到英国的产品是纽约出口到英国产品总量的3倍，安提瓜岛出口到英国的产品也是新英格兰出口到英国产品总量的3倍。在18世纪的大英帝国殖民地，最大的贸易品是糖，并非烟草。1775年，英国进口的糖占所有进口物资的1/5，价值是进口烟草价值的5倍多。18世纪的大多数时期，美洲殖民地不过就是这个嗜糖的英伦诸岛的经济附属国，向英国供给一些这里不出产的基本粮食。七年战争结束之际，威廉·皮特在面对究竟是拓展英国在美洲的领土，还是占领法国的产糖岛瓜德罗普岛时，他选择了后者，他的理由是：“北美被征服地区的现有贸易额极其稀少；它们的未来难以确定，它们的前景也非常渺茫。”

不过问题却是，那些热带岛屿上的死亡率高得惊人，尤其是在“多病时节”的夏季。在弗吉尼亚，116 000名移民最终仅存活90 000人，而在巴巴多斯岛，150 000名移民只剩下了20 000人。人们很快就吸取了教训。1700年之后，移民加勒比海的人数大幅下降，人们更倾向于移居气候更为温和（土地也更为广袤）的北美洲。早在1675年，巴巴多斯岛的议会就开始抱怨：“以前我们这里有源源不断地来自英格兰的基督教劳工……可如今，英国来的人越来越少，因为在他们雇用期满后，已经没有土地可以分配给他们了，要知道，土地在以前可是吸引他们来到这里的主要因素。”要吸引契约劳工，还得另想办法。当然，办法总是有的。

1764~1779 年，英格兰北安普敦郡欧尼弗的圣彼得和圣保罗教区由约翰 · 牛顿管辖。他是一位虔诚的牧师，也是历代最受人喜爱的赞美诗《奇异恩典》的作者。我们大多数人不时地听到或者唱过这首赞美诗。不过很少有人知道的是，这位作家曾做过 6 年成功的奴隶交易商，将几百个非洲人从塞拉利昂运过大西洋，到达加勒比海沿岸。

《奇异恩典》是一首感人的福音基督教救赎圣诗：“奇异恩典何等甘甜 / 我罪已得赦免！ / 前我失散今被寻回，/ 瞎眼今得看见。”我们很容易就能想象得到：牛顿突然领悟到了奴隶制的罪恶，于是幡然醒悟，抛弃了他那不道德的职业，把自己奉献给了上帝。如果真是如此，就把牛顿皈依的时间弄错了。事实上，他是在皈

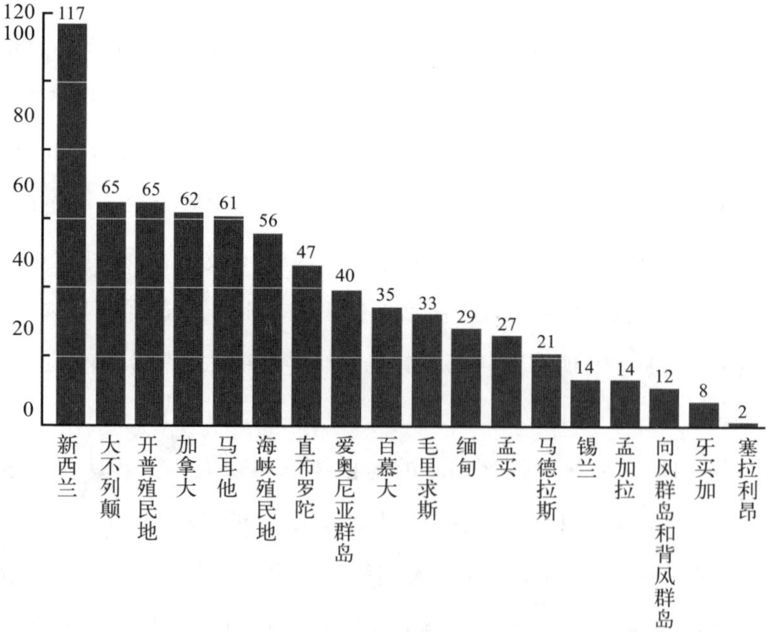

1817~1838 年间，大英帝国各地区的死亡概率（根据英国士兵的伤亡率计算）。

依基督教之后才先后在一些奴隶运输船上工作的，他先是做第一大副，后来又做船长。做了很久之后，他才开始质疑人口买卖的道德性。

如今，我们当然对奴隶制非常反感。我们很难理解，为什么像牛顿这样的人在当时却能接受它。其实，那时的奴隶制在大多数人眼里只是一个经济主张。甘蔗种植的利润丰厚；而葡萄牙人在马德拉和圣多美的经历证明，只有非洲奴隶才能忍受甘蔗种植的恶劣工作条件；加勒比海的种植园主愿意用超过西非海岸奴隶市价 8~9 倍的价格来购买那里的奴隶。虽然奴隶贸易风险很大（牛顿就将其称为博彩，因为每个冒险者都希望中大奖），但利润非常丰厚。在英国开始奴隶贸易最初的半个世纪，奴隶贸易的平均回报率为 8%~10%。难怪牛顿会认为奴隶贸易是“上流社会的职业”，即使是对皈依基督教的人来说，进行奴隶贸易也没什么不合适的。

奴隶贸易涉及的人数是惊人的。我们可能会认为，大英帝国的崛起过程就是白种人大批移民的过程，但是在 1662~1807 年间，英国人的船只把近 350 万非洲人运送到了“新世界”，这是同期白人移民人数的 3 倍多。可以说，占移民总数 1/3 的非洲人穿越大西洋成了奴隶。一开始，英国人还假装超脱于奴隶制之外。据说，早年有位商人在冈比亚时，有人送给他几个奴隶，他回答说：“我们的民族从不参与这种商品的交易，我们自己也不参与相互买卖，或者买卖任何其他与我们同为人类的生物。”但是不久之后，就有尼日利亚和贝宁湾的奴隶被送到巴巴多斯岛的甘蔗种植园。1662 年，新皇家非洲公司每年向西印度群岛供应 3 000 名奴隶，到了 1672 年，这一数字上升到 5 600 名。私营奴隶贸易商——也就是像牛顿那样的人——的人数也迅速增加。到 1740 年，利物浦每年要派出 33 艘船，从英格兰出发到非洲，再到加勒比海，做一次三角航行。同年，詹姆斯 · 汤普森的歌《统治吧，不列颠尼亚》流传开来，歌词中有一句激动人心的誓言：“英国人永远，永远不做奴隶”。而早期禁止购买奴隶的禁令，早被忘记了。

牛顿参与奴隶贸易是在 1745 年年末，当时的他还是一个年轻的水手，在一个名叫阿莫斯 · 克劳的奴隶贸易商手下做事，后者主要以近塞拉利昂的贝拿勒斯群岛为基地。牛顿很快发现，克劳的非洲情妇简直把他当奴隶使唤，两人的角色颠倒了。在疾病和冷落中度过一年后，牛顿被一艘名叫“灰猎犬”的船救出；也就是在这艘船上，在1748年3月的一场暴风雨中，这名年轻人皈依了基督教。此后，他也成为一名私营奴隶贸易商，他指挥第一艘奴隶运输船时才20多岁。

约翰·牛顿在1750~1751年期间指挥奴隶运输船“阿盖尔公爵”号时的日记，忠实地记录了那些靠贩卖奴隶为生和赚钱的人的态度。牛顿一般往来于塞拉利昂沿岸以及更远的地方，常常要花几个星期的时间用物品（包括“啤酒和苹果汁在内的所有紧俏物品”）换取奴隶，并与当地的奴隶贩子在价格和质量上讨价还价。他是一位挑剔的买家，他从不会买那些“乳房下垂”的老女人。1751年1月7日，他用一些木材和象牙换了8名奴隶，后来他发现这笔买卖自己亏了，因为其中有位奴隶“牙齿坏得厉害”。他抱怨道：“现在竞争者太多了，因此，就一个健康奴隶而言，它的价格比起以前几乎上涨一倍。”注意，他用的是“它”。同一天，他还记录了“一个不错的女奴，11号”的死亡。如果对牛顿来说，非洲人不过是些数字的话，那么在非洲人的眼里，牛顿就是一个魔鬼，甚至是一个食人野兽。非洲黑奴就是被运到英属西印度群岛，并记录下其经历的少数非洲奴隶之一。在牛顿的记录里，他证实了当时的一个普遍说法，认为白种人（或者说“红种人”）是“死神”的信徒，他们抓奴隶就是为了吃掉这些奴隶。一些被掳获的奴隶也相信，那些抓他们的人痛饮的红酒就是非洲人的鲜血所酿，而船长餐桌上的奶酪则是非洲人的大脑制成的。牛顿手下的奴隶显然也有同样的恐惧，他们甚至在船上的水桶中“下了咒”，因为“他们相信，所有喝了水桶中水的人最终都会死”。

1751年5月，当牛顿的船向安提瓜岛行驶时，船上的非洲人比英国人还多：奴隶有174名，而船员只有30名，其中7名船员还得了病。对奴隶主来说，这是一个危险时刻，不仅仅是因为在如此拥挤的船只上，一旦爆发霍乱或者痢疾会带来多么致命的影响，更因为他们还面临奴隶暴动的危险。牛顿就因5月26日的警觉性而受到嘉奖：

> 傍晚，多亏上帝的眷顾，就在奴隶们准备反抗的几个小时前，我发现了他们的阴谋。一个年轻人……他因为一开始身上起了一个大溃疡，因此整个

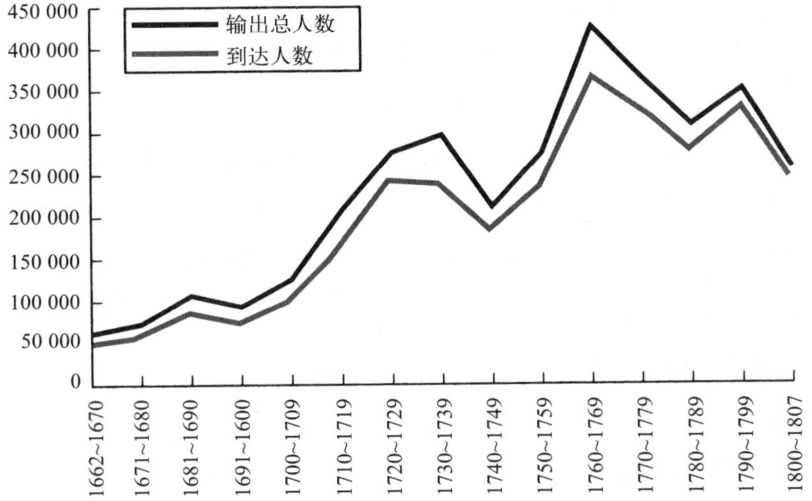

1662~1807 年，从非洲输出的奴隶总人数和乘坐英国和殖民地船只到美洲的人数。

> 旅程中都没有戴镣铐。后来，他看似无意地从窗栏中漏给奴隶一根很大的解索针，并被奴隶中的一个人很高兴地发现了。就在我发现这根解索针的一小时前，奴隶们已经把它做成了一个好武器（一种不会弄出声音的工具）。如果我没有发现的话，奴隶中将有近 20 个人会在凌晨打开镣铐。

次年，牛顿又有了一次相似的经历。当时，8 名奴隶被发现藏有“一些刀具、石头、子弹，还有一把凿子”。犯事者后来都套上了轭和拇指夹以示惩罚。

诸如“阿盖尔公爵”号等奴隶运输船上的情景大同小异——拥挤、卫生条件差、活动受限、食物不足——因此，在穿越大西洋的旅程中，平均 7 名奴隶中就有一名死亡一点也不奇怪。但奇怪的是，像牛顿那样不忘给船员主持弥撒，并拒绝在礼拜天谈论生意的人，竟然会从事贩奴贸易，而且还能够心安理得。在 1753 年 1 月 26 日写给妻子的信中，牛顿为自己提供的辩护值得我们关注：

> 人类生来就有三大恩赐，无可置疑，它们就是宗教、自由和爱。在每一种恩赐中，我都得到了上帝的格外恩宠！看我周围的这些国家，虽然这些国家中的居民相互之间言语不通，但我相信，他们也同样相信这点，可是他们

并未用语言表达过这一鼓舞人心的观点。据此我判断，这个观点从来没有在他们的头脑中出现过。正如光明与黑暗之间并无过渡一样，这些可怜的人也从未享受过我所享有的权利，他们完全地陷入邪恶与不幸中。他们没有基督徒所享有的恩赐和光明的前景，而是被巫术、魔幻和各种迷信思想所欺骗和迷惑，他们脑中只有恐惧和无知。他们所能理解的唯一自由，就是能够避免被卖的命运（这是我要强调的）；而就是这个卑微的愿望，他们也常常不能达成；我们常常看到，一个刚刚用船贩运奴隶的人，一周的时间还没过完，自己就被以同样的方式贩卖，甚至是用同一艘船运送出去。至于爱，我相信他们中也许也有更为柔和的灵魂，正如我也曾遇到过的；但是在大部分的情况下，当我试图解释这个令人愉悦的词语的时候，我很少能被人理解。

当一个人认为非洲人除了希望“避免被卖”的命运，而不知道自由为何物时，他怎么会认为是自己剥夺了非洲人的自由呢？

牛顿的态度并非特例。据牙买加的庄园主爱德华·朗说，非洲人“缺乏智慧，在文明和科学的进程中几乎难有进步。他们没有道德准则或规范……也根本没有道德感”。他总结道，他们就是一个低劣的人种。詹姆斯·博斯韦尔虽然在其他许多情况下都积极呼吁自由，却坚决否认“黑人受到了压迫”，因为“非洲人世代都是奴隶”。

牛顿的日记清楚地表明，从奴隶运输船起航开始，对奴隶的压迫就开始了，并在奴隶下船被售的过程中持续进行。在牙买加（牛顿的奴隶一般供应这个市场），白人和黑人奴隶的比例是 1 ∶ 10。在英属圭亚那，这个比例是 1 ∶ 20。没有暴力的威胁，很难想象这样的体制能够长期维持。加勒比海如今还遗留一些用来约束奴隶的刑具—比如，防止奴隶逃跑的带钉子的镣铐，或者吊在脖子上的铁块（可以加码以加重惩罚）—这些正是牙买加作为 18 世纪英国殖民地前沿的明证。

确实，就詹姆斯·格兰杰在 1764 年发表的诗歌《甘蔗》来看，这位克里奥庄园主的生活听起来实在是富有诗意，虽然也很辛苦劳累：

甘蔗生长需要什么土壤啊，又需要什么样的照料；

什么情况下可以种植啊，什么现象表示有了虫害；

甜美的甘露是怎样精心酿制的哟；

是非洲黑人后裔的款待。

但是，为了满足英国人嗜甜的需求，吃苦的却是“非洲黑人”。这些非洲黑人不仅要耕田、料理和收割甘蔗，还得榨汁，并将甘蔗汁放到大桶里煮，从而制作蔗糖。用西班牙语来说，甘蔗种植园就是ingenio，也就是能量的意思，可以说，用甘蔗制蔗糖是一项农作，也是一项工业活动。只不过，这其中的原材料不仅包括甘蔗，还包括人。到1750年，已有80万名非洲人被运往英属加勒比海国家，但由于死亡率过高而生育率过低，奴隶的人口一直不足30万人。巴巴多斯种植园主爱德华·利特尔顿总结出了一条颠扑不破的规律，即一个拥有100名奴隶的庄园主每年需要购买8~10名奴隶来“补货”。尼维斯的一名牧师曾写过一本赞同奴隶制的宣传册《约翰·塔尔博特·坎波-贝尔先生的演讲》（1736年），其中明确承认“根据众所周知的数据计算，每批新购入的黑人中有2/5的人因为不堪劳作而死去”。

我们也不该忘记奴隶制殖民地对非洲人的另一种盘剥，也就是性侵犯。爱德华·朗在1757年到达牙买加后，他沮丧地发现，其他庄园主常常在他们的奴隶中寻找性伙伴：“许多男人，各个层级、各种素质和各类级别的人都有，他们宁愿在声色犬马之中放纵自己，也不愿意在婚姻的爱和相互的爱中享受纯粹及合法的幸福。”这种做法在当时被称为“混合坚果”，不过，从朗的严厉指责中我们可以看出，越来越多的人对这种后来被斥为“通婚”的行为表示反对。值得注意的是，当时有一则广为流传的故事“英哥和雅丽克”，讲的是船只失事后幸存下来的一名水手和一个黑人少女之间的故事：

就这样，在无望的沮丧中他度过了一天，

一个黑人少女碰巧路过；

他惊奇地发现她是多么的美丽，

她的身形是多么匀称，她的眼神是多么聪颖！

但是，在发生了“混合坚果”的行为后，英哥却毫不犹豫地将不幸的雅丽克卖做奴隶。

但是，如果将卖做奴隶的非洲人无一例外地描绘成被动的受害者，那也是错误的。因为也有许多奴隶勇敢地站起来反抗他们的白人压迫者。在牙买加，暴动就像飓风一般频繁。在某个小岛上，从英国人占领小岛到他们最终放弃奴隶制之间，发生了多达 28 次暴动。况且，有一支黑人种族始终在英国人的控制之外，那就是马伦斯人。

当 1655 年威廉 · 潘恩的父亲从西班牙人手中夺过牙买加时，已经有一个组织成熟的奴隶群体逃离了西班牙主人的控制，索居在深山里。他们被称为“马伦斯人”，这个词是由西班牙语 cimarron（野蛮或者不驯服）演化而来的。如今，你仍能够在阿科波（这个镇子是以当时伟大的马伦斯领袖库德霍埃上校的一位兄弟的名字命名的）每年的马伦斯节上领略马伦斯文化，以及它对世界美食的贡献：烤猪肉。只要听听他们的歌声，看看他们的舞蹈，你就会知道，尽管后来被驱逐流放，但马伦斯人还是保留了相当一部分的非洲古文化。从一方面来说，也只有他们还带着被囚禁的烙印。虽然马伦斯人中有许多人都来自加纳，说的是阿肯语，但是库德霍埃却坚持让其所有追随者学说英语。这么做，显然有非常实际的意义。马伦斯人不仅希望能够避免被牙买加新的统治者重新抓去做奴隶，而且希望能解放新来的奴隶，壮大自己的队伍（马伦斯人实行的是一夫多妻制，因此他们尤其热衷于解放女奴）。由于奴隶主们运来的奴隶来自非洲各个部落，要融入马伦斯这个族群，就需要将英语作为一种通用语言。

在库德霍埃的领导下，在至高无上的传奇人物南妮女王的鼓舞下，马伦斯人向种植园经济发起了冲击。庄园主们远远听到号角（一种螺壳做的号角，吹响它表示马伦斯的袭击队来了）的声音就闻风丧胆。比如 1728 年，乔治 · 曼宁给自己的庄园买了 26 个奴隶，而到了年底，就只剩下 4 个了，其余的全部被马伦斯袭击队救走了。马伦斯人甚至迫使陆军上校托马斯 · 布鲁克斯放弃了他在圣乔治的所有土地。如今，牙买加仍保留了一些老的地名，比如“不要往后看地区”，这充分证明了当时马伦斯人是无处不在的。绝望的英国人从洪都拉斯沿岸招募了一支米斯基托人来抵抗马伦斯人，还从直布罗陀招募了一些常规军。最后，在1732年，英国人夺下了马伦斯的要塞南妮镇，这给了马伦斯人一次重击。但是，马伦斯人只不过是再次潜入深山，等待反攻的时机；而来自直布罗陀的军队呢，毫不奇怪，他们因疾病和酗酒折损了实力。1732年年末，牙买加的一名议员哀叹道：

> 奴隶的暴动给我们的国家带来了不安和动荡，他们越来越嚣张，我们甚至不敢确保明天会发生什么。在我们首府的街道上，抢劫和谋杀是那么频繁，我们把他们运过来，实际上是带来了天大的灾难。

最后，他们别无选择，只能坐下来协商。1739年，双方达成协议，划出60 000公亩的地区作为马伦斯人的自治区；作为交换，马伦斯人也答应不再解放奴隶，而且还会将逃跑的奴隶交还给他们的主人，以此来换取报酬。这是大英帝国早期常用的一种伎俩：如果英国人打不过你，他们就会让你加入他们的阵营。当然，这个协议并未阻止奴隶暴动事件的发生；相反，它意味着，愤怒的奴隶们除了反抗之外，别无选择，因为逃向南妮镇的道路实际上已经被封闭了。17世纪60年代，奴隶暴动如洪水般爆发，至少一开始是受马伦斯人的榜样激励。不过，自从马伦斯人与英国人议和后，马伦斯人多多少少地也成了被反抗的对象，因为他们已经与英国人同流合污，共同镇压反抗的奴隶了。事实上，马伦斯人自己也成了奴隶主。你可能无法用武力征服他们，但你却可以买通他们。

1770年，英国在大西洋沿岸建立的帝国似乎找到了一个自然的平衡。英国、西非和加勒比海之间的三角贸易为各个种植园提供了充足的劳动力。美洲大陆殖民地提供丰富的食物，糖和烟草源源不断地流入英国，其中相当大的一部分又再出口到欧洲大陆。而这些新世界为英国赚来的利润又推动了大英帝国在亚洲的贸易。不过，英国人从马伦斯人的例子中总结了一个教训——这对庄园主们来说是一个麻烦，对他们的奴隶来说却有着相当的启示——整个大英帝国是建立在奴隶们伤痕累累的脊背之上的，而这些奴隶是有能力解放他们自己的。后来，在18世纪90年代，法国殖民地圣多明克的奴隶暴动成功，导致牙买加副总督巴尔卡雷斯勋爵对马伦斯人发起镇压，最后驱逐了近600名特里洛尼镇的马伦斯人。此事发生时，马伦斯人已经不再是大英帝国的威胁了。圣多明克的奴隶与愤怒的混血人民联合起来，在 1804 年建立了海地共和国。不过，海地并非新世界殖民地中第一个宣布独立的。在近 30 年前，美洲大陆上有一个完全不同的共和国宣布成立，而那次对大英帝国提出挑战的，不仅是绝望的奴隶，还有衣食无忧的白人殖民者。

美国独立战

这是英国被自己宣扬的自由主义理想引火烧身的时候，也是大英帝国开始分崩裂析的时候。在马萨诸塞州莱克星顿的郊外，英国士兵第一次在美洲的殖民地武装交火。当时是 1775 年 4 月 19 日。

当时，这群英国士兵被派往康科德没收殖民地武装组织私藏的武器，因为有关部门对这个武装组织的忠诚起了疑心。但是，这个武装组织事先得到了保罗 · 里维尔的报信，他飞马冲在前头，当然他叫的不是“英国人来啦”——那时，他们自己仍是英国人——他大叫的是“常规军来啦”。莱克星顿的 77 名民兵在村子前的草坪上列队阻击英国人的前进，他们被称为“分秒人”，因为他们“分分秒秒都准备”着出击。我们并不清楚谁开了第一枪，但结果是毋庸置疑的，这 77 名民兵都死在了这些武装精良的常规军的枪下。

莱克星顿的市民每年都会把这场冲突在舞台上细致地演绎一遍，以此纪念这些被屠杀的民兵。这些在清晨举行的轻松活动，是对美国人国民身份的一种纪念，也是在清凉的春日早晨吃吃松饼，喝喝咖啡的一个机会。但是，对这些看到英国军人在横笛和鼓乐演奏的《哈勒的人们》中来回行进的场景时，无不为之动容的英国人来说，莱克星顿的爱国者日却让人困惑。为什么这次遭遇战，没有让新英格兰暗流涌动的暴动戛然而止呢？答案就是，首先，常规军越向康科德挺进，殖民者的反抗就越强硬；其次，常规军的统领，大腹便便、优柔寡断的陆军上校弗朗西斯 · 史密斯在脚被打伤后，干脆放弃了对手下的控制。当他的军队朝波士顿退去时，被狙击队悉数歼灭。美国独立战由此打响。

这场战争就是美国人民所理解的自己的精神核心所在：从一个邪恶的帝国手中争夺自由就是这个国家的建国神话。但这也是美国革命的最大矛盾之处——当如今幸福的莱克星顿人在舞台上重现他们父辈们的自我牺牲时，我们也会强烈地意识到——那些反抗大英帝国统治的人是英国所有殖民地臣民中最富裕的。我们有理由相信，到17世纪70年代，新英格兰人差不多已是世界上最富有的人了。那里的人均收入至少与英国本土持平，而且分配的也更为平均。与远在家乡的英格兰人相比，新英格兰人的农庄更大，家族更大，受教育程度也更高。更关键的是，他们支付的税收也更少。1763年，英国人均缴税额为每年26先令。而马萨诸塞的纳税人平均每年只需支付1先令。对这些人来说，做英国臣民其实可以享受很多好处，这并非言过其实。可是，最先起来挣脱帝国权威桎梏的，却是他们，而非弗吉尼亚的契约劳工，也不是牙买加的奴隶。

在英国人的眼里，莱克星顿的大草坪看起来更适合打板球，而非两厢厮杀之地。据殖民地历史记载，美国人曾经很擅长英国人的游戏，这并非无足轻重的细节。比如1751年，《纽约公报》和《邮差男孩》就报道宣称：

> 上周一下午（5月1日），我们的公共操场上举行了一次板球大赛，11名伦敦球员对11名纽约球员，吸引了很多人下注。比赛按伦敦的规则进行……

最后，纽约队以领先87分胜出。从这个结果来看，我们也许很难回答这个问题：为什么美国人后来放弃了板球赛？

就在莱克星顿之战打响的20年前，美洲殖民者曾派出过上千人参与“七年战争”，与法国及其印第安盟军作战，以此表明对大英帝国的忠心。事实上，那场战争的第一枪就是一位年轻的殖民者乔治·华盛顿打响的。1760年，本杰明·富兰克林写了一本匿名的小册子，其中预言，美洲人口将迅速膨胀[①]：

> 在一个世纪或者更长的时间内，大洋这边的英国臣民的数量远远超过大洋那边的数量；但我并没有因此担心他们变得无用或者危险……我将这些担忧视为杞人忧天，空穴来风。

① 这并非一个不切实际的预测。1700年，英属北美洲的人口在265 000名左右。到1750年，这一数字上升到120万，1770年上升到230万——已经超过了苏格兰的人口。

什么地方出错了呢？

现在，我们还对学生或者游客说，美国革命爆发的原因主要是因为经济负担。这类解释声称，伦敦政府希望补偿他们在“七年战争”中为了将法国人驱逐出北美，以及派驻1万人的精兵强将把深为不满的印第安人（他们选择支持法国阵营）挡在阿巴拉契亚山以西而花费的成本。结果，伦敦方面就提出了征税方案。可是，如果我们仔细分析，我们会发现，这不是一个关于征税的故事，而是一个关于取消赋税的故事。

1765年，议会通过了《印花税法》，这意味着从报纸到扑克牌在内的一切商品都要被贴上一种印了特殊图案的纸张——也就是被征税。这项税赋所能带来的预期收入并不高，不过11万英镑还不到西印度税赋的1/2。但是，这次征税确实不得人心，提议征税的部长乔治·格伦维尔后来被迫辞职，而这个税项到次年3月也被取消了。此后各方达成协议，大英帝国只能在对外贸易中征税，国内交易不必纳税。2年后，新的财政部部长查尔斯·汤申德再次尝试增税，这次是开征一些新的海关关税。为了让大家接受这些税项，他们也作出了一些让步，比如对于殖民地消费品中最受欢迎的商品——茶，其税收从每磅一先令降低到了每磅3便士。但即使这样也无济于事。塞缪尔·亚当斯为马萨诸塞州议会起草了一份公告，甚至连这一税项也要抵制。1770年1月，以公正著称的诺思勋爵[①]统领的英国新政府废除了所有的新征税项，除了针对茶叶的那项税赋。但是，英国人的抗议之声并未停止。

1773年12月16日的“波士顿倾茶事件”大概路人皆知，当时东印度公司的运茶船“达特茅斯”号上，价值1万英镑的342箱茶叶被倒入波士顿海港浑浊的水中。大多数人认为，这是为了抗议茶税的增加。但实际上，由于在茶叶进入英国时关税较高，因此英国政府给予东印度公司一定的回扣，导致当时的茶叶价格

---

① 从外表上看，没有人比他更粗鄙、更笨拙、更粗鲁了。两只牛眼毫无目标地转来转去（因为他根本就是个近视眼），大嘴、厚唇、满脸横肉，看上去就像一个瞎了眼的号手。

格外低。[①]而茶叶从英国出口享受零关税，到了波士顿也只需交一笔很低的关税。这样，新英格兰的茶叶价格也受到压制，可以说，从来没有这么低过。这次“倾茶事件”并非由愤怒的消费者发起，而是由波士顿富庶的茶叶走私者们发动，因为他们没法再从茶叶倒卖中牟利了。当地人很清楚这次冠冕堂皇的抗议理由背后的荒谬本质。一位持怀疑态度的人写道：“当我们的后辈们听说，我们现在暴动的起因竟然是议会取消了一磅茶叶 1 先令的税赋，而将纳税减轻为每磅 3 便士时，他们难道不惊诧万分吗？这种愤怒难道不是比巫术更让人无法解释，更让美国历史蒙羞吗？”

如果我们仔细观察，会发现导致产生这么大动静的税赋不但数额不高，而且到 1773 年，就已经全部取消了。不管怎么说，就当时的基本经济现状来看，成为大英帝国的一员对美洲殖民地的经济来说很有利，非常有利，相比而言，这些税收引起的争议也并不大。备受谴责的《航海法案》也许给了英国船只与殖民地开展垄断贸易的特权，但同时也保障了北美的农产品、牛、生铁，以及船只的出口市场。事实上，宪法原则——英国议会有权在不征得美洲殖民地同意的情况下向其征税的事实——才是争端的真正诱因。

事实上，一个多世纪以来，大英帝国的核心与边缘势力暗地里一直在相互竞争——一边是以中央指派的殖民地总督为代表的伦敦王权，一边是以殖民地民选议会为代表的权力。培育起代议制机构是早期英属美洲殖民地（尤其是在新英格兰）的鲜明特征，也是北美洲区别于南美洲的一个主要特征。而试图将欧洲式等级森严的贵族政府植入北美的举措却彻底失败。从 1675 年起，伦敦曾寻求增加其对殖民地的影响力，因为早年这些殖民地实际上处于自治状态。到那时为止，只有弗吉尼亚被封为“皇家殖民地”。但是在 1679 年，新汉普郡被宣布成为皇省，5 年后，马萨诸塞成为“新英格兰自治领”。1685 年纽约领主继任英国国王后，纽约被置于王权的直接控制之下，紧接着，罗得岛和康涅狄格也相继被王室接管。

① 这就是在大英帝国中各占一半的亚洲特性和美洲特性最终发生冲突的时候。东印度公司在美洲殖民地的茶叶抵制运动（而这只是抵制汤申德关税运动的一部分）中元气大伤。该公司一方面茶叶库存过多，一方面债务激增，因此希望在美洲市场上倾销它的部分多余茶叶。

不过，当斯图亚特王朝在1688年失势后，这个中央集权的趋势也就终止了。事实上，“光荣革命”还鼓励殖民地的人将自己的议会视为与威斯特敏斯特议会同级别的机构。一些殖民地议会还通过了法律重申《大宪章》的精神，肯定他们所代表的民众的权力。到1739年，拿一位王室官员的话来说，殖民地实际上已成为“独立王国”，他们的立法“在各自的自治领里具有绝对权威”，“他们的法律和行动”也几乎不再对王室“负责”了。

但这也恰恰为我们解释为什么七年战争之前、之中和之后又兴起了一股中央集权潮提供了线索。我们在讨论18世纪60年代对税收问题的争论时，有必要将这一部分背景考虑在内。诺思勋爵领导的政府在倾茶事件后关闭波士顿港口，实行军事管制，用铁腕迫使马萨诸塞的立法者就范的行径只是一根导火索，因为殖民地的立法者已经多次受到这样的冒犯了。在1766年废除《印花税法》时，议会就已有力地宣布，它“在过去和现在都拥有它所应该拥有的，制定了有足够约束力和法律效应的法律法规，以约束美洲殖民地及其人民的充分权力和权威。”这才是殖民地争端的症结所在。

或许，这里头还掺杂了一丝殖民地自尊心萌发的因素。富兰克林感叹道，这里的人曾“对大不列颠和那里的法律和习惯不仅仅是尊重，还很有感情，甚至对那里的时装也很钟爱，这倒是大大促进了商业发展。人们对英国本土人总是尊敬有加；英格兰过来的人，这个身份本身就让人尊敬，凭空高人一等。”但是，殖民地的人又得到了怎样的待遇呢？他们不仅仅被视为附属者，而是被视为“附属者中的附属者”；是“苏格兰、爱尔兰和外国流浪者、囚犯后裔、可耻的反叛者等乌合之众糅合而成的杂居民族”，就好像他们“不配被叫做英国人，只配受怠慢、受约束、受桎梏、遭劫掠”。对这种低人一等的感觉，约翰·亚当斯更强烈地表达了愤怒。“我们不会成为他们的黑奴。”他在《波士顿公报》上以“Humphry Ploughjogger”为笔名发表文章愤怒反驳，“我说我们与老英国人民一样仪表堂堂，我们也应该和他们一样拥有自由。”

在日益剑拔弩张的氛围中，第一届大陆会议于1774年秋在费城的卡彭特厅召开了，这次大会聚集了各殖民地议会中更为反叛的元素。在这里，第一次通过了抵制英国政府收缴任何税项的决议，哪怕在必要时诉诸武力抵抗。但是，塞缪尔·亚当斯提出那句著名口号“无代表权就不纳税”的目的还不是要反抗英国，而是强调作为英国一分子的身份。殖民地的人认为，他们的所作所为只不过是在要求与大西洋另一边的人民同等地享有自由。在这一阶段，他们仍将自己视为大西洋另一边的英国人，谋求真正的、在当地的代表权，而不是在遥远的上议院的“虚无”的代表权。换句话说，他们希望在一个经过改良的准封建帝国中，让自己的议会与威斯特敏斯特的议会并驾齐驱。正如1775年曼斯菲尔德勋爵所说，殖民地的人“希望他们与大不列颠的关系……就像联合王国建立之前苏格兰与英格兰的关系”。

英国的一些富有远见的思想者——包括伟大的经济学家亚当·斯密和格洛斯特区教长约瑟夫·杜克尔——都将帝国权力的下放作为解决方案。只不过，亚当·斯密的想法是建立帝国联盟，只将威斯特敏斯特议会作为权力分散的帝国的最高机构，而杜克尔的建议是建立一个联邦雏形，以英王的统治作为维系帝国的纽带。诸如约瑟夫·加洛韦等温和派殖民者则寻求一种妥协，他提议建立一个美洲的立法局，其成员由殖民地议会选择，其主席由王室任命。但是，伦敦的政府否决了所有这些解决方案。问题已经简化为“哪个议会才至高无上”之争了。诺思勋爵的政府如今夹在两个同样自信的立法机构之间，两个机构都声称自己拥有合法权利。他所能做的最多就是承诺如果殖民地的议会征税后，能够按要求用做帝国国防经费，以及自己的民选政府开支，那么威斯特敏斯特的议会就暂时放弃（虽然它仍保留）征税的权力。这还不算，甚至埃尔德·皮特要求从波士顿撤兵的恳求也被参议院否决了。到这时，在本杰明·富兰克林看来，伦敦政府“声称对美洲300万名善良而敏感的人民拥有统治权，这看起来荒谬之极，因为以他们的决断力来看，似乎还不足以管理一群猪。”这种话无疑火药味十足。

就在莱克星顿的第一枪打响之后，不到一年工夫，这场暴乱就演变成了一场彻底的革命。1776年7月4日，在宾夕法尼亚议会常用的一间简陋的小屋内召开了第二次大陆会议，13个要求脱离英国的殖民地代表通过了《独立宣言》。仅仅2年之前，宣言的主要作者，33岁的托马斯·杰斐逊还在乔治三世面前自称“你在英属美洲的臣民”。而现在，大西洋彼岸的，或者说“大陆的”英国人已经变成了美国的“爱国者”。实际上，《独立宣言》的大部分都是对英国国王给殖民地人民所造成的伤害进行枯燥而夸张的声讨，他们认为英王所犯的罪就是试图“对美洲各州实行暴政”。同时，这份宣言也带有经过一个超大的委员会修改的所有特征。如今人们记得更清楚的倒是杰斐逊写的导言：“我们认为以下真理是不言而喻的；人人生而平等，造物主赋予他们某些不可转让的权利，其中包括生命权、自由权和追求幸福的权利。”

如今，这些革命言论听起来已经和母爱，以及苹果派一样稀松平常了。而在那时，这不仅是对王权，也是对传统的等级严明的基督教社会价值观的一种爆炸性的挑战。在1776年之前，有关殖民地未来的讨论在很大程度上局限在20世纪英国制宪论战的范畴中。但是，自从1776年托马斯 · 潘恩的《常识》一书出版后，一个全新的理念进入了公众的讨论话题，并以惊人的速度传播开来，这就是反君主制，而其背后更深层次的理念就是实行共和体制。当然，共和国并非什么新概念。威尼斯、汉萨同盟时期的德国、瑞士及荷兰都曾建立过共和国；就连英国人自己也曾在17世纪50年代短暂地尝试过共和体制。但是，杰斐逊的导言确保了美国式的共和国将遵循启蒙运动的原则建立：也就是尊重人的自然权利—首当其冲的就是每个人都有权利“自己判断什么将保障或者威胁他的自由”。

也许《独立宣言》最令人惊叹的地方在于所有13个殖民地的代表竟然都能够签字同意。要知道，就在20年前，它们之间还存在着巨大的差异。查尔斯 · 汤申德就担心“来自这么多不同省份的这么多不同的代表，不仅利益不同，还因相互妒忌和根深蒂固的偏见而难以团结，真是难以想象他们能够在一份确保共同安全，需要共同付出的计划上达成一致。”甚至本杰明 · 富兰克林也承认，殖民地有着：

> 不同形式的政府、不同的法律、不同的利益，有些还有着不同的宗教信仰和不同的习惯。它们之间的嫉妒非常强烈，因此，虽然从抵御外敌、建设共同的国防与安全设施来考虑，早就有了建立殖民地联盟的必要，而且每个殖

民地实际上都意识到了这种必要性，但是它们却迟迟未能建立起这样的联盟。

宣言的发布就是为了结束这种割据的局面。它甚至制造了“合众国”一词。但是，其结果却是造成了更深的分歧。杰斐逊的革命性语言让许多更为保守的殖民者开始疏离了。他们中有相当一部分人还准备着为英国国王及大英帝国奋战。当詹姆斯·撒切尔博士决心加入爱国者时，他发现他的朋友们：

> 根本不鼓励他的这种行为。他们声称，这是场内战，如果我落入英国人的手里，那我的命运就是上绞刑架……保皇党们还这样质问我：“年轻人，你有没有意识到，你违背了你应该对国王履行的责任，这样做无异于飞蛾扑火？要清楚，这场叛乱是不会持续很久的。”

好莱坞演绎的独立战争无非是英勇的爱国者与邪恶的、纳粹式的英国军人之间针锋相对的斗争。但真实情况，并非如此。这实际上是一场导致社会阶层，甚至家庭分裂的内战。最暴力的斗争往往不涉及英国常规军，而是在发起暴动的殖民者与那些仍然效忠于王室的同胞之间发生的。

以费城的基督教堂为例，这里常常被视为革命的摇篮，因为《独立宣言》的多位签名人都在那里做礼拜。但实际上，《独立宣言》的支持者在教友中只占少数。大约只有1/3的人支持独立，其他人要么反对，要么保持中立。基督教堂和美洲殖民地其他无数教堂一样，因政见不同而产生分裂。出现分裂的还不仅仅是教友，有的甚至整个家庭都因独立战争而四分五裂。富兰克林的家庭是虔诚的基督教徒，总是按时去基督教堂做礼拜，雷打不动，以至于教堂给他们安排了固定位置。本杰明在伦敦花了10年的时间为殖民地人民抗辩，无功而返，加入大陆会议，并参加了独立战争。但是，他的儿子威廉——新泽西的总督——在整个战争过程中却始终效忠于王室。父子俩从此再也没有说过话。

牧师们承受的压力尤其沉重，因为牧师都要效忠国王——英国教堂的最高领袖。作为基督教堂的教长，雅各布·杜谢一方面要效忠圣公会，另一方面又同情他的教会中支持革命的教徒，陷入了两难境地。他自己写的《公祷书》就印证了他在一定程度上对独立的支持。《公祷书》上原本写着："我们谦卑地恳求神处置和管束乔治，你的仆人，我们的国王和管理者（这里指的是乔治三世）的心……"但是，后来杜谢自己又拿笔划掉了这句话，重新写上："我们谦卑地恳求神引导合众国的统治者们……"这毫无疑问就是一种革命行动。但是，当独立战争正式宣布时，虽然《独立宣言》的签署者之一还是杜谢一位姐妹的丈夫，他却又胆怯起来，回到了圣公会的阵营，成了一名保皇党。杜谢的困境表明，美国革命甚至会让一个人陷入分裂。不但圣公会教徒以宗教理由反对暴动，就连康涅狄格州的新教教徒也效忠王室，因为他们无条件地相信，基督教徒就应该是"忠实的臣民，为了主的缘故，在任何非宗教的问题上顺服一切人的制度。"

总的来说，英属北美洲的白种人中，有 1/5 的人在独立战争中继续效忠王室。事实上，那些保皇派们打起仗来远比英国那些优柔寡断的将军们英勇顽强。保皇派们甚至还有自己的歌，比如"国会咒"：

这些顽固的流氓和愚蠢的笨蛋，
有些像愚昧而势利的骡子，
有些像奴颜婢膝、任人摆布的道具，
就是这些人，这些人组成了国会。

朱庇特决定给我们下一个诅咒，
让我们尝尝人生的所有苦难，
不是瘟疫，不是饥荒，但更糟糕，
他诅咒我们有了一个国会。

和平放弃了这片无望的海岸，
火炮呼啸着在这里炸响，
我们看到血流成河、伤亡遍野，
这就是国会的产物。

在这些论战中，双方互相将对方斥为"托利党"或者"辉格党"，俨然是英国的第二次——或者说美国的第一次——内战爆发了。

一位战斗在卡罗来纳州的保皇党—潜伏在森林里的光头戴维·范宁就对他在战时的经历作了生动记录。据他说，1775 年，在驼运货物的牲口车被叛乱民兵劫走后，他才“签名支持国王”的，虽然更现实的原因可能是他所居住的地区本就是亲皇派的。6 年来，他参与了北卡罗来纳州零星的游击战，背上留下了两颗子弹，头上也曾负过重伤。1781 年 12 月 12 日，他和他的其他保皇党成员在英国常规军的特遣队协助下，在一个浓雾弥漫的清晨攻下了希尔斯伯勒镇，北卡罗来纳州的整个大议会，包括该州的反叛总督及无数爱国者军队的军官都成了俘虏，替大英帝国给了革命派一拳重击。继这次成功之后，北卡罗来纳州的保皇党军队人数激增到 1 200 人。在纽约、东佛罗里达、萨凡纳、佐治亚，以及南卡罗来纳州的道弗斯基岛也都有差不多数量的保皇党军队。

像范宁领导的非正规军与英国的正规军之间，显然有可能进行更为密切的合作。可是，英国人在这场战争中并无获胜希望，原因有二：一方面，这场跨大西洋的内战很快被英法之间旷日持久的全球战争淹没了。英国内战给了法国国王路易十六报七年战争之仇的机会，而他也确实毫不迟疑地抓住了这个机会。这不是没有道理的，要知道，此刻英国在欧洲大陆已经没有了制衡法国的同盟——而法国却还有自己的盟军西班牙。这种情况下还要在美洲开展大规模的战役，无疑给英国带来了莫大的危险。

不管怎样，重要的是，英国的许多人也对殖民地人民怀有同情。像塞缪尔·约翰逊那样对他们心存敌意的人反而不多（我愿意爱一切人类，除了美洲人……先生，他们就是一群囚犯而已，我们没把他们吊死，他们就应该感恩戴德了）。确实，他在这一话题上激烈争辩的次数（许多次都被他的传记作者兼朋友詹姆斯·博斯韦尔记录了下来）证明，约翰逊确实只是少数派。博斯韦尔自己就形成了“一个明确而坚定的观点，即美洲人民有充分的权利反对祖国同胞在不征求他们同意的情况下向他们征税，从而全权控制他们命运的主张。”许多知名的辉格党政治家也秉持同样的观点。在议会上，精力旺盛的辉格党领袖查尔斯·詹姆士穿上了象征华盛顿爱国者军队的米色和蓝色相间的衣服，以示对美洲人的支持。

埃德蒙·伯克的话真是道出了许多人的心声："仅仅使用武力……可能会征服一时，但不能消除你再次出征的必要性；一个永远需要被征服的国家是没有办法被统治的。"简而言之，伦敦没有兴趣对那些决意反抗它的白种人殖民地强行施加英国统治。镇压美洲原住民或者叛乱的黑奴是一回事，但镇压那些可以称为自己同胞的人是另一回事。正如英国派驻魁北克的总督盖伊·卡尔顿爵士，在为自己善待那些被俘的爱国者军人作辩护时所说："既然我们无法让他们承认我们亲如兄弟，那至少让他们把我们当做堂兄弟吧。"英国总司令威廉·豪也同样在内战问题上态度含糊；这也许解释了为什么他在长岛之战失利的原因上始终是支吾搪塞，当时他明明是可以一举摧毁华盛顿的军队。

我们也有必要记住，从经济上来说，美洲殖民地的地位远逊于加勒比海沿岸殖民地。事实上，美洲严重依赖于同英国之间的贸易，因此，排除政治原因，在可预见的未来，这种依赖性仍将存在并非毫无道理的假设。回头去看，我们都知道，失去美国实际上等于失去了世界经济未来的一大部分。但在当时，要重新迫使 13 个殖民地接受英国的统治，其短期成本显然远远高于短期收益。

当然，英国也取得了一些军事胜利。比如在邦克山的第一次激烈交火中，英国就取得了胜利，虽然损失惨重。1776 年，他们攻占了纽约，次年 9 月又收复了叛军首府费城，签署《独立宣言》的那个大厅成了收治受伤的爱国者军人的军事医院。但问题是，最终伦敦方面既不能提供充足的军力，也没有委派足够优秀的将军来将当地几场战役的胜利转化为全面的完胜。到 1778 年，叛军恢复了从宾夕法尼亚到罗得岛大部分地区的控制。后来，英国人试图将战事转移到保皇党势力更强的南部，但此时，萨凡纳和查尔斯顿一些局部地区的胜利已经无法挽回英国人的全线溃退了。康华利将军受叛军将领霍拉蒂奥·盖茨将军和纳萨尼尔·葛林的牵制，北上作战，最后被迫将总部迁至弗吉尼亚。关键时刻在 1781 年到来了，当时华盛顿听取了法国指挥罗尚博伯爵的建议，没有按原计划攻击纽约，而是向南迎战康华利。同时，法国海军上将弗朗索瓦·得格拉塞也击败了英国海军上将托马斯·格拉韦斯率领的英国舰队，并封锁了切萨皮克湾。康华利被困在约克镇半岛上的詹姆士河与约克河之间。此次的势力悬殊刚好与莱克星顿之战倒了过来，这次英军的人数只有叛军的1/2，枪支数量也不及后者。

如今我们看到的约克镇战场就像高尔夫球场那样平整，但在1781年10月，这里却千疮百孔，到处修了战壕，战壕里挤满了武装士兵和大炮。10月11日，华盛顿开始用100多门迫击炮和榴弹炮向英军驻地轰炸。如果康华利要一直坚持到援军到来，那么守住9号和10号两个防御工事—这是由木头壁垒和沙包堆成的小型堡垒—就非常关键。10月14日晚，一场激烈的白刃战爆发了，当时，一支爱国者军队在未来的美国财政部长亚历山大·汉密尔顿的率领下，手举刺刀从工事右边发起了攻击。这是一次英勇而专业的袭击，证明了莱克星顿战役以来，殖民地人民已经逐渐成长为成熟的士兵了。但是，如果没有法国人在同一时间攻击另一个堡垒工事，这次袭击或许也没有成功的希望。法国人的贡献又一次成为爱国者军队胜利、英国军队溃败的关键。也正是法国海军堵死了康华利的退路，阻止了其军队的撤退。在10月17日早晨，康华利派了一个鼓手出来敲响了议和的鼓声。一位美国士兵在他的日记中记录道：这是“我们大家所听到过的最悦耳的乐曲了”。

约克镇投降的英国士兵和水手总计7 157人，还收缴了240枚炮弹和6面团旗。据说当英军列队出来投降时，他们的乐队还奏着“乾坤颠倒”一曲（还有证据表明，这些人在抵达约克镇之后就整天借酒浇愁）。但究竟是什么让他们“乾坤颠倒”了呢？除了法国人的干预，以及英国人统帅不力的因素，从根源上说就是伦敦意志不坚。当英国军队在约克镇投降后，诸如戴维·范宁等保皇党都感到自己陷入了困境。约瑟夫·加洛韦就哀叹“计划制定不周，执行不力”。

另一方面，保皇党们仍对大英帝国的统治抱有幻想，也并未完全放弃东山再起的信念。事实上正相反，他们战败后的反应是北上移居英国在加拿大的殖民地，那里一直是保皇党的势力范围。范宁最后也在新不伦瑞克落脚。总共有10万保皇派离开了新兴的美国，前往加拿大、英格兰或者西印度。有时候有人会争辩说，英国在七年战争中获得加拿大后，实际上削弱了它对美国的掌控。确实，如果没有了法国人的威胁，这13个殖民地为什么还要效忠王室呢？但是，失去美国却给大英帝国巩固对加拿大的统治带来了不可预见的影响。说英语的保皇派加上新的英国移民如潮水般涌入，对说法语的魁北克人形成了包围之势，使后者立即沦为了少数派。令人吃惊的地方在于，竟然那么多人用脚投票，反对美国的独立，而选择为了“生命权，自由权和追求幸福的权利”效忠英国国王和大英帝国。

正如我们所见，这句著名的话是托马斯·杰斐逊首先说的。但是，美国的革命军因此陷入了一个让他们十分尴尬的困境。《独立宣言》中曾说，所有人“生而平等”，这句话对他们集体所有的40万黑奴来说是否适用呢？黑人奴隶在前殖民地的总人口占1/5，在杰斐逊的出生地弗吉尼亚更是占到一半。在华盛顿国家广场上，有托马斯·杰斐逊的一座朴素的大理石纪念碑，上面引用了他在自传中的一句话，杰斐逊非常明确地表示：“命运之书中写得再清楚不过了，这些人（意指奴隶）终将获得自由。”但是在他的自传中，这句话并没有写完，虽然纪念碑的雕刻者不知什么原因把后面的话漏掉了——“这两个民族”被“一些无法抹去的鸿沟”分割了开来。毕竟杰斐逊自己也是弗吉尼亚的地主，拥有200名奴隶，其中他只释放了7人。

具有讽刺意味的是，虽然以自由的名义赢得了独立，美国的殖民地人民却仍在南部各州保留了奴隶制。塞缪尔·约翰逊在他的反美手册《税收并非暴政》中犀利地问道：“那些自由呼声最高的人怎么竟然是欺压黑奴的主人？”与之形成对比的是，在失去美国殖民地的10年后，英国人先是废除了奴隶贸易，后又在整个大英帝国范围内废除了奴隶制。事实上，早在1775年，英国派驻弗吉尼亚的总督邓莫尔勋爵就已经主动解放了为英国的事业而召集起来的奴隶。这并非机会主义行为：早在3年前，曼斯菲尔德勋爵在萨默赛特的案件中就作出了著名的宣判，宣布奴隶制在英国为非法。在大多数美国黑人的眼里，美国独立使得奴隶解放被推迟了至少一代人。虽然奴隶制在诸如宾夕法尼亚州、纽约州、新泽西州和罗德岛等北部几州被逐渐废除，但在南方却根深蒂固，而大部分奴隶都居住在南方。

对美国原住民来说，美国独立也并非好事。在七年战争期间，英国政府迫切地想与印第安各部落达成妥协，目的只为了阻止他们与法国人结盟。最后，英国与印第安人签订条约，承诺英国殖民地以阿巴拉契亚山脉为界，山脉以西的土地，包括俄亥俄谷在内，留给印第安人。当然，七年战争结束后，英国人便不再严格信守条约，这也引发了 1763 年的坤甸起义。总之事实证明，远在伦敦的帝国政府倒是比渴求土地的殖民者更愿意承认美国原住民的权利。

美国的独立或许已预示了大英帝国的终结。同时，这也标志着世界上一支生气勃勃的新势力的诞生——一个无须臣服于遥远的王室权威，而可以尽享富饶的自然资源的一个革命共和国。但是，大英帝国的根基并未因失去了美国而动摇，这点与西班牙形成了鲜明对比，后者在南美殖民地的暴动之后就一蹶不振了。事实上，失去了北美 13 个殖民地，反而为大英帝国殖民地的进一步扩张掀开了崭新的一页。不错，英国确实失去了半个大陆，但是，在世界的另一边，一个新的大陆正在招手。

移居澳大利亚

英国人曾为了贸易被吸引到亚洲，也曾为了土地被吸引到美洲。虽然遥远的路途是一大障碍，但如果遇到顺风的天气，这个障碍还是可以克服的。可是，这个世界上还有一个大陆也吸引着他们，这次是出于一个截然不同的原因，因为这里荒凉贫瘠，遥远偏僻，这里是天然的监狱。

这里有着怪异的红色土壤，这里有着奇花异草、珍禽异兽——比如桉树和考拉，这些东西让 18 世纪的澳大利亚就如同火星般奇异。这也解释了为什么在 1770 年库克船长发现新南威尔士后，官方的第一反应就是将这里作为一个理想的罪犯关押之地。

事实上，从 17 世纪早期开始，英国就开始非正式地向其殖民地移送囚犯，直到 1717 年，这才成为一项正式的刑事惩罚制度。此后一个半世纪，法律规定，轻罪犯人可以免受鞭挞或者火烙，而是流放 7 年，被判死刑的人则被流放 14 年。到 1777 年，不少于 4 万的男女犯人根据这项法律从大不列颠和爱尔兰被流放到美洲殖民地，成为契约劳工的后备军（莫尔 · 弗兰德斯的母亲就是这样解释给她听的）。英国失去了美国殖民地后，亟须寻找其他地方作为囚犯的流放地，以免英国的监狱—更别提东南沿海充做监狱的废弃船只—人满为患。同时，这也是出于战略考虑。由于南太平洋早年就被西班牙占领，近年来荷兰和法国的探险也从未终止，因此一些英国政客认为，有必要将新南威尔士纳入殖民地，即使只是宣告英国对那里的所有权。但是，流放罪犯还是他们的首要目的。

从大不列颠到北爱尔兰不过是一天的航程，到北美则需要几周，但是，谁愿意白手起家，在 25 600 公里之外的地方建设殖民地呢？[①]因此不奇怪，早年移居澳大利亚的人都是被强迫去的。

1787 年 5 月 13 日，一支由 11 艘船组成，满载了 548 名男囚犯和 188 名女囚犯的舰队从朴次茅斯出发了。这些囚犯最小的是扫烟囱的 9 岁小男孩约翰 · 赫德森，他因偷了一些布料和一把手枪而入狱，最老的是 82 岁的布商多萝西 · 汉德兰德，他因作伪证入狱。他们在 1788 年 1 月 19 日，也就是在海上漂泊了 8 个多月后，抵达博特尼湾，也就是今天悉尼海港之外。

1787~1853 年之间，约有 123 000 个男人，以及不到 25 000 个女人被“地狱之船”运到澳大利亚及新西兰，罪名从制假货到偷羊不等。随他们而来的还有一些数量未知的儿童，还包括相当一部分在路上怀上的孩子。英国人又一次想从头开始，在一个新的殖民地自我复制。确实，妓女执照加上进口朗姆酒成了早期悉尼的显著特征。

澳大利亚殖民地的建立是为了解决英国的一大问题——主要就是侵犯财产罪的问题。从本质上说，流放是绞死小偷或者在英国盖监狱拘禁他们之外的另一种方式。但是，在这些囚犯中也有政治犯。卢德分子、粮食暴动者、激进的纺织工、托尔普德尔蒙难者、宪章派、魁北克爱国者——所有这些团体的成员最后都被流放到了澳大利亚。在被流放的人中，1/4 是爱尔兰人，其中 1/5 都是因政治原因被捕的。不仅爱尔兰人被大批流放到澳大利亚，这里的苏格兰人也很多，虽然比起英格兰的法官来说，苏格兰法官并不太愿意将罪犯流放。我们弗格森家族中就有许多人被流放到澳大利亚——竟有 10 人。有关他们罪行和判决的记录很少，这充分表明罪犯流放地的生活是多么艰辛。当时，偷一两只鸡就被判 7 年劳役的案例并不少见，我们家族中就有一位，他的名字也叫尼尔 · 弗格森（和我一样）。罪

---

① 第一批运送罪犯的船只是从英国港口朴次茅斯开往巴西里约热内卢，再从那里开往南非开普敦，最后再到澳大利亚博特尼湾的，整个航程达 25 440 公里。

行更严重的人会受到体罚：按早期罪犯流放地的规矩，他们会遭到鞭打。那些逃跑并天真地期望能够走到中国的人（确实有人这么期望），最终只能在荒芜的山路上殒命。

澳大利亚历史最让人不解的一点在于，虽然它最早的移民都是被英国抛弃的一群人，但长期以来，他们却对大英帝国如此忠诚。美国最早是烟草种植园和清教徒的理想家园，是经济自由和宗教自由的象征之地，结果却成了一个反叛英国的共和国。澳大利亚最初不过是监狱，是与自由对立的另一面。可对英国来说，最终更可靠的不是那些清教徒，而是这些囚徒。

也许对澳大利亚这一矛盾的最好解释，也就在这里。虽然流放制让英国自诩为自由国家的标榜显得荒谬，但这个政策的实际效果却是解放了那些被送往澳大利亚的人。这部分是因为当时私人财产是神圣不可侵犯的，英国的刑法常常将我们今天看起来微不足道的过失视为罪行。虽然这些流放者中，1/2~2/3 的人是“惯犯”，但他们的罪行不过是小偷小摸。可以说，澳大利亚一开始就是一个小偷之国。

一开始，这些囚犯的生活当然比奴隶好不了多少。他们被迫替政府干活，或者被“分配”给越来越多的私人地主（其中不乏新南威尔士军团的军官们）。但是到了刑满释放时，他们就可以自由地向出价最高者出卖他们的劳力。甚至在此之前，他们就有了在某些下午耕种自己自留地的自由。早在 1791 年，两个刑满释放的囚犯理查德 · 菲利莫尔和詹姆斯 · 鲁斯就分别在他们位于福克岛和帕拉梅塔的自留地里种植了足够多的小麦和玉米，为自己“赎了身”。事实上，那些在流放中生存下来服完刑的人都有了重新生活的机会—虽然是在火星上开始他们的新生活。

但是，如果没有强有力的领导，澳大利亚可能永远只能是一个广阔的魔鬼之岛。在从一个囚犯流放地转化为新天地的过程中，有一个人起到了重要作用，他就是 1809~1821 年间在位的殖民地总督拉克伦 · 麦格理。麦格理出生于英国赫布里底群岛，原先是一位职业军官，在印度被提升为团长，与他的海军前任一样，他也是一个十足的暴君。当听说要指派一个理事会来协助他管理时，他回答道：“依我的愚见，这种机构在这个殖民地上就不应该存在。”但是，与前任不同的是，他是一位开明的暴君。在他看来，新南威尔士不仅仅是一片服刑之地，也是一片救赎之地。他相信，在他的温和统治下，囚犯也会转化为市民：

> 良好表现可以换取自由的前景，是让这些居民们洗心革面的最有效的诱惑……只要当事人对以前的罪行表示忏悔，再结合正直的思想和良好的行为，它应该会引导浪子回头，回归正途。

麦格理采取措施改善了囚犯运输船上的条件，在听从了威廉·雷德芬的建议后，他将船上的死亡率从1：31降到了1：122。雷德芬是一位被流放的外科医生，后来他成了总督的家庭医生。麦格理还放宽了殖民地的刑事法案，甚至允许有法律知识的囚犯出庭为被告作辩护。但麦格理最突出和永久的贡献是将悉尼变成了一个模范殖民地城市。甚至在自由主义经济刚开始在伦敦萌芽的时候，麦格理就开始了大胆的尝试。他的城市规划核心是巨大的海德公园营房，是当时大英帝国在海外的同类建筑中最大的。这是弗朗西斯·霍华德·格林韦设计的，此人是一名因伪造罪被流放的格洛斯特郡建筑学家。完美的对称线条让军营看起来就像边沁设计的实用的“圆形监狱”。600名有技术的罪犯，100人一个房间，睡在一排排的吊床里，通过窥视洞很容易监控他们。但这远非什么服刑地，而是一个针对有技术的囚犯进行有序的劳动分工的中心。这些囚犯都曾经是工匠或者艺术家，因生活窘迫而干下些作奸犯科的事。这些就是麦格理赖以在悉尼建立起几百座公共建筑的人。麦格理希望借此能将悉尼从一个罪犯流放地改造为一个大都市，而其第一要务就是建立一座体面的医院，经费来自对朗姆酒征收的一项特别税。

随着城市的大部分基础设施建设完毕，麦格理又开始考虑降低殖民地对进口食品的依赖。“麦格理镇”因而崛起，这些是沿着霍克斯布里河两岸丰饶的土地一直到蓝山之间建立起来的小城镇，肥沃的农田很适合种植谷物和牧羊。在诸如温莎等城镇，麦格理奖给服刑期满的人30英亩土地，以实践他的救赎理念。理查德·菲兹杰拉德曾是伦敦街头的一个顽童，15岁就因犯罪被流放，但很快就因为“表现突出和行为端正”脱颖而出。麦格理将菲兹杰拉德提升为温莎地区的农业和储备总管。仅仅几年，菲兹杰拉德就从一名罪犯变成了社会栋梁，他不仅是城镇这头的麦格理军队客栈的业主，又在城镇另一头建立了一座高耸的当地教堂——圣马修教堂。

随着越来越多的囚徒服刑期满或者争取到了减刑，殖民地的特征开始改变了。由于14个人中只有一个选择在服刑期满后回英国，因此，到1828年，新南威尔士的自由人已经超过了囚犯——而且早期过来的一些囚犯很快就成了新贵。塞缪尔·特里是一个目不识丁的曼彻斯特劳工，因偷窃了400双长袜被判处流放7年。1807年，他刑满释放，在悉尼靠开客栈和放贷起家。到了1820年，由于两种业务都很兴旺，他已经拥有了19 000英亩土地，相当于其他所有被释放的囚徒所拥有的土地总和的1/10，他被称为"博特尼湾的罗斯柴尔德"。再看玛丽·雷贝，她的头像被印在了20澳元的钱币上，也算是获得了不朽声名。她在13岁时因偷马而被流放到澳大利亚。后来她嫁了一个好人，而且贸易、船只和房地产生意都做得不错。到1820年，她的资产价值已达2万英镑。

麦格理的总督任期结束时，他已经成了众矢之的。在伦敦，他被斥为挥霍无度，而澳大利亚的一些人则认为他过于仁慈。可不管怎么说，他完全可以理直气壮地声称："我到新南威尔士来时，这里只是一个监狱，而我离开时，这里已是真正的殖民地；我来时，这里到处是无所事事的囚犯、乞丐和吃薪俸的军官，我离开时，这里是一个自由而繁荣之地，有着成群的牛羊和辛勤劳动的服刑人。"

那么，对罪犯就没有惩罚了吗？麦格理政策的成功意味着新南威尔士很快就成为一个繁荣的殖民地。这也意味着，流放到那里不再是一种对罪犯的威慑，而是通往新生活的自由之路，因为人人都怀着对服刑期满后得到一块金手绢（也就是土地奖励）的憧憬。英国一家监狱的5位爱尔兰女囚犯强烈反对让她们在当地监狱服刑的减刑判决，而宁愿被流放，这让监狱长大为震惊。

虽然如此，但不是每个囚犯都能以麦格理计划的方式得到救赎。问题是如何处理那些顽固不化的再次犯罪者。答案就是，从一开始就要建立监狱中的监狱。在统治初期，麦格理就下令放弃地狱般的诺福克岛，但是再犯者将继续被运往范迪门岛，也就是今天的塔斯马尼亚岛，以及昆士兰的莫来顿湾。在塔斯马尼亚岛的亚瑟港，营地司令官查尔斯·奥哈拉·布斯实际上被授权"按人类忍受限度的极致施以法律的惩罚"。在莫来顿湾，帕特里克·洛根常常要收治那些被施以"鞭刑”的囚犯。在诺福克岛重新变成监狱后，约翰·贾尔斯·普利斯开始实行更加残忍和野蛮的虐待。他常常在将人鞭打后再绑在旧的铁床架子上，好让他们的伤口感染发炎。在大英帝国的历史上，很少有人像1857年威廉斯敦采石场的那些囚徒那样，成批地被拳头、锤子和铁棍摧残致死。

再次犯罪者在这些地方受到了持续虐待，但是比起澳大利亚原住民的遭遇来说，这根本不算什么。1788年，这里的原住民有30万人。就像美洲的印第安人，他们也是白人祸患的受害者。殖民者带来了传染病，对于这种污染，原住民们没有任何抵抗力，而农耕的出现则意味着将游牧民族驱逐出他们祖先世代狩猎的家园。西印度群岛盛产蔗糖，弗吉尼亚盛产烟草，而澳大利亚则盛产绵羊。到1812年，澳大利亚的绵羊总计有290 000头，澳大利亚原住民几千年来捕猎袋鼠的灌木丛现在成了绵羊的天下。

一贯以家长式思维管理澳大利亚的麦格理希望原住民也能够像他所说的，从“散漫而一无所有的状态”转变成受人尊敬的农夫。1815年，他曾尝试让16位原住民定居在中黑德沿海的一座小农庄里，还特地为他们建了小屋，并给他们一艘船。他的理由是，如果给予恰当的工具和第二次机会，囚徒们都可以转变为模范市民的话，为什么原住民不能呢？但是，令麦格理失望的是，很快的，这些人对他设想的秩序井然的生活失去了兴趣。他们的船丢了，小屋也不要了，又返回了丛林。这种漠视与新西兰毛利人针对白人统治发起的抗争形成了鲜明对比，也使得原住民的命运无从改变。他们越是抵抗“文明”，那些渴求土地的农民便越是觉得有必要消灭他们。一位到访澳大利亚的海军外科医生就评价说，他们“唯一比野蛮人先进一些的就是他们会使用矛，他们极其暴虐，还有他们在烹煮食物时会用到火。”

范迪门岛上的原住民就这样被猎杀、囚禁，最终灭绝了，这可以说是大英帝国历史上最令人震惊的篇章，也足以用我们现在已经用滥的一个词“种族灭绝”来形容了（特卡尼尼是他们中的最后一个，死于1876年）。不幸中的万幸是，如果19世纪的澳大利亚是像美国一样的独立共和国，那么种族灭绝将在整个大陆范围内发生，而不仅仅是发生在塔斯马尼亚岛了。当小说家安东尼·特罗洛普在特卡尼尼死去的2年后走访澳大利亚时，他询问一位地方官员：

> 我问他，如果我迫于形势，在丛林中不得已射杀了一个黑人时……我该怎么做。我是否要去最近的警察局……还是继续游玩，就好像我不过是……杀死了一条半死不活的蛇？他的回答明确而清楚："除了傻瓜，没人把这当回事。"

特罗洛普的结论是"他们（澳大利亚原住民）命中注定该被遗弃"。但是，大英帝国的特点之一就是中央帝制无时无刻不在努力地控制边远殖民地更肆无忌惮的屠杀冲动。出于对虐待原住民的担忧，议会于1838~1839年在新南威尔士和西澳大利亚都任命了原住民保护官。当然，这些善意的举措并不能阻止诸如1838年迈奥河大屠杀那样的暴行。当时，12名牛仔（他们中除了一人其他都曾经是罪犯）用枪和棍棒打死了28名手无寸铁的原住民。随着垦荒规模逐渐深入内地，农民和原住民之间的小规模战争持续了几十年。但是，好在英国设立了这么一个约束机制，虽然它远在伦敦，鞭长莫及，但却让英国殖民地区别于独立的殖民者共和国。要知道，当美国发起对美洲印第安人的战争时，是不受任何力量约束的。

对待澳大利亚原住民的问题，是当时一个分歧的焦点。伦敦的英国人与悉尼的英国人在该问题上态度截然相反。这也是帝国矛盾的核心。一个自诩建立在自由之上的国家怎么能因为殖民地人民的愿望与远在伦敦的立法机构相悖，就对其随意否决呢？这曾经是18世纪70年代美国的核心问题，问题的终极答案是脱离英国。19世纪30年代，这个问题在加拿大被再次提出。但这次，英国有了一个更好的答案。

从美国独立战争开始，由于大量溃败的保皇派从美国流入加拿大，这里俨然成为英国殖民地中最为可靠的一个。但在1837年，下加拿大说法语的魁北克人和上加拿大亲美的改革派也暴动了。他们不满的原因听来也不陌生，虽然他们在自己的议会中有代表，但是他们的意见往往会被只对伦敦负责的立法局和总督随意忽略。英国也非常恐慌，生怕日益强大的美国趁机调唆它的北部邻居；毕竟，《美国联邦条例》第11条已经明确地将加拿大纳入了未来版图。1812年，美国甚至还派遣了一支12 000人的军队进军加拿大，虽然结果是一败涂地。

美国作为一个共和国独立出去的尝试，确实无比成功。但是，其他白种人殖民地是否能像美国一样，作为一个共和国脱离英国呢？是否会出现加拿大合众国或者澳大利亚合众国呢？可能最令人诧异的是，这样的事情并未出现。

之所以未出现这样的情况，是因为出现了达拉谟伯爵约翰·兰布顿这位矛盾的人物，他是英国摄政时期一位生活奢靡的遗老，被派往加拿大镇压殖民地的叛乱。用一位当代人的话来说，这是个“浮华的暴君”，他昂首挺胸地骑着白色高头大马穿过魁北克的大街小巷，宣布了自己的到来，他将自己安顿在圣路易斯城堡，使用金银制的餐具痛饮美酒佳酿。虽然其貌不扬，但达拉谟伯爵绝非平庸之辈。他是1832年《改革法案》的作者之一，因此得名“激进杰克”。而且他有任人唯贤的智慧。他有一位私人秘书叫查尔斯·布勒，出生在加尔各答，师从托马斯·卡莱尔学习历史，并成为一名声名远扬的出色律师，后进入上议院；而达拉谟的主要顾问爱德华·吉本·韦克菲尔德曾著书广泛讨论了澳大利亚的土地改革—具有讽刺意味的是，这是他在监狱的艰苦条件下完成的，他曾因绑架一名未成年的女继承人而在新兴门监狱服刑3年。他是同时代受统计学家托马斯·马尔萨斯影响，担心英国的人口增长不可持续的诸多思想家中的一位。对韦克菲尔德来说，殖民地显然为英国多余的人口提供了出路。但是为了鼓励自由殖民而不是强制流放，他相信，应该根据殖民者心目中固有的英国式独立观念建立殖民地。

达拉谟伯爵、布勒和韦克菲尔德在加拿大只待了6个月就返回英格兰，递交了他们的报告。虽然他们主要关心的是加拿大统治的具体问题，但报告中也包含了与整个大英帝国息息相关而意义深远的潜在问题。甚至可以说，达拉谟伯爵的报告拯救了大英帝国。因为报告实际上承认了美国殖民者的选择是对的。因为他们有权要求白人殖民地的统治者应该对殖民地的代表议会负责，而不仅仅是对遥远的皇权机构负责。达拉谟伯爵为加拿大所争取的权力，正是英国早期官僚所拒绝给予美国殖民地的：

> 这样的责任制政府体系有助于人民真正控制自己的命运……殖民地政府应该按照议会中大多数人的观点来执行管理。

该报告也暗示，美国人在各州之间建立联邦架构的做法是正确的；加拿大以及后来的澳大利亚都将复制这一架构。

当然，这份报告并未立即得以执行。虽然政府迅速实施了达拉谟伯爵的主要建议——联合上、下加拿大，以减弱法国人对前者的影响——但是直到1848年，他们才引入了责任政府制，而且只是在新斯科舍省实行，1856年才在加拿大的大部分殖民地实行。但此时，澳大利亚和新西兰已吸收了这一思想，并开始向责任制政府的方向迈进。到19世纪60年代，所有白人殖民地政治权力的制衡格局已经改变。总督更多只是一个象征性角色，是日益退化为象征性角色的王室的代表；实权落在了殖民地民选代表的手中。

“责任政府”成为大英帝国统治与自由理念相妥协的一种方式。达拉谟伯爵报告的意义在于，加拿大人、澳大利亚人、新西兰人和南非人的愿望——这些愿望与18世纪70年代美国人的愿望并无二致——完全可以诉诸独立战争之外的方式实现。从此以后，无论殖民地人民想要什么，他们的要求通常都能得到满足。比如，当澳大利亚人要求停止将罪犯流放到这里时，伦敦方面妥协了。1867年之后，就再也没有发往澳大利亚的罪犯流放船了。

因此，在奥克兰不会出现第二次莱克星顿之战；堪培拉不会出现第二位华盛顿；渥太华也不会出现第二部《独立宣言》。当我们阅读达拉谟伯爵的报告时，我们不难发现，它的字里行间充满了惋惜。如果美国殖民者在18世纪70年代呼吁责任政府时能够如愿的话，或者说，如果英国人能够不辱没他们所标榜的自由的话，那么独立战争就不会爆发，可能也永远不会出现美利坚合众国。而当千万名英国移民背上他们的行囊时，他们可能会选择加利福尼亚，而非加拿大作为他们的目的地。①

① 实际上，虽然政府鼓励向澳大利亚移民，但是长期以来，英国移民还是更喜欢将美国作为他们的目的地。在1815~1850年间离开英格兰、威尔士和苏格兰的60万人中，80%去了美国。在1850年后的60年中，离开英国的人达到1 300万，令人瞠目，而其中去美国的也还是差不多80%。爱尔兰人尤其偏爱大英帝国中的这片“自由之地”。直到20世纪，英国移民才越来越多地选择去大英帝国，而非美国。1900~1963年期间移民到大英帝国的英国人有600万，占英国移民总数的80%。

EMPIRE

HOW BRITAIN MADE THE MODERN WORLD

第三章

使命

麦克劳德 · 维利，《将孟加拉作为传教之地》（1854 年）

当我们考虑到基督教政府和异教徒政府影响的差异；当对人们疾苦的了解迫使我们反思，如何将不能言说的祝福带给英国逐步扩张的势力范围下所覆盖的千百万人，是仁爱而非野心给了我们谋求整个国家的渴望。万能的上帝引领我们将一个又一个国家纳入他的看护。

18 世纪的大英帝国是很缺乏道德感的。汉诺威人在亚洲篡权，在非洲掠夺土地，在美洲贩卖奴隶。当地人民要么被征收重税，要么被掠夺，或者被消灭。但矛盾的是，当地的文化却在很大程度上保留了下来；在有些情况下，还被学习和崇拜。

维多利亚时代的英国人野心更大，他们不仅梦想着统治世界，还要救赎这个世界。他们不满足于剥削其他民族，还要教化他们。当地人民也许不再受掠夺了，但是他们的文化—那些被认为迷信、落后、异教徒的东西—却受到了侵蚀。尤其是维多利亚时代的人，狂热地要将光明带给这些他们称为黑暗大陆的地方。

非洲其实并不像他们想象的那样落后。这里远远不是一位早期的英国旅行者所称的“原始的混沌”之地，撒哈拉以南的非洲地区居住着许多不同的国家和民族，有些在经济上远比同期处于殖民地时代的北美或者澳大利亚更为先进。那里有许多重要的城镇，比如廷巴克（在如今的马里）和伊巴丹（在如今的尼日利亚），那里有金矿和铜矿，甚至还有纺织业。但是，有三个方面让维多利亚时代的英国人认为这里尚未开化。撒哈拉以南的非洲与北非不同，他们并不只信仰一种神；另外，除了最北端和最南端，这里到处蔓延着对欧洲人（以及他们喜欢饲养的牲畜）来说致命的疾病，包括疟疾和黄热病；也许最重要的是，奴隶是这里最主要的出口物资——确实，向沿海的欧洲和阿拉伯贸易商提供奴隶货源是这片大陆最大的收入来源。全球经济发展的特有轨迹将非洲人卷入了一种相互抓捕和贩售的生意。

就像如今的非政府援助组织一样，维多利亚时代的传教士也自认为他们知道什么对非洲来说是最好的。他们的目标与其说是殖民，不如说是“教化”：引入一种从根本上来说就是基督徒的生活方式，同时从他们对工业和戒律的尊敬来看，也是一种北欧人的生活方式，俨然成为大英帝国的这种新道德化身的人就是戴维 · 利文斯通。在利文斯通眼中，商业和殖民——大英帝国最初建立的基础——固然必要，但是还不足够。从根本上来说，他，以及同他一样的千千万万的传教士都希望大英帝国再来一次重生。

这并非政府工程，他们的工作按我们现在的说法就是自愿发起的。可是，维多利亚时代的援助机构出于善意的举动却带来了不可预见的，有时甚至是血腥的后果。

从克拉彭到弗里敦

英国人向非洲派遣援助的传统可谓久远。在我撰写本书期间，英国军人就已经在 2000 年 5 月被派驻塞拉利昂进行维和工作。他们的使命从根本上说是完全利他的：帮助一个因内战而动荡多年的国家恢复稳定。[①]就在不到 200 年前，一支皇家海军中队也曾驻扎在塞拉利昂，他们的使命也很合乎道义：阻止贩奴船只离开非洲沿海去往美国，从而结束大西洋的奴隶贸易。

这是一个令人诧异的 180 度大转弯，尤其诧异的是非洲人自己。[②]1562 年当

① 不仅利他，而且非常成功。当我在 2002 年 2 月，也就是该国举行自由选举的 3 个月前走访弗里敦时，我在街头遇见一个人，他知道我的国籍后，兴奋地欢呼：“为英国人所做的一切感谢上帝。”

② 用每年卖掉 9 000 名奴隶的盖佐国王的话来说：“奴隶贸易是我国人民的主导原则。这是他们光荣和财富的源泉。他们吟唱着歌颂他们胜利的歌，母亲们用战胜并奴役敌人的歌曲来哄孩子入睡。我能够通过签订……一个条约改变整个民族的感情吗？”

英国人首次来到塞拉利昂后，很快就成为贩奴商。正如我们所见，在之后的两个半世纪里，300多万名非洲人坐上了英国人的船只，被贩卖为奴。但随后，在18世纪末，事情发生了戏剧性的变化，就好像有人转动了英国人心智的开关。突然，他们开始将奴隶运回西非，赋予了他们自由。塞拉利昂成为“自由之省”，它的省会被重新命名为弗里敦（自由之城）。被释放的奴隶们穿过自由之门，上面镌刻着一行字“藉英国的无畏和慈善之手脱离奴隶制”，如今这行字已经被野草遮住了。奴隶们非但没有在大西洋另一头的庄园了却余生，而是回到了家乡，他们被给予10公亩的土地、一个烧饭锅、一支矛，还有他们的自由。

弗里敦就像是由多个袖珍小国组成的，今天依然如此：刚果镇里住的是刚果人，威尔伯福斯住的是富拉尼人，凯西住的是阿善堤地人。过去，奴隶们被锁链捆着带到海港边，锁在铁柱上等待大西洋过来的航船。而如今，他们又回到弗里敦解开奴役他们的锁链，开始新的生活。是什么让英国从世界最大的奴隶主变成了世界最大的解放者？答案就在于狂热的宗教复苏，而它的中心就在克拉彭。

扎卡里·麦考利是塞拉利昂的第一任总督。他是因弗雷里一位传教士的儿子，也是维多利亚时期最伟大的一位历史学家的父亲。麦考利曾经在牙买加做过一段时间的甘蔗种植园管理者。但他很快发现，他无法让自己的工作与自己的基督教信仰相妥协：每天目睹鞭打奴隶的现象让他感到无比“厌恶”。道不同不相为谋，于是他返回英格兰。在那里，他又很快被银行家兼议员亨利·桑顿招入麾下。后者是塞拉利昂公司的主要出资人，该公司起初只是一家小型的私营殖民公司，主要目的就是遣返生活在伦敦的为数不多的前奴隶。在桑顿的提议下，麦考利于1793年被派往塞拉利昂。为了正义事业任劳任怨的麦考利很快被提升到总督的位置。在接下来的5年中，他致力于研究他决心消灭的奴隶贸易的运作机制，他与在非洲内部供应奴隶的非洲部落头领吃饭，甚至乘坐奴隶运输船跨越大西洋，亲自调查船上奴隶的苦难。当他返回英格兰后，麦考利已经不仅仅是奴隶贸易方面的研究专家了，他还是唯一的权威专家。

在伦敦，像麦考利那样的人只有一个地方可住，那就是克拉彭。在那里，他必定能找到志同道合者。我们或许可以说，大英帝国的道德逆转就始于克拉彭广场北端的圣三一教堂。麦考利的教友，包括桑顿和议会雄辩高手威廉·威尔伯福斯在内，共同将圣公会的虔诚信仰与实用的政治智慧结合在了一起。正如大家逐渐认识到的，克拉彭的教民擅长动员新一代的草根积极分子。有了麦考利对奴隶贸易的一手记录，他们决心为奴隶制的废除奋战到底。

我们很难解释人们的道德理念何以发生如此深远的逆转。有人曾辩论说，奴隶制之所以被废除，是因为它不再像以前那样有利可图了，但所有的证据却表明，事实正好相反：尽管奴隶贸易依然利润丰厚，但是它却被废除了。我们需要了解的，是民意集体转变的原因。其实，所有伟大的变化皆始于微不足道的萌芽。在大英帝国，早就有少数人出于宗教原则反对奴隶制了。宾夕法尼亚州的教友派信徒早在 17 世纪 80 年代就呼吁推翻奴隶制，认为它违反了《圣经》中的教诲："你们愿意人怎样待你们，你们也要怎样待人"（马太福音，7 页，12 行）。18 世纪四五十年代，美国所谓的"大觉醒运动"的爆发和英国卫理公会的兴起在新教徒的圈子里引发了对奴隶制的质疑。其他人则因英国启蒙运动的教导，也开始反对奴隶制；亚当·斯密和亚当·弗格森都是反对奴隶贸易的。亚当·斯密的反对理由是："自由人的劳动力最终会比奴隶的劳动力更便宜"。但直到 18 世纪 80 年代，反奴隶制的运动才积聚了足够的力量，迫使立法者立法。1780 年，宾夕法尼亚州的奴隶制被废除，紧接着北部其他各州也情愿或者不情愿地废除了奴隶制。1788 年，威斯敏斯特议会通过法律改善了奴隶运输船上的条件；4 年后，逐渐废除奴隶制的决议在众议院通过，不过后来被参议员驳回。

废奴运动是在议会之外发起的民众运动中规模最大的一次。它的领导者也来自广泛的各个阶层。奴隶贸易废除会的奠基人格兰维尔·夏普和托马斯·克拉克森是圣公会教徒，但是，他们的大多数助手都是教友派信徒。废奴运动的影响蔓延到了克拉彭之外，支持者中甚至包括了英国政治家小庇特、前奴隶主约翰·诺顿、埃德蒙·伯克、诗人塞缪尔·泰勒·科尔里奇，以及陶器大王乔赛亚·韦奇伍德（他本人也是一名神论者）。这些来自不同背景的人组织集会，将废奴运动当做共同的事业，戴维·利文斯顿在艾克特堂所参加的集会就是其中之一。

这场运动最令人赞叹的地方在于，它竟然动员了那么广泛的支持。韦奇伍德制作了几千个反奴隶制徽章，徽章上画了一个在白色背景衬托下的黑人，旁边有一句话“我难道不是人，不是你们的兄弟吗？”这种徽章很快就变得无处不在了。仅曼彻斯特就有 11 000 人（也就是当地 2/3 的男人）签署了一份请愿书，要求终止奴隶贸易，这相当于呼吁更合乎道德的外交政策，而且呼吁的影响力之广让政府不敢忽视。1807 年，奴隶贸易被废除了。从此以后，颇有讽刺意味的是，犯了错的奴隶被流放到了英国的监狱殖民地澳大利亚，而改革者们对阶段性的胜利也并不满意。1814 年，750 000 多人在请愿书上签名，呼吁废除奴隶制本身。

由此诞生了一种新的政治，即压力集团的政治。多亏了那些用笔、纸和道德武装自己的热忱的积极分子，英国才能够向奴隶制宣战。更令人称奇的是，奴隶贸易是顶着一些势力强大的既得利益集团的强烈反对被废除的。西印度庄园主曾经有足够大的影响力来威吓埃德蒙 · 伯克和雇用詹姆斯 · 博斯韦尔。而利物浦的奴隶主同样势力强大。但是，他们却被圣公会的思想潮流扫到了一边。利物浦商人唯一的出路就是寻找新的生意。他们也确实找到了一个合适的替代品：从西非进口棕榈油作为制作肥皂的原料。废奴后，从奴隶贸易中获得的不义之财，也许可以用这些肥皂洗去了。

一个胜利又带来了另一个胜利。因为奴隶贸易终止之后，奴隶制本身也就消亡了。1808~1830 年间，英属西印度的奴隶总人口从 80 万缩减到了 65 万。到了 1833 年，反对废奴的最后抵抗势力也溃退了。奴隶制在英国本土境内被宣布为非法；加勒比海地区的奴隶被解放，他们的主人则通过一项特别政府贷款收益得到补偿。

当然，这并未终止美国的跨大西洋奴隶贸易以及美国的奴隶制。奴隶制不仅仅在美国南部各州存在，而且在巴西也大规模地存在；总的来说，就在英国废奴法令颁布后，还有 190 万名非洲人被运送到大西洋对岸，大部分是去了拉美。而英国人则在尽全力地终止这种奴隶贸易的继续。一支驻西非的英国海军中队从弗里敦被派去巡查非洲沿海，在指定区域内，他们有权拦截并解放他们遇到的任何一个奴隶。英国人怀着真诚的悔过之心，决定“清除蔓延在非洲和美洲沿海的罪恶贸易”。

西班牙和葡萄牙政府也被迫接受了奴隶贸易禁令，皇家海军因而得以起诉这些国家中涉嫌贩奴的国民，使之再无豁免可能；甚至负责仲裁的国际法庭也建立起来了。而法国人则半推半就地加入了海上巡查，虽然一边忍不住抱怨，英国人之所以阻止其他国家从这项贸易中获利，主要是因为他们自己愚蠢地禁止了这项贸易。只有飘扬着美国国旗的船只才会无视英国政权。我们不得不看看废奴运动的影响力：它不仅动员起立法者禁止了这项贸易，也鼓动了皇家海军来执行禁令。同期，这支皇家海军也参与了用鸦片贸易来打开中国口岸的活动，这表明，废奴战争的道德力量显然不是来自于海军部。

圣三一教堂的东墙上纪念克拉彭教民的纪念碑缅怀了麦考利及其朋友，他们“一直战斗到奴隶制的祸根从英国的每一个角落被清除的那一刻为止”。但这只是一个更宏伟计划的第一步。值得注意的是，这块纪念碑也歌颂了他们“为了国家的正义事业，为了教化异教徒而呕心沥血”，这事实上才是新的开始。200 年来，大英帝国一直忙于奴隶贸易、战争和殖民。它输出了英国的产品、资金和人。但现在，它又希望输出它的文化。非洲人也许是落后而迷信的，但是在英国新一代的福音派教徒眼中，他们似乎能够被“教化”。正如麦考利所说，“给（非洲）阴郁的大陆播撒光明、自由和文明”的时刻到了。传播上帝的旨意，并解救愚昧的异教徒的灵魂是拓展英国势力的理由中与利润无关的一个新理由。也可以说，这是 19 世纪最成功的非政府组织的一个既定使命。

教会组织就是维多利亚时代的援助机构，为“欠发达”地区带来精神和物质的援助。他们的起源可以追溯到基督教福音促进会（1698 年）和福音传播会（1701 年），但是这两个协会关心的完全是驻海外的英国殖民者及军人的精神福利。与废奴运动一样，教化原住民的运动则始于 18 世纪末。1776 年，《福音教会杂志》针对“非洲，那灾难深重的国家”发表了一篇社论。杂志编辑呼吁向“这个愚昧而深受压迫的国家传播基督教福音……因为这是超越最苦难生活中的邪恶力量的完美祝福”。16 年后，威廉 · 凯里在诺丁汉作了一次启蒙布道，劝告他的听众“期盼最伟大的神迹，为神作最伟大的奉献”；不久，他和他的一些朋友就在异教徒中组建了一个福音宣传浸信会。接着，1795 年，伦敦传教士协会成立，接受来自英国国教之外的其他教派的传教士入会；1799 年，圣公会传教士协会成立，宣布其目标——或者说其基督徒的职责——就是“在异教徒中宣传福音知识”。1796 年，格拉斯哥和爱丁堡的苏格兰人也建立了类似的协会。

在非洲开始传教工作的理想之地，显然就是弗里敦。早在 1804 年，英国教会传教士协会就开始在那里活动了，不久，卫理公会派的传教士也来了。两个教派都开始教化约鲁巴的“被解救者”（因英国海军干预被带到弗里敦并释放的奴隶）。不过从一开始，他们的传教士就不仅仅是派往非洲。圣公会传教士早在 1809 年就被派往英国最偏远的殖民地新西兰。在 1814 年的圣诞节，塞缪尔 · 马斯登向一群心存狐疑的毛利人宣读“看吧，我将带给你巨大的喜乐……”。他在那里幸存下来的事实也吸引了其他教会。1823 年，卫理公会派在当地建立了教会，1838 年，罗马天主教在当地建立了教会。1839 年，圣公会在新西兰共建立了 11 个教会据点，卫理公会也建立了 6 个。也许早期在新西兰传教的传教士中，最成功的就是圣公会传教士亨利 · 威廉。他曾经是一名勇敢的水手，从 1823 年开始在新西兰传教，直到 1867 年去世。他（在派西亚）建立了第一个教堂，并将《圣经》翻译成了毛利语。威廉最终获得了毛利人的认可，特别是他插手干预了一场激烈的战争，提醒战斗双方记住福音的教义。但是，并非所有的传教士都能成功地挑战传统思想。19 世纪 50 年代，雷夫德 · 卡尔 · S · 弗尔克纳来到新西兰。1865 年当地的奥波蒂基毛利人与敌对部落爆发战争时，他极力劝阻这一流血冲突，因而触怒了奥波蒂基人。一位奥波蒂基的头领在其教堂里将其吊起来射死，并砍下头颅，喝了他的血，生吞了他的两颗眼珠。

教化异教徒是一项危险的工作。要取得成功，传教运动就需要派出年轻强干的传教士团队——充满理想和利他精神的冒险者，甘心深入地球的另一端传播主的话语。这些传教士的动机与上一代的帝国缔造者、恃强凌弱者、奴隶主和殖民者的动机形成了鲜明对比。

威廉 · 思雷尔福尔在 1824 年乘船驶往南非，当时他年仅 23 岁，是卫理公会派中最有前途的人之一。可南行的航程差点要了他的命，因为他乘坐的船只上爆发了斑疹伤寒症，上岸后不久，他就被疾病折磨得奄奄一息。他躺在床上，想到开普敦也许就是他的葬身之地时，他抓着一位朋友的手，“最热切地表达了自己的愿望，希望自己是一名黑人，如果那样的话，就可以深入这个国家的本土居民之间，而不会被认为受了邪恶的驱使，或遭到世俗观点的质疑”。但这次，思雷尔福尔却克服了病魔，重新站了起来。不过一年之后，他和一位同伴却死在了丛林原住民的刀斧之下。

思雷尔福尔与千千万万像他那样的人，都是新的福音派帝国主义理念的先驱。他们随时准备着为了上帝而非自己的利益牺牲自己，这也使维多利亚时代的大英帝国不同于以往所有存在过的帝国。在每一个传教士背后——也可以说，在维多利亚时代所有非政府组织的背后——都有英国无数的男人女人在支持和资助着他们的活动。狄更斯在他的小说《荒凉山庄》中就嘲讽了以这些人为原型的耶利比夫人，她可耻地忽略了她身边的家人，却满腔热情地投入公益事业：

> 她在不同时期醉心于各种不同的公共活动，目前（在其他事情吸引她的注意力之前）她最关心的是非洲问题，比如咖啡豆的一般种植和本土居民的教化，以及将英国本土膨胀的人口移居到非洲河流两岸的快乐殖民……她是一位漂亮、娇小、丰满的女人，年龄在40~50岁之间，眼睛很漂亮，但有一个奇怪的习惯，就是好像总是在向远处张望。就好像……她没法瞅见比非洲更近的地方！

从各个方面来说，伦敦传教士协会在贝专纳的库鲁曼（开普敦东北近960公里处）建立的教会堪称非洲教会的楷模。伦敦传教士协会的文献中经常提及库鲁曼，以此显示一个运作良好的教会应有的模式。只要你亲自走访一番，便能明白这一点。这里就像非洲腹地的一个小巧精致的苏格兰村庄，茅草屋顶的礼拜堂，白色的小屋和红色的邮箱。库鲁曼项目的本质很简单，就是在让非洲人皈依基督教的同时教化他们，不仅让他们改变信仰，也改变穿着、卫生和建房的习惯。《教会杂志》热情地报道了库鲁曼项目在这些方面取得的进展：

> 人们现在穿着英国制造的服装，体面地出现在教堂里。以前不穿衣服、

外表肮脏、令人生厌的小孩子们现在都穿戴整洁了……他们不再居住在像猪圈一样破败的茅草屋内，而是建起了像样的村庄，村子所在的山谷不久前还是杂草丛生，如今却建起了规划整齐的花园。

换句话说，那里不仅仅被基督教化了，也被英国化了。

随后，在1841年7月31日，这个理想的教会受到了一次人为突发事件的打击——这位当事人一心想改革教会运动，并永久地改变英国人和非洲人之间的关系。

维多利亚时期

1813年，戴维·利文斯顿出生于拉纳克郡的一个纺织工业小镇布兰太尔，他的父亲原本是位裁缝，后来改行当起茶贩子。利文斯顿本人则从10岁开始就在作坊里当学徒了。他自幼天赋聪明、自学成才。虽然一周要工作6天，每天工作12.5个小时，但他仍然痴迷于读书，自学拉丁文、初级的古典希腊语，甚至在纺织的时候也抓紧时间看书。在利文斯顿身上结合了19世纪初两大文明思潮：一是对启蒙运动所宣扬的科学的崇敬，一是复兴加尔文主义的使命感。前者吸引他学习医学，而后者则促使他将精力和技能用到了伦敦传教士协会的活动中。他自费到格拉斯哥的安德森大学读书，随后在1838年报名成为一名传教士。2年后，即1840年11月，他获得了格拉斯哥的皇家内外科医学院颁发的执照。同月，他又被任命为传教士。

利文斯顿对伦敦传教士协会调查问卷的回答，反映了他对传教士职业本质的认识：

当我第一次认识到福音的价值时……让所有人感受到这一祝福的愿望充满了我的内心，除了自我救赎之外，这一使命应该是每个基督徒的主要目标……就我的理解，（传教士的）职责主要是尽其范围内的一切努力，通过布道、劝诫、教化和指导年轻人，让他们了解福音；尽力通过向他们介绍文明世界的艺术和科学来改善他们的现实条件，并尽力使基督教的教义进入他们的耳朵和内心。虽然他是为了他们的利益而无私地工作，但他们回报他的也许是冷漠、不信任，甚至直接的反对和嘲讽，他的信仰和耐心都将面临极大的考验。他可能因为他的努力徒劳无果而心情沮丧，也可能受到异教的侵蚀和影响……

当对传教士生活的艰辛和危险有了本质上的认识后，我审慎地反思了自己是否能依靠圣灵的帮助担此重任。我现在会毫不犹豫地说，鉴于我有足够强壮的体格以忍受任何常见的艰难和疲劳，我愿意承受做传教士的这种艰辛和危险。

利文斯顿很清楚他让自己进入了怎样的一种生活。但是，他有一种莫名的自信，相信他能够承受这一切。在这点上，他的感觉是对的。有了在拉纳克郡那黑暗的魔鬼般纺织作坊中生活的经历，他还畏惧什么呢？

起初他想去中国，但是第一次鸦片战争的爆发中止了他的计划，于是他说服伦敦传教士协会将他送往南非，他似乎是从事库鲁曼工作的完美人选。作为一名传道士和医生，利文斯顿非常适合身兼传播基督教和传播文明的双重责任。况且，与大多数年轻的传教士不同，他有着钢铁一般的强健体格，能够承受非洲艰苦的生活。甚至在遭受了一头狮子的攻击，以及疟疾的无数次打击后，他仍然坚强地活了下来。在坚强意志的支撑下，他也发明了一套以毒攻毒的疟疾治疗法。

但是，利文斯顿在该模范教会的发现，很快让他领悟到教化非洲人是一项异常缓慢的工作，他早年在库鲁曼的日记就清楚地记录道：

那些人的道德已经堕落到无可救药的地步。因此，远在家乡的基督徒们很难，或者几乎不可能正确意识到那些人的心灵处于怎样的一种混沌状态。没有人想象得出他们的生活状态。他们满脑子都是世俗的观念，很难让他们超脱于肉欲的享受……他们的衣服上沾满了油腻，我的衣服也很快被弄脏了。天天坐在他们中间，听他们喧闹的音乐，足以让人永远厌恶异教教义。如果不塞饱大鱼大肉和啤酒，他们就会怨天怨地，而当满足了口腹之欲时，他们便开始制造噪音，还美其名曰唱歌。

这就是《传教士杂志》虔诚的宣传背后严酷的事实。正如当地教会的奠基人罗伯特·莫法特所承认的，那里：

没有人皈依基督教，没有人追寻上帝；也没有人提出质疑和反对声音，好让我们有机会捍卫我们的教义。他们的脸上写满了淡漠和愚昧，他们的心里充斥着无知——最蒙昧的无知。世俗的、肉欲的和邪恶的东西才是行动和快乐的源泉，而对灵魂救赎的深刻考虑在他们看来犹如破衣烂衫，既无魅力，亦无价值……我们布道、我们教化、我们询问，但是却没有看见一丝明显的成效。只有通过不断的物质给予来满足他们贫瘠的心灵，他们才会认为你是好的。但如果拒绝他们无穷无尽的要求，他们的歌功颂德马上变为嘲讽和谩骂。

很快，利文斯顿沮丧地认识到，非洲人之所以对他感兴趣，不是因为他的布道，而是因为他的医术——还包括被他们称为“射击器”，能够帮助他射杀猎物的来复枪。他曾不满地评价过巴赫塔拉部落：“他们之所以希望白人居住在此，并非希望听到福音，而只是（正如那些皈依基督教的人后来表明的）‘通过我们的存在和祈祷，他们能够祈雨，能够得到珠宝和枪支等。’”

即使利文斯顿带着魔法灯笼走访了每个村落，神奇地解释了福音教义，他得到的回应还是令人失望。当巴克温纳部落的头领赛凯勒在1848年允许他向部落人民布道时，结果也不出乎意料：

这是一群专注的好听众，但布道结束，我为一名病人问诊回来后，却发现头领已经进屋喝酒去了，按照惯例，还有40名左右的人站在门外为其唱歌，或者换句话说，通过这种方式来讨些啤酒喝。一个没有像我一样给他们作过多次布道的人一定会倍感震惊，因为他有关未来审判的热情演讲几乎没有产生任何效果。

直到他为赛凯勒的一个病入膏肓的孩子治好了病后，赛凯勒才开始严肃地看待他所传播的教义。似乎只有治好身体的疾病，才可能拯救非洲人的灵魂。

到此为止，利文斯顿已经传教7年了。他与莫法特的女儿玛丽成婚。与莫法特一样，利文斯顿学习了当地的语言，并呕心沥血地为当地人翻译了《圣经》。但是，赛凯勒似乎是经他的教化而皈依基督教的唯一一个人。而且，就在几个月后，这位头领旧习难改，又恢复了传统的一夫多妻制生活。几年后，当利文斯顿想要教化马可洛洛部落的成员时，同样的故事又发生了。另一位英国访客注意到，“该部落最喜爱的消遣”就是“模仿利文斯顿阅读和唱圣歌。每次有人模仿，人群中便会爆发出嘲弄的怪笑。”最后，没有一个马克洛洛人皈依基督教。

利文斯顿总结道，凭借传教士的手册不可能破除那些被他称做“迷信”的东西。应该寻找比在这蛮荒之地简单布道更有效的办法来渗透非洲人，而这蛮荒之地本身也应该被改造，使其更容易接受英国的文明。

但是，他如何才能开启黑暗的心灵呢？要回答这个问题，利文斯顿不得不悄悄地改变其职业生涯。1848年，他实际上终止了他的传教士角色，而变成了一位探险家。

自从1830年皇家地理协会成立后，就有人辩称，要教化非洲，就必须先探索非洲。早在1796年，蒙戈·帕克就曾绘制了尼日尔河的走向。利文斯顿自己在库鲁曼的时候也已经涉足探险，但1849年穿越喀拉哈里沙漠寻访恩加密湖的行动，标志着他正式从事探险活动；他对这960~1 120公里探险经历的记录报告由伦敦传教士协会转交给皇家地理协会，赢得了金奖，同时也成为皇家“年度地理发现奖”获奖项目之一。而他的妻子，无论她喜欢与否，也成了一位探险家，他们的三个孩子也是。利文斯顿并非没有意识到，他让整个家庭都卷入了这种探索的未知风险，但他还是毫不犹豫地这么做了：

> ……我们面前是一片广阔的地域……将他的妻儿带入一个热病——非洲热病——肆虐的国家确实要冒很大风险。但是，哪个笃信耶稣的人会拒绝为主冒险？我与世间的父母有着同样的舐犊之情，每看着我的孩子们，我都会自问，我会带着哪个平安返乡呢？

这也许是早期传教士身上令人不解的特征之一，他们将他人的灵魂看得比自己孩子的性命更重。但是，利文斯顿的第二次探险几乎要了他们所有人的命，最后利文斯顿不得不决定将其家人送回英格兰。这一去，他们隔了4.5年才团聚。①

恩加密湖的探险是这位“超人”一系列探险的第一步，足以激发维多利亚中期的人们最狂野的想象。1853年，利文斯顿沿着赞比亚河上游行走480公里，然后从林扬堤（在今天的博茨瓦纳）到葡萄牙占领下的安哥拉沿海的罗安达；用《泰晤士报》的话来说，这是“当代最伟大的地理探险之一”。在恢复元气后，他又沿着走过的路返回林扬堤，随后朝着莫桑比克的奎利马开始了令人称奇的行军，这使他成为从大西洋沿岸穿越非洲大陆，到达印度洋沿岸的第一位欧洲人。他是那个时代的精英和英雄的杰出代表，出身卑微，但却在显然是世界上最不友好的大陆上留下了彰显英国文明的闪亮印记。而且他这么做完全是不为名利、自觉自愿，他一个人就是一个非政府组织，是19世纪第一位“法力无边的医生”。

对利文斯顿来说，在发现非洲的奴隶制依然兴盛后，寻找良策为非洲打开通向基督教和文明之门的任务就愈加迫切了。虽然在英国颁发废奴令后，非洲大陆西部的奴隶制算是被压制住了，但中非和东非仍然有奴隶被贩往阿拉伯、波斯和印度。在19世纪的奴隶东运潮中，大约有200万名非洲人成为受害者。其中，成千上万的人都是在桑给巴尔岛的奴隶大市场上经过交易后再运送出去的，该岛连接起了印度洋中的各个经济体。②对利文斯顿这一代人来说，他们并没有见过早年英国自己在西非所从事的规模更大的奴隶贸易，因此，当亲眼目睹成群结队的奴隶被贩卖，非洲大陆被毁坏，非洲人口不断减少的景象后，他们深感震惊。“我在这个国家所看到的最奇怪的疾病，”利文斯顿后来写道：“看起来就是心痛病了，每一个被抓住贩为奴隶的自由人都会得这种病……一个20岁左右的男孩……说他没有其他什么病，只是总感到心痛。”利文斯顿对奴隶们的遭遇感到万分愤慨，就

---

① 利文斯顿临终前承认：“我只有一个遗憾，我传教的责任感远远超出我与孩子们玩要，做一个称职父亲的责任感……我是那样勤劳地工作，以至于一到晚上就筋疲力尽。而现在，我膝下已经没有孩子可以同我玩要了。”

② 如今你在石头城仍能够看见奴隶们住的小格子间：黑暗、潮湿、闷热，这些与我所了解的其他事情一样，清晰地揭示了奴隶制所带来的痛苦。

与他的前辈们对此漠不关心的程度一样。

我们很容易将维多利亚时期的传教士视为文化沙文主义者，认为他们会不假思索地藐视他们所看到的非洲社会。但这种指责对利文斯顿并不适用。如果没有中非原住民的帮助，他根本不可能走完他的旅途。马可洛洛人也许并未接受基督教，但是他们很愿意为他工作；当他开始了解他们以及其他帮助过他的部落后，他的态度慢慢改变了。非洲人，他写道，往往“比他们的白人邻居们更加聪明”。

有些人将非洲人描述为残忍危险的野蛮人，但利文斯顿却反驳说，他“在黑人中从未遭受过卑鄙伎俩的陷害，除了少数情况之外，他总是能得到礼貌对待。事实上，更中心的那些部落是那样文明……一个举止言谈得体的普通传教士一定能赢得他们的尊重”。他后来又写道，他拒绝相信，“非洲人的头脑或者精神是落后无能的……比照非洲在世界各国中的地位，我们没有理由认为，他们与最文明的民族相比是完全不同的‘品种’或者‘种类’。”正因为利文斯顿对他所遇到的非洲人持有尊敬之心，他才会对奴隶贸易如此反感；正是这种“该死的贸易”，让这个民族在他的眼皮底下受着摧残。

在此之前，利文斯顿并不反对在他看来迷信的当地原始生活和勉强维持生存的经济。但是现在，他的观念与一个更为复杂的经济体系，也就是东非沿海由阿拉伯和葡萄牙奴隶贸易构成的经济体系产生了冲突。按照他一贯的大胆作风，他很快制定了一个计划，不仅能让非洲接触到上帝和文明，还能将奴隶制清除出局。与维多利亚时代的许多人一样，他想当然地认为，自由市场要比不自由的市场更有效。在他的观念里，“奴隶贸易的诱惑”将人们的注意力从非洲“所有其他的财富来源”那里吸引了过去：“咖啡、棉花、糖、油、铁，甚至黄金贸易都被抛到一边，只为了从一个很难致富的贸易中获得虚妄的财富。”如果能够找到一条更便捷的途径，让诚实的商人得以进入内地，开展其他商品的“合法贸易”——也就是购买自由的非洲劳动力生产的产品，而非强行抓捕劳动力并输出——那么奴隶贸易将很快减少。自由劳动力将排挤掉非自由劳动力的市场。而利文斯顿要做的就是找到这条途径。

为了找寻这条通往文明的道路，利文斯顿可谓呕心沥血。确实，与那些努力跟上其步伐的人来说，他似乎坚不可摧。他已经是第一个穿越喀拉哈里沙漠的白人，第一个看到恩加密湖的白人，也是第一个横穿非洲大陆的白人。1855 年 11 月，他又成为第一个看到也许是世界上最伟大自然奇迹的人。在叶舍科东部，赞比西河的潺潺流水被一道巨大的裂缝猛然切断，由此形成一个巨大的瀑布，当地人称其为Mosioatunya，意为“雷声隆隆的烟幕”。利文斯顿——他早就意识到，有必要让家乡的人支持他的工作——立即将其重新命名为维多利亚瀑布，“作为我忠诚的表示”。①

阅读利文斯顿的日记，你不可能不被他对非洲风光的痴迷而打动。“整个景象异常壮观，”他这样描写瀑布：“只看到过英格兰景观的人是无法想象这种美丽景象的。”

河流截断之处，浪花飞卷，所有的水柱朝着同样的方向落下，每条水柱都水花翻腾，就好像钢条在氧气中燃烧时火花四溅一般。这雪白的水幕铺下来，如同无数颗彗星朝着同一方向飞奔……从彗核上散发出一道道的水沫。

这些是“那么可爱的景色，飞行中的天使也难免驻足凝望”；它们简直就是“非洲最神奇的景观”。这样的情感也解释了为什么利文斯顿后来从传教士变成了一位探险家的原因。这个孤独，有时甚至有些自闭的人痛苦地发现，在非洲腹地为了一处壮美的景观跋涉 1 600 公里所带来的成就感，远远超过为了让一个人皈依基督教而作的 1 000 次布道。然而，维多利亚瀑布的美仅仅部分解释了利文斯顿的激情。因为他一直坚持认为，他是带着一个目的旅行的：那就是找到让非洲向英国的贸易和文明敞开大门的途径。而在赞比亚河，他似乎找到了实现这一宏伟计划的关键。

利文斯顿认为，从瀑布开始的这条河流一定能够通航，直到 1 440 公里之外的海边。这显然意味着贸易可以深入非洲腹地，从而欧洲文明也能顺流而上了。当部落的“迷信”在其影响下解体时，就为基督教的扎根腾出了空间。而当合法贸易深入内地后，非洲自由用工的出现就将削弱奴隶贸易的基础。简而言之，赞

① “其他一些事情也是在出乎意料的地方发生的。”他注意到，“这些从总体上看，可能有一些‘撒旦智慧’的味道，虽然我并不愿意如此。”

比亚河就是——也一定是——上帝指明的一条高速公路。

维多利亚瀑布旁边正是英国殖民者可以建立家园的地方：巴托卡平原是一片“植被低矮的开阔而起伏的草原，就像诗人和当地人眼中的田园国家”，而且，这里盛产“高质量、高产量的小麦”，以及“其他谷物和许多种类的块茎植物”。正是在赞比亚高地的这块地方，利文斯顿相信他的同胞——最好是像他一样贫穷，但吃苦耐劳的苏格兰人——能够建立起一个新的英国殖民地。就像过去和未来那么多探险家一样，他相信他能找到上帝应允的福地。这不仅将是一个经济福地，也将是一个文化福地。一旦有白人居住后，巴托卡平原就将把文明辐射到整个大陆，直到这里不再有迷信和奴隶制。

一心想让他的新殖民地融入大英帝国的利文斯顿也为巴托卡平原想好了一种主要作物，那就是棉花。在这里种棉花，可以减少英国的纺织作坊（就像他童年待过的那些作坊）对美国奴隶种植棉花的依赖。这是一个大胆的救世主计划，不仅连接起了贸易、文明和基督教，还连接起了自由贸易和自由劳动力。

1856 年 5 月，利文斯顿带着他的新使命启程前往英格兰。但这次，他要改变的是英国民众和政府，并向他们推广自己的佳作《传教士在南非的旅行和研究》。他很快就说服了大家，获得了无数的奖章和荣誉，甚至还有幸觐见女王。而他的书则立即成为畅销书，在 7 个月内就热销 28 000 册。狄更斯在其创办的周刊《家常话》中也给予它很热情的赞誉，坦承：

> 它对我的影响就是以一种不可思议的方式降低了我对自己性格的评价。我曾经认为，我拥有勇敢、耐心、果决和自控等美德。但自从我阅读了利文斯顿医生的书后，我不得不谦卑地承认，我曾被错误而虚假的东西蒙蔽了双眼，以至于高估了自己。与这位南非旅行者对比，我曾经备受赞誉的勇敢、耐心、果决和自控，原来都不过是徒有其表。

最让狄更斯赞叹的是：

> 作者的勇气和诚实，因为他描述了向非洲蛮荒民族传播基督教的困难，

也承认了他的失望；他明智地摆脱了所有那些有害的宗派思想的影响，这些思想曾桎梏了那么多优秀人的努力；他也勇敢地承认，将这个世界以其智慧所能够给予的所有合法援助与向异教徒传播福音的工作结合起来是绝对必要的。

这种认可的力度与利文斯顿的呼吁的力度同样有力，没有什么比这更能激起大众对利文斯顿这项宏伟的非洲计划的支持了。“利文斯顿医生的众多读者中，”狄更斯总结道：“若论谁更衷心地希望他在倾其心血的这项崇高的事业上取得成功，谁在有关他的消息传到英格兰，听到他安全而顺利地开展工作时最感到欢欣鼓舞，那非写下这段文字的作者莫属了。”甚至伦敦传教士协会虽然不满意利文斯顿放弃了正式的传教士职责，也不得不在1858年的年报上承认，《传教士在南非的旅行和研究》一书对传教运动“表达了同情”。这点赞扬也许过于轻描淡写，但不管怎样，也还是赞誉。

但是，正如伦敦传教士协会的报告禁不住担忧的，在“那么出乎意料地……在上帝旨意的允许下发生的……可怕，但有指导意义的事件”面前，利文斯顿的成功马上黯然失色。就在利文斯顿的书出版的同一年，世界另一头的一场轩然大波使得将大英帝国基督教化的整个战略受到了挑战。

文明的冲突

对传教士来说，非洲腹地是处女地。这里的原住民文化在他们看来相当原始，而过去，这里与欧洲的来往也几乎为零。印度则不同，在这里，传教运动面临着更加困难的挑战。印度的文化显然比非洲更加复杂。多神崇拜和一神崇拜的信仰在这里同样根深蒂固。欧洲人在印度居住了有一个半世纪了，但从未挑战过这些信仰。

直到19世纪的头10年，印度的英国人都没有丝毫想将印度英国化的观念，更别提将其基督教化了。相反，英国人自己倒很享受被东方化的过程。从沃伦·黑斯廷斯的时代起，有大量的男性（主要都是商人和士兵）吸纳了印度的习俗，学习了印度的语言；许多还有印度情人或者妻子。因此，当英国东萨西克斯的第44团的罗伯特·史密斯上校在1828~1832年间环印度旅行时，他邂逅并爱慕一位来自德里的美丽公主的故事也就不足为奇了。这位公主的姐妹“……以其皇家血统下嫁给东印度公司一位军官的儿子……她有好几个孩子，我曾见到过两个……他们从外表上看像小穆斯林，戴着穆斯林的头巾。”史密斯本人发现他所邂逅的那位女士“美如天仙”。他多少称得上是位业余画家，尤其喜欢画印度女人，这倒不是出于纯粹的对人类的兴趣。正如他所说：

> 温柔的表情是这个民族的特色，五官的美丽和匀称，头部的对称令人惊叹，充分彰显了亚洲民族的知性……这一经典的优雅线条并不局限于头部。他们的古代雕像中，半身像的比例是最大的。清晨，在恒河中做完洗礼的优雅的印度女人从水中现身时，透过飘逸而轻盈的面纱，她们的美丽完全值得诗人和艺术家不遗余力地赞美。①

史密斯是一个爱尔兰人，在派驻印度之前就已经与同村的乡下姑娘结婚了。但是，被东印度公司派驻亚洲的单身男人们往往都会对亚洲女人动心。在《发自印度的家书》中（大多是从19世纪30年代开始写的），塞缪尔·斯尼德·布朗观察到，“不管与当地女人同居的时间是长是短，他们都不会再与欧洲女人结婚了……她们是那么快乐有趣，是那么乐于奉献和取悦男人，以至于任何适应了她们社会的男人一想到要面对英国女人的反复无常，屈服于她们的异想天开，不禁退缩了。”

相互容忍，甚至相互爱慕的氛围是东印度公司喜爱的方式，即使它之所以实践宗教宽容，更多的是出于实用主义而非宗教原则的考虑。虽然现在它更像是一个国家而非公司，但它的董事们还是继续将贸易看做他们最重要的事情；由于从19世纪三四十年代起，印度出口收入的40%是鸦片带来的，因此董事会也无暇顾及业务的崇高性。在加尔各答、马德拉斯和孟买的老一代欧洲殖民者对挑战传统印度文化无甚兴趣。相反，他们相信，挑战当地文化必然殃及盎格鲁－印度关系，

① 史密斯认为美中不足的是，他感觉印度女人的下半身一般都“不匀称，不标准，难以和如此美丽的上半身相谐调”。他显然对这个问题进行过认真思考。

这当然不利于公司业务。正如马德拉斯的总督托马斯·芒罗在1813年以冷漠的口吻说的："如果文化也变成（英国和印度）贸易的产品，我相信这个国家可以通过进口文化获益。"在他看来，没有必要"将印度人盎格鲁－撒克逊化"：

> 我不相信所谓改善印度人或者任何其他民族的现代化教条。当我读到（有时确实会读到）某一个大省被突然改进，或者一个半蛮荒的民族受教化几乎皈依了教友会时，我立马就会把这本书扔掉。

这就是为什么东印度公司的牧师被明确禁止亲自向印度人传教的原因。这也就是为什么公司利用自己的权力限制传教士进入印度，强迫那些希望传教的人待在塞兰坡的丹麦殖民地这一小块地方的原因。正如1808年，公司驻印度的控制局主席罗伯特·邓达斯向总督明托勋爵解释的：

> 我们不是反对将基督教传入印度……但是没有比鲁莽而冒昧地传教更不明智的了，因为这将使他们震怒和惶恐，加深他们的宗教偏见……向当地人灌输基督教的知识当然是好事，但是使用手段要谨慎，不能激起政治危险和恐慌……我们在当地的强大势力让我们感到有必要保护当地居民的自由而不受干扰地保持自己的宗教信仰。

但在1813年，当公司的授权到期等待续签时，福音派抓住这一机会终止了前者对印度传教活动的控制。古老的东方文化将与新的福音派文化迎头相撞。

希望印度向英国的传教士打开大门的人就是那些向奴隶贸易发起战争，并在非洲掀起传教运动的人：威廉·威尔伯福斯、扎卡里·麦考利，以及克拉彭教区的其他人，再加上查理·格兰特——东印度公司的一位前董事，他年轻时曾在印度荒诞不经，虚度韶华，后来皈依基督。曾经是大英帝国统治者一员的格兰特发挥了重要的作用：他在这场运动中所扮演的角色就好像做过奴隶主的牛顿，或者做过庄园经理的麦考利在反抗奴隶制的运动中所扮演的角色一样。在他写的《大不列颠的亚洲臣民社会状况观察报告》中，他向芒罗和其他对当地文化持容忍态度的人发起了猛烈的抨击：

我们没有必要认为……我们的亚洲领土……在我们手上，只能每年从中赚取一些利润，难道我们不可以向生活那里，长期蒙蔽于黑暗中的堕落而悲惨的居民传播真理的光明和慈善的影响力吗……

这场运动就在新伦敦一家饭店拉开了序幕，他们在那里召开了一次“新教协会”的会议，号召“在整个东部地区快速而广泛地推广”基督教。东印度公司的董事们提出了反对，但无济于事。当议会举行投票表决时，英国各地热切的福音派教徒已经提交了837份请愿书，敦促终止在印度传教的禁令。如今，我们仍能够在下议院的图书馆看到其中的12份请愿书，大多数发自英格兰南部。这标志着议会之外的压力机器是多么训练有素，几乎所有的请愿书都以差不多的导言开头：

印度人口稠密地区的居民是大英帝国的重要组成部分，但是，他们却陷入了道德的最悲惨境地，受着最令人厌恶和让人堕落的迷信的影响，显然，他们最需要英国的基督教徒给予他们最深刻的同情和最仁慈的帮助。

一批请愿者“对印度众多人民——现在是我们的同胞——中盛行的可怕习俗和道德的日益堕落深感痛心……并诚心希望我们能将大不列颠居民所享有的健康的宗教祝福介绍给他们”。这也是1813年教会传教士协会在切普塞德的会议上最初采纳的方案，并通过福音派报纸《晨星》得到了广泛传播。

这是又一场齐心协力挑战现状的公共运动，就像反奴隶贸易运动一样，在这场与既得利益集团的抗争中，克拉彭占据了上风。1813年，一个新的《东印度公司法案》发布了，它不仅向传教士打开了大门，还主动任命了负责印度宗教事务的一位主教和三位执事长。起初，这些教会代表不愿意因鼓励在印度传教而触怒公司。当传教士乔治·格杰利在1819年到达印度时，他吃惊地发现：

传教士根本别指望得到政府或者当地欧洲居民的鼓励。后者的道德状况尤其值得质疑，传教士的出现是对他们行为的一种监督，而他们在这里早就自由放任惯了，政府官员则对传教士的作用持怀疑态度。这两方都千方百计地在当地人那里诋毁传教士，说他们在国内都是等级很低的人，不适合与智慧而高贵的婆罗门进行对话。

但是，加尔各答的第二任主教雷希纳尔德·黑巴尔扎于1823年就任后，就给予了传教士更多的支持和鼓励。9年后，有58位教会传教士协会的牧师活跃在印度。文明的冲突就此开始。

对许多传教士来说，亚欧次大陆就是一块战场，而他们就是基督教的战士，为反抗黑暗势力而战。“他们的宗教太过残忍。”威尔伯福斯直言：“这个宗教的所有活动都应该被取缔。”印度人的反抗反而更加坚定了传教士的信念。有一次，当乔治·格杰利正要走进他的平房里开始布道时，两个男人竟然来刺杀他，这两人“相貌丑陋至极，血红着双眼，面目狰狞，显然是受了什么刺激性药物的影响”。

（他们）大声地用威胁性的语调命令我们安静。然后，他们转向大家，说我们是英国政府雇用的密探，说英国政府不仅仅从他们手上夺取了这个国家，还决定用武力镇压印度教和伊斯兰教，从而在这里全面推广基督教；他们还说他们的家园将受到冒犯，因为被他们视为神明的牛将被屠杀和吃掉；他们的孩子在学校所接受的教育纵容他们谩骂神圣的婆罗门，也不再崇拜印度的神明。然后，他们指着我们激动地说：“这些人对你们甜言蜜语，心里却藏着毒；他们的目的就是欺骗那些他们最终可能毁灭的人。”

格杰利对如此粗鲁地打断非常气愤，尤其是这群人还要来攻击他和他的同事，打他们，满街追逐他们（虽然他很高兴他们能有资格为了神的名义忍受屈辱）。但是，攻击他的印度人说得很对。传教士的目的不仅仅是为了让印度人皈依基督教。与传播福音同样重要的任务是，印度的整个文化也应该英国化。

持有这种观点的不仅仅是传教士。在19世纪中期的印度，更为世俗化的自由主义教义影响日益强大。18世纪的自由主义先驱亚当·斯密就非常痛恨帝国主义。但是，维多利亚时代最伟大的自由主义思想家约翰·斯图亚特·穆勒则持有不同观点。在“关于不干涉政策的几点看法”中，穆勒声称，英格兰“是所有国家中最有良知的……是唯一一个能够以良心约束自己的国家”，也是“各国中最理解自由的国家”。因此，他在《试论代议制政府》一书（1861 年）中辩称，最有利于英属非洲和亚洲殖民地利益的，就是让这些地区的人民也能享有英国独特的先进文化所带来的益处：

> 首先是一个更良好的政府：更全面的财产保护；温和的税收，更长久的……土地使用期限。其次，民众智慧将得以提高；干扰工业有效发展的恶习或迷信将减少；脑力活动将不断发展，让人们有新的奋斗目标和希望；再次，国外艺术将被引入……同时引入的还有海外资本，这使得工业增长不再仅仅依赖于节省下来的或本国居民提供的资金，而是有了新的刺激发展的工具。

这里面最关键的一句是：“干扰工业有效发展的恶习或迷信将减少”。与利文斯顿一样，穆勒看到，欧洲之外的世界文化的转型显然与经济转型密切相关。希望把印度基督教化的福音派目标，与希望将其资本主义化的自由主义目标这双重目标相互融合，迅速渗透到整个大英帝国。

如今，类似于传教士协会的现代组织对偏远国家的“恶习”深恶痛绝，视为不开化的明证：

> 比如童工和女性的割礼。维多利亚时期的非政府组织也没有什么不同。让英国传教士和现代化主义者尤为愤怒的是三种印度习俗。其一是灭杀女婴，这在印度西北地区尤为常见。其二是 thagi（后来通常拼做“thuggee”），即暗杀牧师的团体，据说他们会将旅途上警惕性不高的路人诱骗来勒死。其三是活祭，比如印度的寡妇在其亡夫的葬礼上会被活活烧死以祭亡灵。[①]

英国人注意到，某些印度社团从 18 世纪 80 年代末开始杀死女婴；主要原因似乎是上流社会家庭嫁女的成本异常昂贵。但是，直到 1836 年，时任阿泽姆格尔的地方官，后来成为西北省副总督的詹姆斯 · 托马斯才采取积极措施以禁止这种

---

① 印度人 anumarana（追随某人而死）或者 sahamarana（与某人共同赴死）的做法被英国人误称做“suttee”（妻子殉夫）。实际上，sati 一词指代的是自焚而死的寡妇，意思是“圣徒”。

行为。1839 年，马尔瓦尔王公被说服，正式通过弑婴禁令。但这只是一场旷日持久运动的开始。1854 年一份系统调查的结果发现，在戈勒克布尔、加济布尔、米尔扎布尔几个地区，这种行为仍是地方习俗。在经过进一步调查之后——包括对村庄普查数据进行了详细分析之后——一个新的法案在 1870 年颁布，起先只在西北省推行，后来推广到旁遮普省和奥德省。

英国人也以同样的热情发起了反对暗杀旅行者的运动，虽然这种暗杀行动的范围似乎并不是很明确。英国康沃尔郡人威廉 · 斯利曼，一位当过兵的地方调查官，最终消灭了这个致力于祭杀印度旅行者的复杂而邪恶的神秘组织。1816 年的《马德拉斯文学公报》上发表了一篇产生很大影响的文章，说这些暴徒们：

> ……擅长玩弄伎俩……主动与各种旅行者搭讪，用花言巧语巧妙地赢取旅行者的信任……当（他们）决定袭击一个旅行者时，他们常常用一些漂亮的借口说服他结伴同行，比如一起走安全啦，可以做伴啦，然后走到一个便于作案的地方，或者找到一个合适的机会，他们中的一个就会将一根绳索或者腰带套到这个可怜人的脖子上，而其他人则一拥而上，将此人置于死地。

现代学者常常认为，这些轶事大部分是远赴印度的英国人臆想出来的，而斯利曼实际上要对付的，是在普通或者花园公路上越来越猖獗的公开抢劫，而其根源在于，在英国人的势力深入新的印度诸省的过程中，成百上千的当地士兵被遣散。然而，斯利曼自发致力于这项行动的事实表明，英国人确实是将推进印度文化现代化的使命当真了。到 1838 年，斯利曼抓捕并审批了 3 266 名暴徒；还有几百人在监狱中等待审判。总共有 1 400 人被绞死或者被判终身流放安达曼岛。他审判的一个人声称谋杀了 931 个人。惊骇不已的斯利曼问他对于“在假装友好，诱使对方产生虚假的安全感后，如此冷血地谋杀对方的行为是否感到后悔。”这位罪犯却毫不犹豫地回答：“当然不后悔！如果你本人是一个猛兽猎手，你在围捕猎物、诱捕猎物时，难道不感到激动吗？你看到猎物在你的脚下断气时，难道不感到高兴吗？所以对这些暴徒来说，杀人不过是更高级的游戏而已。”一位参与一次大审判的主审法官对案件事实也感到非常震惊，他感慨道：

在我近20年的司法工作中，我从来没有听到过这样的暴行，也没有主审过这样的案件、这样冷血的杀人犯、这样令人心碎的沮丧和悲惨之情、这样卑劣的忘恩负义。他们如此彻底地抛弃了连接人与人之间的所有情感纽带，要知道，只有这些纽带才能让人心仁慈，让人类超越于牲畜之上。

如果要找到传统印度文化堕落的证据的话，这就是。

最后，还有“圣徒”的问题。这显然不是想象出来的。在1813~1825年间，仅孟加拉就有7 941名妇女这样丧生。比统计数据更骇人的是对这些具体事例的生动记述。比如1823年9月27日，一位名叫拉达比耶的寡妇曾两次试图从摆放其亡夫尸体的柴堆上逃脱。据当时亲眼目睹这一事件的两名英国军官中的一位记录，第一次她试图逃脱时，只是烧伤了腿。如果不是被三名男人强行押回去的话，她本来是可以活命的。他们往她身上压了木头以防其逃跑。当她再次逃离，并跳入水中时，“她身体的每一寸皮肤几乎都被烧毁了”，那些男人继续追她，并把她摁在水里以便淹死她。这种事情当然都是个案，“圣徒”现象并非无处不在。确实，印度一些知名的权威人士，最有名的是莫瑞特云杰 · 维迪亚卡尔和拉姆汗 · 罗伊，就曾批判过这些行为，认为这违背了印度法律。但还是有许多印度人坚持认为，寡妇自焚以祭亡灵的行动是一种崇高的行为，不仅表明对婚姻的忠诚，也表明了女性的忠贞。虽然传统上都是上层社会的印度人采取这种仪式，但逐渐也被较底层的印度人所接受，事实上，很大一个原因是这一下子就解决了夫家成员必须赡养这个失去生活来源的寡妇的问题。

多年来，英国政府容忍了“圣徒”现象，害怕打击这种行为会被视为对印度宗教习俗的一种无理干涉。但仍时不时会有一些官员效仿加尔各答的奠基者乔布 · 沙尔诺克，在可能的情况下出手拯救一些寡妇；不过官方政策仍然严格秉持不干涉原则。确实，1812年的一项法规要求一位官员赶赴现场，确认即将活祭的寡妇年龄不低于16岁、没有怀孕、没有3岁或以下的孩子，以及没有受药物的控制。这实际上赦免了那些不符合这些条件的寡妇，而克拉彭教派又一次站在了反活祭运动的前列，他们采用的方式我们已经不陌生了：在国会的动情演说，在

《传教士登记簿》和《传教士报纸》上图文并茂的报道，以及一堆民众请愿书。在1829年，刚被任命为印度总督的威廉·本廷克作出了回应。新颁发的第17条法规中，明文禁止活祭。

在维多利亚时代的所有印度总督中，本廷克也许是受福音派和自由主义运动的双重影响最多的人。本廷克笃信现代化的好处。“蒸汽船航行是改善（印度）道德状况的伟大引擎。”1837年他在议会中说道：“两国间的距离缩短了，交流更便捷了，同样的，这些蒙昧地区与欧洲文明也拉近了距离；我们无法找到其他能够促进如此大幅度、大规模改善的方法了。”作为诺福克越来越富裕的一位地主，他视自己为一片“大地产”的“首席代理”，迫不及待地想要排尽孟加拉的沼泽，仿佛该省仅是一片巨大的沼泽地。本廷克认为印度文化同样需要彻底被排空。在东方派和英国派就教育政策发起的激烈讨论中，他毫不犹豫地与英国派站在了同一阵线上。后者的目标用查尔斯·特里维康的话来说就是“用西方的科学教育亚洲人”，而不是用梵语来搅乱英国人的思维。这也是英国人对“印度人的道德和智慧重建”作出贡献的一种方法，即“在印度”确立“我们的语言、我们的治学，以及我们的宗教”。特里维康认为，其目标是让印度人“更像英国人而非印度人，就像罗马各省最后变得比高卢和意大利更像罗马”。

本廷克在1827年上任之前就决定禁止“圣徒”现象了。“对基督徒和英国人来说，”他写道：“如果容忍这种制裁，容忍这种不人道和邪恶的牺牲在上帝面前发生，那么他就不配做一名基督徒或者英国人”：

> 唯一和所有的理由就是于国有利——也就是说，出于对大英帝国安全性的考虑。但即便是这个理由也仍不完整，如果这个东方世界芸芸众生的未来幸福和改善不是完全建立在英国统治的延续之上的话……我不相信，在所有急切的禁令倡导者中还会有人比我更迫切，这个沉重的责任永远悬在我今生和来世的幸福之上。作为印度的总督，如果我再允许这种行为继续存在，那么不仅我们的安全，印度人民的真正幸福和永久福祉都将受到威胁。

只有少数早期就派驻印度的员工表示反对该禁令。一位陆军中校威廉·普莱费尔从锡塔布尔写信给本廷克的军事秘书，提出了“黑暗”警告：

> 任何禁止这一习俗的政府将在当地军队中引发恐慌情绪，他们将视其为对他们习俗和宗教的干涉，其效果无异于放弃迄今为止我国政府与他们交往所遵循的原则。一旦激起这种情绪，那么接下来将发生什么事情简直无可预测。某些当地军队很可能发生公开暴乱……

现在担心这个还为时过早，可以暂时不用理会。当时，本廷克收到了来自福音派英国人和开明的印度人发来的几千封祝贺信。无论如何，本廷克在询问其他军官的意见时，他们也都支持这项禁令。[①] 但是，普莱费尔的担忧并非空穴来风，当时最著名的东方学者之一霍勒斯 · H · 威尔逊也持有这种观点。反对将英国文化强加于印度之上的情绪正在发酵。而普莱费尔对麻烦将出现在何处的预言，也非常正确。

印度驻军是维持英国统治的基石。1848 年之前，东印度公司在印度土邦王公死后没有子嗣的情况下，可以直接接管他的领土（所谓的“无嗣失权”）。东印度公司之所以能够有此权力，与武装军队的威慑作用密切相关。一旦发生战事——比如 19 世纪 20 年代在缅甸、1843 年在信德、19 世纪 40 年代在旁遮普——印度驻军很少吃败仗。它于 19 世纪唯一的一次战败经历是在阿富汗。那是 1839 年，17 000 人的占领军几乎全军覆没，只有一人得以逃生。但是，印度驻军中有 80% 都是印度兵，大多是从印度传统的武士阶层中招募而来。军队中的英国人——他们大多是爱尔兰人——则占少数，虽然往往职位更高。

军队中的白人说得难听点，很多是社会渣滓，不到万不得已也不会到这里来混俸禄，但印度兵与他们的白种人战友则不同。不管他们信的是印度教、穆斯林

① 罗伯特 · 史密斯上尉（就是上文提到的，非常欣赏印度女性之美丽的那位上尉）就坚信，废除灭杀女婴和“圣徒”习俗能够强化而非削弱英国的统治，因为“很多印度人都不再像以前那样对宗教那么敏感了”。他还希望能够进一步禁止将尸体扔入恒河的传统，所有这些将彰显“政府将（印度人）从强权而自私的僧侣的奴役下解放出来的决心；在摒弃那些让人类战栗的习俗后，他们还可以沿袭他们的宗教活动。”

还是锡克教，他们都认为自己选择做武士是与他们的宗教信仰密不可分的。每当战斗前夕，印度教士兵都会在毁灭女神卡莉的圣像前祭祀供奉，以求获得她的祝福。但是，卡莉是一位危险而喜怒无常的神。在印度传说中，当第一次来到地球清除恶人时，她杀红了眼，竟然将挡在她前进道路的所有人都杀光了。如果这些印度人认为自己的宗教受到威胁，他们很可能效仿她。他们以前就这么做过一次，1806 年夏在韦洛尔，当新颁布的衣着规定禁止他们在额头纹上标志身份等级的图案，以及禁止他们蓄须，并引入了一种新式的头巾时，差点引发了一场兵变。这其实与之后 1857 年的兵变类似，一件看上去微不足道的事情——头巾上的新徽章看上去像是用牛皮或者羊皮制作的——引起了轩然大波，而其背后实际上是人们对薪酬、生活条件和政治制度更大的不满。[①]但是从根本上说，韦洛尔兵变是出于宗教原因；它的主要受害者实际上是当地的基督徒。乔治·巴洛伯爵毫不犹豫认为此地是“卫理公会派教徒和狂热的幻想”，他们一直在“破坏当地人的宗教典礼”。

从这个意义上说，1857 年的事件是韦洛尔事件的重演，只不过规模更大、情况更糟糕。所有的学童都背得出，这次事件的起因是有传言说新派发的弹药筒是靠动物脂肪润滑的。由于这种弹药筒在使用时要用嘴咬掉末端，因此印度教徒和穆斯林教徒都有可能遭到亵渎——如果润滑油是牛油做的，那么就亵渎了印度教，如果是猪油做的，就亵渎了穆斯林。就这样，这种弹药筒还未装到枪上就引发了冲突，更别说开火了。对许多印度兵来说，这似乎证明了英国人确实有将印度基督教化的计划——我们今天看来，许多英国人也确实如此。而弹药筒实际与该计划并无关联的事实，则无关紧要了。

印度兵变的严重程度，远远超出了它的名字所暗示的。它实际上就是一场战争。而它的起因也远远比猪油润滑的弹药筒复杂得多。印度的教科书和纪念碑上都称其为“第一次独立战争”。但是战争双方的阵营中都有印度人，而独立也并不是一个明确的诉求。韦洛尔的兵变确实带有政治目的，但是兵变者并非出于现代

---

① 兵变者请求蒂普苏丹，“迈索尔的猛虎”来领导这场兵变。

意义上的国家利益考虑。他们的目的其实也是老生常谈了，比如印度士兵因缺乏晋升机会而感到沮丧。[①]更重要的是，对于之前英国人干涉印度文化的一系列举动，他们基本上作出了保守反应，这似乎更加印证了英国人将印度基督教化的阴谋，从很多方面来说也确实如此。“我可以感觉到暴风雨近在眼前了。”一位敏锐而焦虑的英国军官在灾难前夕写道：“我可以听到飓风的哀嚎，但我还没法说出它将在何时何地，以何种方式爆发……我也不认为他们自己就知道他们会做什么，或者他们有什么行动计划，他们只知道，一旦他们的宗教以及信仰遭到践踏，他们就要奋起反抗。”

首先，也是最重要的，正如少数留存下来的证据所表明的，这确实是一场“由宗教因素引发的战争”（这些词句反复出现）。在密拉特，兵变者高呼：“弟兄们，印度教徒和穆斯林教徒们，快快加入我们，我们将发动一场宗教战争”：

> 卡菲尔人已经决定夺走所有穆斯林教徒和印度教徒的地位……我们不应该允许这些异教徒再留在印度，否则，穆斯林教徒和印度教徒之间的区别将不复存在，而只能臣服和听命于他们。

在德里，兵变者抱怨道：“英国人千方百计想让我们皈依基督教。”不管他们将他们的统治者称为欧洲人、欧亚混血人、卡菲尔人、异教徒还是基督徒，总之这就是引起他们不满的根源。

首先，发起兵变的是驻扎在贝汉布尔的孟加拉步兵第19团。2月26日，他们拒绝接受新发的弹药筒。不过很快，他们和贝汉布尔（这是兵变打响第一枪的地方）的第34团就被解散了。而在德里附近的密拉特爆发的星星之火，就没那么容易被熄灭了。当孟加拉轻骑兵团的85名士兵因为拒用新的弹药筒而被送入监狱时，他们的战友决定解救他们。士兵约瑟夫 · 鲍沃特描述了下面发生的事。在

---

① 亨利 · 劳伦斯的例子就很好地证明了这点：“印度兵认为我们离不开他，但是一名印度兵所能得到的最高奖励……就是一年100英镑，他的儿子将来也不可能有比这更好的境遇。显然，这不足以吸引外国士兵长久而忠诚地服役。”期望“广大军人中精力充沛、积极进取的士兵心甘情愿地让……我们在权和钱上占尽便宜的”愿意是否合理呢？

5月9日（周日）的那个重要的夜晚：

> 发生了一场奇袭……他们很快冲向马圈，跳上马背，向监狱疾驰过去……他们冲破监狱大门，不仅释放了那些被关押的兵变者，还释放了1 000多名杀人凶犯和流氓恶棍。同时，当地的步兵也揭竿而起，杀死了他们的英国军官，并屠杀妇女和儿童，景象之惨，令人发指。囚徒、市井小民，还有印度士兵——密拉特所有心怀不满的当地人——无不杀红了眼，尽显恶魔般的冷酷，最恶劣的是，他们将所见到的每一座房子都付之一炬。

叛乱以令人瞠目的速度横扫印度西北地区，波及了德里、瓦拉纳西、阿拉哈巴德和坎普尔。一旦决定反抗他们的白人上司，这些兵变者便似乎丧失了人性，杀死他们所能找到的任何一个欧洲人，而当地的城市暴民也常常帮助和支持他们。

1857年6月1日，艾玛·埃瓦尔特，一位英国军官的妻子与其他白人一起挤在被围攻的坎普尔军营中。她在写给孟买一位朋友的信中描述了她的恐惧："这种焦虑难眠的夜晚，我以前从未想象过。再过14天，我们就将知道我们的最后命运，不管是好是坏，我相信我们都能接受。"6周之后，就在援军赶到的前一天，她与200多名妇女儿童一起命丧黄泉，或者是在围攻中被杀，或者在"女士庇护所"（印度人本来承诺在驻军投降后会让这里的妇女安全出城）中被砍死。一起死的还有埃瓦尔特夫人的朋友：伊莎贝拉·怀特小姐和乔治·林赛夫人，以及后者的三个女儿卡罗琳、范妮和爱丽丝。她们与坎普尔的其他女性一起，成为英国对此次兵变的历史记录中悲壮的女英雄。

而男英雄则是勒克瑙的男人们。这些被围困在勒克瑙的英国专员府内的英国驻军打出了兵变以来最英勇的一仗。专员本人就在最早牺牲的一拨人中，他后来被葬在他倒下的那片土地附近，墓碑上刻着一条经典的墓志铭：

> 这里躺着的是亨利·劳伦斯，他不辱自己的使命。

而被严重毁坏、弹痕累累的专员府也成了一座纪念碑。在被围攻期间，英国国旗始终飘扬在使馆上方，直到1947年印度独立。这正应和了诗人丁尼生就这一事件写下的不朽诗篇："在大厦屋顶上方，英格兰的旗帜永远飘扬。"这一反围攻事件显然是少数值得丁尼生颂扬的事件之一。甚至在附近马帝尼耶学校读书的高年级学生们也加入了保卫战，他们为学校赢得了一枚特殊的军事勋章（这是如今所有印度小学生都不会忘记的）。尽管有狙击兵的无情炮火和脚下地雷的威胁，专员府里的人仍然在没有任何支援的情况下坚持了近3个月，甚至到一支援军在9月底杀开一条血路救走妇女和儿童后，他们仍未解围。实际上，直到1858年3月21日，也就是围攻开始后9个月，勒克瑙才被英国军队重新占领。此时，被困在使馆中的英国人已经有近2/3的人死去了。

但是关于勒克瑙，我们需要记住两点。其一，它是奥德省的首府。奥德省是英国在围攻事件的一年前吞并的；从这个意义上讲，围攻者只不过是要解放他们自己的国家而已。确实，吞并该地区被视为兵变的政治原因之一，因为大多数印度兵——孟加拉军队中就有75 000人——都来自奥德省，并对英国人处置他们的行政长官，以及解散其军队的方式非常不满。[①]拿少数活下来并记录下这段经历的人之一迈诺丁·哈桑汗的话来说："印度兵也是被逼的，他们必须起来反抗，才能将他们的国王重新扶上王位，并赶走入侵者。为了士兵阶层的利益他们必须这样做；为了确保他们头领的名誉不受威胁，他们也必须这么做。"其二，在7 000名躲藏在专员府的人中，约有1/2是印度皇家军队和随军人员。因此，不管后人是如何写这段历史的，此次兵变都并非简单的白人与黑人之间的争斗。

甚至在德里，战争的界限也很模糊。这里是莫卧儿王朝的首都，如果兵变者真的想将英国人从整个印度赶出去，那么这里无疑是一个重要的战场。许多穆斯林兵变者也确实希望莫卧儿王朝的末代皇帝（现在只是德里的国王）巴哈杜尔·沙·扎法担任兵变领袖，但这让巴哈杜尔惊慌失措。当年，以他的名义致印度各广大社会阶层人民——包括"柴明达尔"（当地的地主兼征税人，是莫卧儿王朝以及大英帝国统治的基础）、商人、公职人员、工匠和僧侣——的五点声明保存了下来。这份声明号召大家团结起来抗击英国统治。这恐怕是此次兵变中最接近

① 英国人以荒淫堕落为由罢黜了勒克瑙的君王瓦甲阿里，这也是福音派时代的典型做法。

于国家独立声明的一份东西。确实，声明的第五段承认“目前，一场因宗教原因而引发的战争席卷了印度”，“印度的学者和僧侣们……都要蒙我的召唤，加入到这场圣战之中”。但是，声明其他部分的基调却完全不带宗教色彩，其中指责英国人向柴明达尔摊派了过高的税收，在贸易中排挤印度商人，用英国进口的产品取代印度工匠的产品，在社会公职和军队中垄断“体面的职位和薪酬”。但是，当时与英国并肩战斗并牺牲的士兵们的纪念碑如今仍然屹立在一个俯瞰德里的小山上。它充分显示出最后这些控诉是多么乏人响应。据纪念碑的碑文记载，受伤军官中的 1/3 和受伤的普通士兵中的 82% 都是“当地人”。当德里重新被“英军”掌控时，这些所谓的英军中也大多是印度人。

但是，国内的英国人却坚持将此次兵变视为黑人反抗白人的一次动乱。而且，这不仅仅是印度人杀害英国人的问题，还有按理说非常忠诚的印度兵竟然也屠杀——甚至有传言说——强奸白种女人。目击者提供了许多有关这种暴行的线索。士兵鲍沃特就在他的日记中记录道：

> 不管他们是男是女，也不管他们多么苦苦哀求，不管小孩子们的哭声是多么凄惨，这些兵变者们根本不会中止他们禽兽般的屠杀。屠杀本身就已令人发指，但他们还不满足，他们要在侮辱和伤害了受害者的身体后再将其杀死……我亲眼目睹了一位副官的妻子在被射杀并碎尸之前，被他们用火点着了衣服，这些人已经不能称其为人了。

耸人听闻的暴行传闻到处流传。有人称，在德里，48 名妇女被带上街游行，公开被强奸，随后被处死。一位中尉的妻子甚至被人放在酥油中活生生地炸死。这种骇人的传闻让英国国内比较轻信的人更加坚信，此次兵变是一场黑人与白人、基督徒与异教徒、正义与邪恶之间的较量。如果这场灾难可以被理解为神谴的标志，那么只能说明占领印度不是蒙上帝喜悦的事。

1857 年对福音派来说是“恐怖的一年”。他们向印度人奉上了基督教文明，但没想到，他们不仅被拒绝了，还遭到了蔑视和狠狠的回击。于是，英国人收起了传教的热情，显示出了他们的另一面——更为严厉的一面。在整个国家的各个教堂里，礼拜日布道的主题从救赎变成了复仇。原本对大英帝国并不关心的维多利亚女王也受兵变事件的影响，态度发生了逆转。她号召整个国家用一天来忏悔和祈祷，并称这天为“屈辱日”。在彰显维多利亚宏伟抱负的水晶宫里，25 000 人聚会在此，聆听了卫理公会派牧师查尔斯 · 斯帕吉翁热情洋溢的演讲，这相当于一场圣战的号召：

> 我的朋友们，他们都犯下了怎样的罪孽！……印度政府从来就不应该容忍印度教的存在。如果我的宗教竟然纵容兽行、杀婴和屠杀，我就没有理由去信它，除非我准备被吊死。印度教徒简直是你所能想象的一帮最下流的渣滓。他们所膜拜的神明根本就不值得一丝一毫的尊重。他们的信仰纵容着一切邪恶的东西，必须用道德来加以制止。现在是宝剑出鞘的时候了，我们必须将那些英国臣民清除干净。

当印度军队中仍旧效忠英国的士兵，尤其是廓尔喀和锡克族人被部署到各地镇压兵变时，他们忠实地遵循了这一号召。在坎普尔，陆军准将尼尔在处决被捕的兵变者之前，强迫他们舔去被杀的白人受害者身上的血迹。在白沙瓦，40 个兵变者被绑在炮筒上，炸得粉身碎骨，这是莫卧儿王朝对兵变者的传统惩罚方式。德里的战争尤为激烈，这里的英国军队也同样毫不手软。9 月份德里被攻占后，也陷入了一场肆无忌惮的屠杀和劫掠之中。迈诺丁 · 哈桑汗描述了“英国人是怎样如奔涌的潮水般横扫了整座城市……没有人是安全的。所有肢体健全的男人都被视为叛乱者而遭到射杀”。在这种极其残忍的帝国主义氛围下，德里国王的三个儿子在被威廉 · 霍德森抓到后，被剥光了衣服，射杀而死。霍德森是一位牧师的儿子，他曾向他的兄弟——也是一位牧师——描述了他的行为：

> 我向民众控诉，这些人都是刽子手，他们残忍地侮辱并杀死妇女和儿童，而政府却不将他们绳之以法：我从下属手里拿过一支卡宾枪，一个接一个地把他们枪毙……尸体被搬到城里，暴尸于中央广场……我想将他们吊起来示众，至于这是“他们”的人还是“我们”的人，我已经没有时间考虑了。

正如扎卡里·麦考利的儿子所说，他看到福音派的复仇之火可怕地喷涌而出："有关白沙瓦军事处决的一些骇人的报道……如今却被那些3个星期前还在反对所有严厉惩罚的人津津乐道。"《泰晤士报》甚至要求"所有的树上和尖顶屋两端的山形墙上都挂上形同兵变者尸体的东西。"而英国人的复仇之路也确实是用兵变者的尸体点缀的，他们行军道路两旁的树上，挂着许许多多的尸体。用陆军中尉肯达勒·科格希尔的话来说："我们烧了每一座对我们的逃亡者不友善的村庄，吊死了他们的村民，每根树枝上都吊着这些恶棍的尸体。"在复仇运动的高潮时期，一棵巨大的菩提树上竟然挂了150具尸体，这棵树如今仍然屹立在坎普尔。兵变酿出的确实是一颗苦果。

没人知道有多少人死于这场疯狂的复仇。我们只知道，貌似神圣的战斗孕育出的却是极端的残酷。在勒克瑙解围前夕，一个少年扶着一个颤巍巍的老人走近了城门。

> 少年扑倒在守城军官的脚下请求保护。那位军官……拔出他的左轮手枪，猛地打在这位可怜的恳求者头上……然后他拉动枪栓，但是没打中；他再次开枪，他的枪又一次拒绝工作；第四次——在他放弃了三次反省的机会后——这位豪迈的军官总算成功了，那位少年的鲜血流到了他的脚下。

读这样的故事不禁让人联想起第二次世界大战期间，纳粹军官对待犹太人的暴行。但这两者之间有一个区别。那些目睹这场谋杀的英国士兵们大声斥责这位军官的行为，一开始他们大叫"可耻"，当枪声响起后，他们更是"义愤填膺、大声疾呼"起来。毫无疑问，遇到类似情况，德国士兵很少甚至根本不会公开谴责他们的上司。

原本旨在将印度现代化和基督教化的计划现在完全走上了灾难性的错误道路，以至于激发出了英国人自身的野蛮性。那些实际掌管着印度的人的话被证明是正确的：插手当地的习俗只能给自己带来麻烦。但是，福音派们却拒绝接受这一事实。在他们眼里，兵变爆发的诱因是基督教的传播速度还不够快。早在1857年11月，贝拿勒斯的一位传教士就写道，他感觉"就像一道祝福，应我们在英格兰同胞的热忱祷告而降临到我们身上”：

> 我们并没有丧气失望，相反，我们为了主的事业而重新振作起来，我们完全相信，我们的努力是不会白费的。撒旦会再次被我们击败。撒旦无疑希望通过这次叛乱将福音驱逐出印度；但是基督教历史已经多次证明，他这样做只是为福音更广泛的传播铺平了道路。

伦敦传教士协会在他们1858年的报告中也回应了这种观点：

> 印度兵叛乱事件中所表现出来的背信弃义和血腥行为，已经永远地打破了英国和印度无数人民的幻想和虚假的安全感，而偶像崇拜以及穆罕默德的教义和精神也显示出了它的本质，那种让人在害怕和恐惧中领会的本质……基督教教会的工作在此以前一直受到嘲笑和鄙视，而现在却被称为维持我们财产自由和生命的最佳，也是唯一的办法。

协会决定在接下来的两年中，再派出一支20人的传教士队伍去印度，并拨款5 000英镑作为“路费和装备费用”，另拨6 000英镑作为他们的日常开销。到1858年8月2日，为这一特殊目的建立起来的基金已经募集到捐款12 000英镑。

简而言之，基督教战士仍将一往无前。

利文斯顿的足迹

1857年12月4日，就在坎普尔从印度兵变者手中被夺回后，戴维·利文斯顿在剑桥大学的参议会上作了一次鼓舞人心的演讲。这位曾经在非洲传播基督教的人也明确认为，印度兵变是传教工作做得太少，而非太多的结果：

> 我认为，我们只将贸易带入印度，而羞于传播我们的基督教，是犯了一个大错……文明的两大驱动力——基督教和贸易是密不可分的；英国人应该从印度事务管理因忽略这一原则，而酿成的苦果中吸取教训。

然而，利文斯顿这次却高估自己的影响力了。他的建议和教会团体的热情，在兵变后重建英国对印度统治的过程中被忽略了。1858年11月1日，维多利亚女王发表声明，明确否认英国有“将我们的信念强加于我们的海外臣民之上的权力和意愿”。从此，印度不再受东印度公司统治——东印度公司的时代结束了，而直接由王室派总督管辖。而印度新政府再也不会支持福音派的传教计划了。相反，英国在印度的政策从此都要兼顾，而非反对本土的传统。企图改变印度文化的行为也许有“有合理的理由”，有“正确的原则”，但是，正如英国军官查尔斯·雷克斯所说，兵变暴露了“试图将欧洲的政策强加于亚洲人民的致命错误”。从此，“政治安全”被摆上了最重要的位置：印度被当做一个不会改变，也不能改变的社会来管理；印度政府只有在传教组织接受这些基本前提的情况下，才会容忍他们的存在。到18世纪80年代，英国军官与他们在19世纪20年代的前任军官的观点已经截然相反，他们认为传教工作往轻里说是可笑，往重里说就是搞破坏。

非洲则是另一个问题所在；非洲的未来是利文斯顿在剑桥演讲的重点。在此，他辩称，英国完全可以避免它在印度所犯下的错误，因为非洲的商贸发展就可以与宗教感化同步。他的目标是打通通往巴托卡高原腹地以及临近的巴罗策兰地区的一条道路，以便“文明、贸易和基督教找到传播的途径”；只要攻下了这个桥头堡，整个非洲都将“向商贸和福音……敞开大门”：

> 通过鼓励当地的贸易倾向，我们可以从商业观念的树立中获取无尽的好处；我们也不应该忽略，通过给予这些蒙昧的非洲人以基督教的启示，我们又带给了他们无法估量的祝福……通过与非洲做贸易，我们至少不再依赖于奴隶，从而阻止了每个英国人都极其憎恶的这种行为。

在精心设计，以煽动年轻听众激情的演讲结尾，他总结道：

> 能承担传教责任的人就站在我的面前。我请求大家关注非洲——我知道几年后，我将不能再进入这个国家，现在这个大门是敞开的，不要让它再关上了！我回到非洲是为了替商贸和基督教打开一条通道；你们是否愿意继承我开始的工作，这完全取决于你们！

在印度事件所引发的英国恐慌中，利文斯顿去非洲的号召得到了欢欣鼓舞的响应。将非洲基督教化的愿景吸引了许多人蜂拥加入了一个新的组织——中非大学传教团。其中一位来自牛津的年轻牧师叫做亨利·德温特·布鲁普。他是在出发去非洲的2天前结婚的。谁也没想到，这将是一段悲惨的短暂的婚姻。

1861年2月，亨利·布鲁普的妻子从非洲回到英国，亨利本人却没有一同回来。他与刚刚被任命为主教的查尔斯·弗雷德里克·麦肯齐一起永远地长眠在了马拉维沼泽—布鲁普死于疟疾，麦肯齐死于热病。他们并非唯一的受害者。伦敦传教士协会还曾将雷夫德·霍洛韦·赫尔莫及其助手罗杰·普赖斯派往巴罗策兰，随行的还有他们的妻子和5个孩子。仅仅两个月后，只有普赖斯和两个孩子活了下来。东非和中非迄今散布着几十座传教士的墓碑—那些响应利文斯顿号召的男人、女人和孩子，为此付出了生命的代价。原因很简单。虽然利文斯顿的旅行手册保证说他们将看一个“环境优美的中非高原”，但实际上，巴托卡高原到处是有毒的蚊虫。利文斯顿还建议了另一个合适传教的地方松巴高原（在今天的马拉维），但这里也是同样的情况。当地部落出乎意料地仇视这些外来者。这些地方根本就不适合欧洲人居住。

更糟糕的是，利文斯顿的地理概念有一个根本性的错误。从维多利亚瀑布脚下，顺着赞比亚河一直到印度洋，他遗漏了一个50英里长的地区，以为这里只有一条河那么宽。但这是个再严重不过的错误了。

在剑桥演讲后，利文斯顿的声誉到达巅峰，他也第一次获得了政府对其工作的资助。有了政府拨给的5 000英镑，加上领事的头衔，他开始了前往赞比西河的冒险之旅，主要目的是为了证明该河适于航行，可以用来维持贸易运输。此时，利文斯顿的抱负已经膨胀到了极致。他还自信地告诉阿盖尔公爵和剑桥的地理学教授亚当·西奇维克，这次探险还带有另一个目的：

> 我带了矿业大学一位有经验的矿业地质学家，他能告诉我们这个国家的矿产资源（此人名叫理查德·桑顿）；一位经济作物学家（约翰·柯克博士），他将就所有可进行贸易交易的作物——纤维、树胶、药材，以及染料等作一

次详细的报道；一位艺术家（托马斯·贝恩斯），他可以将那里的风景画下来；一位当地军官（诺曼·贝丁菲尔德司令），他可以告诉我们河流的承载力；还有一位道德推动者，他会敦促我们切实实现这些目标（这可能是指利文斯顿的兄弟查尔斯，后者是美国的一位公理会牧师）。所有这些人当然都是为了我们开发非洲贸易、推动非洲文明这一公开的目的，但我还有一个没有公开的目的，我只说给你听，因为我信任你，这个目的就是，我希望在环境优美的中非高地上建立起一个英国的殖民地。

1858 年 5 月 14 日，利文斯顿怀揣着这些远大抱负来到了赞比西河口。

但现实很快打碎了他的梦想。很快他们发现，这里河道有的地方太窄，根本无法让他们的蒸汽船通过（这条船还是从殖民部借来的）。因此，他们只好换乘一艘小得多的桨轮蒸汽船，但这条船却常常在沙滩上搁浅。直到 11 月份，他们才到达济布拉贝撒湍流，但此时，疾病和纷争却困扰着这个团队。就是在这里，他们发现了利文斯顿计划的所有错误中最致命的一个。利文斯顿在上次探险中是徒步绕过济布拉贝撒湍流的。在这里，赞比西河流入了一条夹于石头岩壁之间的狭窄水道，平静的流水因此变成奔涌的激流，根本无法通过；在那一头它又坠入山涧，形成一条 91.44 米高的瀑布，没有船能够航行。一句话，赞比西河根本不适于通航。至此，以贸易、文明和基督教渗透非洲的计划落空了。

利文斯顿绕着这里奔来跑去，发狂似的企图找到挽救局面的方法。他固执地认为“当河流处于洪水期时，轻型蒸汽船可以毫无困难地通过湍流”。改道希雷河（赞比西河的支流）却让他遇到了更多的湍流和更有威胁性的当地人。他好不容易渡过了希雷湖，到了尼亚萨湖。但此时，他的探险队已经分崩离析了：贝丁菲尔德被迫辞职，桑顿被解雇了（虽然他拒绝离开），贝恩斯因被控在商店内偷窃（虽然后来证明并无此事）而被解雇，工程师乔治·蕾被派回英格兰找一艘新船。1862 年 3 月传来了麦肯齐和亨利·布鲁普的死讯。1 个月后，一直陪伴丈夫的玛丽·利文斯顿也因肝炎去世，她因长期酗酒而形容消瘦。此时，利文斯顿陷入了严重的心理紊乱，常常与身边所剩无几的那些人争吵。柯克就是一直坚定不移地追随利文斯顿的人之一。但是有一次，由于到莫伦巴拉山上去采集标本耽误了上船时间，他不得不拼命追赶新换的那艘探险船（轻便式蒸汽船“尼亚萨兰夫人”号），拼命呼喊让船停下来。上船后，利文斯顿给予他的唯一一句话就是：“这是给你迟到 20 分钟的教训。”柯克事后悲伤地总结说：“利文斯顿博士可以说是‘崩溃’了。”

在英国，舆论开始反对利文斯顿。当收到利文斯顿的来信，建议在希雷高地建立英国殖民地时，首相帕默斯顿勋爵态度生硬地反驳说，他“很不愿意开始新的英国占领计划”，并称“不能允许”利文斯顿“再诱惑我们强行让蒸汽船逆瀑布而上建立殖民地了”。1863 年 7 月 2 日，探险队被正式召回。《泰晤士报》以一篇尖刻的社论引领了公众舆论的谴责：

> 他许诺说，我们会得到棉花、糖和靛，还有野蛮人从不生产的其他产品，可事实却是，我们一无所获。他许诺说，我们能开展贸易，但那里没有贸易。他许诺说，我们能教化当地人，但是那里没有人能被教化。他许诺说，那里的空气有益健康，但是我们一些最好的传教士和他们的妻儿却死在了赞比西河畔弥漫着毒气的沼泽里。

在库鲁曼，利文斯顿的传教任务以失败告终。而现在看来，他的探险任务也以失败告终。

然而，这个有着钢铁般意志的男人并不知道什么叫放弃。尽管赞比西河探险失败了，他仍然保持着东山再起的希望。这里的关键就是回到福音派运动的核心：反奴隶制。在尼亚萨湖畔筋疲力尽地休憩时，这支赞比西河探险队遇到了一些奴隶押送队。利文斯顿又一次因目睹了这种人间痛苦而激发起了斗志。利文斯顿乘坐“尼亚萨兰夫人”航行 4 000 公里，跨越印度洋到达孟买，鉴于他乘坐的不过是一艘 12 米长的浅水河蒸汽船，这次航行本身又成为一次壮举。之后，他回到伦敦，准备加入这场反对“地狱般贸易”的战斗。1866 年 3 月 19 日，他带着一支新的探险队从桑给巴尔岛出发，带着一个老的目标：永远地消灭奴隶制。

利文斯顿的后半生就消磨在这种奇怪的，甚至带着神秘色彩的环中非探险之旅中。有时，他似乎在进行奴隶贸易的调查；有时，又沉迷于寻找尼罗河的真正源头——这始终是维多利亚时代探险家们追寻的圣杯；有时，又毫无目的地跋涉丛林。1871年7月15日，他在尼扬圭镇目睹了一起可怕的屠杀。当时，阿拉伯的奴隶贩子在买鸡时，因在价格上争执不下，拔出枪来不分青红皂白地射杀了400个人。这一经历加深了利文斯顿对奴隶主的反感；但实际上，他在自己的补给用完时，又不得不依赖这些人提供物资和脚夫。他寻找尼罗河源头的工作也无甚斩获。就像他在赞比西河畔找不到新的耶路撒冷一样，尼罗河的源头也躲避着他：他原本认为托勒密和希罗多德所描绘的那个古老的“喷泉”所在地，原来只是一片流入刚果河的危险沼泽。

戴维·利文斯顿死后被葬在威斯敏斯特教堂，他的墓碑与教堂威严的哥特式建筑显得格格不入，墓碑上只刻了一行简单的铭文：“在孤独中，我只能期望天堂的满满祝福能够降临到……帮助这个世界医治这一创伤的所有人身上。”这些话可以说是对下一代的谆谆教诲和希望寄托。所谓的“创伤”，当然指的就是奴隶贸易。利文斯顿早就认为这是中非一切麻烦的根源。

利文斯顿是1873年5月1日凌晨于意大利的班韦乌卢湖畔在失望中与世长辞的，废除奴隶贸易的事业终究未竟。然而，就在1个月后，这个奴隶制创伤真的开始愈合了。同年6月5日，桑给巴尔岛的苏丹与英国签订协议，发誓废除东非的奴隶贸易。①原来的奴隶市场被出售给了中非大学传教团，后者则在奴隶笼舍原址上建立起了一座宏伟的教堂——这可以说是对利文斯顿这位废奴主义者死后功勋的追认。教堂的圣坛就建在过去鞭打奴隶的地方，好让人们记住这里的象征意义。

利文斯顿死后的荣誉还不止于此。在巴托卡高原的云影下，维多利亚瀑布的涛声旁，建起了一座以这位善良医生命名的赞比亚小镇。②由于疟疾和当地人的仇视，自利文斯顿到此地探险之后的几十年内，没有一个基督徒能够来到这里并

---

① 与往常一样，他是在海军的威慑下签字的。海军威胁说，不签字便封锁他的岛屿。

② 虽然附近穆库尼地区的头领肯定地告诉我，利文斯顿镇的名字另有来源，它的意思是，穆库尼的头领是“活着的石头”。

生存下来。但是，在1886~1895年间，非洲的基督教传教士的人数增加了两倍。如今的利文斯顿镇有9万人口，至少有150座教堂，显然成为世界上福音派影响最密集的地方。而这只是如今已经有几百万名基督徒的大陆上的一个小镇而已。实际上，非洲已经比欧洲更加基督教化了。比如，现在尼日利亚的基督徒就比英格兰的人数还多。

为什么在利文斯顿生前似乎一败涂地的项目，在其死后却产生了如此令人刮目相看的长远影响呢？为什么最终在非洲辽阔的大地上成功立足的理念在印度却惨遭抛弃呢？其中一个原因显然是以奎宁为主要原料的一些有效的疟疾预防药的诞生。这让传教士的旅行不再像19世纪初叶那样险恶了；19世纪末，“深入腹地”的传教士已经多达12 000人，代表了360多个不同的协会和团体。

但另一半原因还得归功于大英帝国所召开的一次著名的会议。

亨利·莫顿·斯丹利是威尔士一位家庭主妇的私生子，生得一表人才，是一个野心勃勃、肆无忌惮、好战的美国记者。除了有一副健壮的身子骨和同样坚强的意志，他与戴维·利文斯顿几乎没有任何相似之处。在美国内战期间，他就曾变节和叛逃，战后，他通过贿赂电报文员，从而比其他记者先行得到英国–阿比西尼亚战争[①]报道的伎俩，赢得了王牌记者的声誉。当《纽约先驱论坛报》的编辑雇用他寻找利文斯顿时，他敏锐地察觉到这是一个炒作的好题材。当时，利文斯顿已经失踪多月，因为他启程沿露乌玛河向坦噶尼喀湖发起了又一次探险之旅。

1871年11月3日，在搜寻了10个月后（期间因卷入阿拉伯和非洲人的摩擦而耽搁了些时间），斯丹利终于在坦噶尼喀湖北岸的乌吉吉找到了利文斯顿。他对这一会面的记录显示，这个光荣的时刻几乎让他兴奋得难以自制：

> 我真想做出一些疯狂的友好之举，如果没人看见，我可能会用一种癫狂的方式来释放我的喜悦，比如像白痴一样咬自己的手指，翻筋斗，或者抽打树干，这样才能让我那难以抑制的兴奋之情稍稍平息。我的心跳得厉害，但是我却尽量不动声色，以免让人看到一个白人在这样的特殊情况下也会失态。

---

① 参见第四章。

所以，我采取了我认为最体面的做法。我推开这群围成半圆的阿拉伯人，从他们中间穿了过去，走到他们前面，那里站着一位灰白胡子的白人老者。我向他慢慢走过去时，我注意到他脸色苍白，满面倦容，胡子灰白，戴着一顶蓝色帽子，上面绕着一条褪了色的金色飘带，身穿一件马甲，露出红色的衣袖，套一条灰色斜纹的长裤。我本可以朝他奔过去，但是在这么多人面前，我胆怯了；我本可以拥抱他，但是考虑到他是一个英国人，我不知道他会作何反应；我的怯懦和虚伪的骄傲所能允许我作出的最好反应就是——我小心地朝他走过去，脱下帽子，说道："请问您是利文斯顿先生吗？"

这个美国人将英国式的含蓄谨慎表现到了极致。

斯丹利的故事传出后，几乎占据了英文世界各大报纸杂志的头版头条。这不仅仅是个炒作的题材，也是两代人之间具有象征意义的会面——一个是幻想改造非洲人道德状况的福音派一代，一个是追求更为世俗目标的精明的新一代。斯丹利是个愤世嫉俗的人，虽然他很快就意识到这个任性老头的错误，但他还是被这次会面感动和鼓舞了。确实，他将自己视为利文斯顿的继承人，就好像在乌吉吉的会面意味着神挑选了他。他后来写道，"如果上帝愿意"，他将成为"为地理科学献身的下一代烈士，或者将尽其一生……逆流而上……寻找……这条伟大的河流（尼罗河）的秘密"。在后来利文斯顿的葬礼上，斯丹利是 8 名护柩者之一。他在当时的日记中写道："希望我能被挑选，继承他的事业，打开非洲大门，让基督教的光辉照耀这里。"但是，他也意味深长地加了一句："我的方法将与利文斯顿不同。每个人都有自己的方式。他的方式，我认为存在缺陷，虽然就这位老人个人来说，他的善良、耐心……以及自我牺牲精神，都让他如基督般神圣。"

但是亨利 · 斯丹利带到非洲的却不是善良、耐心，以及自我牺牲精神。当他带领一支探险队从刚果河而上时，带的是温切斯特来复枪和狩象枪。每当遇到不合作的当地人，他就会毫不犹豫地开枪。甚至在他的船上看到有人晃动长矛，他也会立马摸枪。"六枪死了四个，"在一次冲突中，他满意而冷酷的记录道："这足以让嘲笑我的人闭嘴了。"1878 年前，斯丹利在比利时国王利奥波德二世手下效力，为他在刚果的国际非洲人协会建立一个私人殖民地。具有讽刺意味的是，比属刚果很快因成为绞杀奴隶的机器而臭名昭著，如果利文斯顿知道，恐怕也要惊骇不已。

利文斯顿相信的是福音的力量，斯丹利却只相信暴力。利文斯顿惊诧于奴隶制的残酷；斯丹利却努力恢复奴隶制。最重要的是，利文斯顿向来不关注政治操控；而斯丹利却希望看到非洲被列强瓜分。因此，自 1873 年利文斯顿去世到 1904 年斯丹利去世期间，1/3 的非洲被大英帝国吞并；其余则被一小撮其他欧洲列强占领。也就是在这样的政治统治背景下，我们才能理解为什么撒哈拉以南非洲地区的许多人皈依了基督教的原因。

正如利文斯顿所希望的，商业、文明和基督教终将传播到非洲，但最终，它们是在这片土地被“征服”后才得以扎下根来。

EMPIRE
HOW BRITAIN MADE
THE MODERN WORLD

第四章

天之骄子

吉卜林

无论发生什么事，一个人都应该坚守自己的等级、种族和血统。让白人进入白人的圈子，黑人进入黑人的圈子。

加尔各答市中心的维多利亚纪念堂是英国人为了与泰姬陵遥相呼应而建的，希望它永远展示出帝国的恢宏和威严，让他们所统治的那些人敬畏。但如今，维多利亚女王的塑像疲惫地凝望着广场，看上去更像是英国统治转瞬即逝的象征。纪念馆虽然宏伟，但在那些栖息于这个空气污浊的都市每一个角落里的无数孟加拉人的包围之中，它就像一座白色的孤岛。让人惊异的是，近两个世纪来，不仅孟加拉，甚至整个印度都臣服于几千名英国人的统治之下。正如有些人所说，印度政府是“一个巨大的机器，管理着世界 1/5 的居民的公共事务，既不需要他们同意，也不需要他们帮助。”

英国人还利用印度人来控制整个地球，从马耳他一直到香港。这是维多利亚中期整个大英帝国赖以支撑的基础。

然而，在辉煌的表象下，如何统治仍是大英帝国最核心的难题。900 名英国文员和 70 000 名英国士兵如何能管理 2.5 亿名印度人呢？

维多利亚时代的英国人是怎么做到的？

远距离战斗

维多利亚时代大英帝国的最高统治者便是女王本人：兢兢业业、富有主见、外表冷漠内心热情，她不知疲倦地生养，也出人意料地长寿。像金雀花王朝后期的国王一样，维多利亚女王也特别喜欢逍遥自在。她不爱待在白金汉宫，而更偏爱温莎，喜欢偏远而多雨的巴尔莫勒尔。不过她最钟情的地方恐怕还是怀特岛上的奥斯本宫。那是在她心爱的丈夫（也是其表兄）阿尔伯特的怂恿下买下并翻修的，这也是这对夫妇难得可以独处并亲昵的少数私密空间之一，在大多数情况下，他们是没有私人空间的。女王自己也说："有一个属于自己的地方是多么温馨—宁静幽远……不可能再有比这更美丽的地方了，我们还有一个完全属于自己的美丽海滩—我们想走到哪儿就走到哪儿，没有人跟随，也不会被人团团围住。"

奥斯本宫是按照文艺复兴时期的建筑风格建造的，是19世纪建筑史上的典型代表。无论从比喻意义还是实际意义上说，它都离维多利亚所统治的这个大英帝国都有着几千公里之遥。另一方面，它并不是一味仿古。主楼梯上富丽堂皇的故事壁画乍一看像是意大利风格的仿画，但仔细欣赏便能意识到，上面画的是"大不列颠"在"工业"、"商业"和"航运"的簇拥下，从海神手中接过代表海上王权的皇冠。这充分显示了这对王室夫妇非常了解英国的经济势力与其全球统治之间的关系。

从18世纪末开始，英国就作为新技术先驱超越了它的对手。英国的工程师是工业革命的先锋，这场革命借助蒸汽和钢铁的力量改变了世界经济和国际力量的平衡。没有比站在奥斯本宫远眺对面的索伦特更能展示这点的了。奥斯本宫的另一边则能清楚地看到英国在朴次茅斯的主要海军基地，这个当时世界最大的海军基地壮观地彰显出英国的海军力量。有雾的天气里，女王会与丈夫漫步走过奥斯本风景如画的花园，看着她的海军船只在海上来往穿梭。到1860年，无须多想，女王就能认出维多利亚中期国家势力的最高标志了，那就是"勇士"号，一艘以5英寸的装甲板保护的"铁甲"蒸汽船，配备了最先进的后膛炮和加农炮。"勇士"号是当时世界上最厉害的战舰，甚至没有一艘敌船敢向它开火。而它不过是英国

240 艘战船（船员共计 40 000 人）中的一艘——英国皇家海军无愧是世界上最强大的海军。得益于英国造船厂无可匹敌的产能，英国的商船吨位约占世界商船吨位的 1/3。历史上，从来没有一个国家能像 19 世纪中叶的英国一样完全主宰着世界的海洋。维多利亚女王有理由相信，她在海边是足够安全的。

如果英国希望废除奴隶制，只要派出海军就可以了。到 1840 年，至少有 425 艘奴隶运输船在西非海岸遭到了英国皇家海军的拦截，并被护送到塞拉利昂，所有这些奴隶贩子都遭受了惩罚。参与执行这项国际法令的战舰总共有 30 多艘。如果英国希望巴西人效仿自己废除奴隶制，它们也只需直接派出一艘炮舰就可以了。帕默斯顿勋爵在 1848 年就是这么做的；1850 年 9 月，巴西已经通过了一项废除奴隶贸易的方案。如果英国人强迫中国人向英国开放贸易港口——不仅仅是方便印度出口鸦片——他们也可以派出海军。1841 年和 1856 年的鸦片战争显然不仅仅关乎鸦片。《伦敦新闻画报》就将 1841 年的战争描述为向又一个蒙昧的东方专制国家带来自由贸易之益处的正义之战；为结束冲突而签订的《南京条约》则并未明确提到鸦片。同样，发动第二次鸦片战争（有时被称为亚罗战争，以挑起战争的那艘战船的名字命名）的原因部分是为了维护英国的声誉；就好像 1850 年希腊岛被封锁的原因，是一位出生于直布罗陀的犹太人声称，作为英国的海外臣民，他的权利受到了希腊政府的侵犯。但是，我们很难相信，1821 年后就被中国政府禁止的鸦片出口如果不是对印度的英国统治政府的财政那么重要的话，这场鸦片战争还能打得起来。[①]1841 年战争的结果是中国割让了香港，而英国从中获得的唯一真正好处是，为诸如怡和集团等公司的鸦片走私提供了基地。维多利亚时代价值体系的荒诞之处可见一斑，担负着废除奴隶制使命海军的同时，却又在积极地扩张毒品贸易。

反奴战争和鸦片战争也有共同之处，那就是，它们都是英国海军霸权的结果。一开始，英国海军部确实对蒸汽技术的发展感到震惊，认为它将“对大英帝国的

① 19 世纪上半叶，东印度公司从其鸦片垄断贸易中所获的收益差不多与它上缴伦敦政府，以支付巨额债务利息的资金相抵（参见下图），这一事实确实让人吃惊。鸦片贸易对印度的国际收支来说也相当重要。

海军优势给予致命的打击”。但是很快他们认识到，要与法国并驾齐驱，就必须采用新技术。（英国制造“勇士”号的主要原因之一，就是法国的战舰“光荣”号在1858年试航。）蒸汽技术非但没有削弱大英帝国，反而增强了它的实力。在帆船时代，跨越大西洋需要4~6周，而19世纪30年代中期，远洋蒸汽船的出现让这个旅程缩短到了2周，进而在19世纪80年代又缩短到10天。在19世纪50~90年代，从英格兰到开普敦的航程从42天缩短到了19天。蒸汽船越来越大，速度也越来越快，同时，船的平均总吨位也翻了一番。①

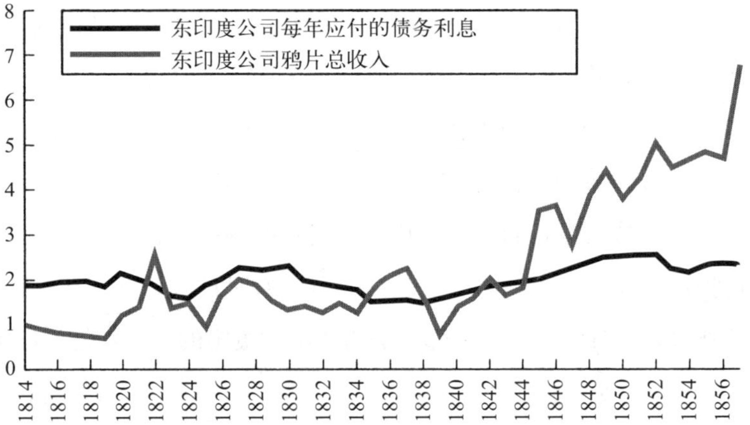

债务与毒品：东印度公司的利息支出与鸦片收入，1814~1856年（单位：百万英镑）。

这还不是促进大英帝国各部分之间加强联系的唯一要素。在统治初期（实际上就是到印度兵变之前），维多利亚女王对欧洲之外的外贸交易兴趣不大。但是，兵变突然唤醒了她的帝国意识和责任，而且，越到她的统治后期，她对海外贸易就越感兴趣。1879年12月，她记录了“与比肯斯费尔德勋爵的一次茶后长谈，谈的是印度和阿富汗，以及成为这些国家的主人，并牢牢控制这些国家的必要性……”1880年7月，她“极力敦促政府尽全力维护大英帝国的安全与荣誉”。“保

① 从伦敦到大英帝国的航行不仅时间缩短了，成本也降低了。1830~1880年期间，从纽约运输一蒲式耳的小麦到利物浦的成本减少了1/2，1880~1914年期间又减少了1/2。1830年，铁块的运输成本比生产总成本少不了多少，到1910年，前者已经不到后者的1/5了。

护可怜的当地人，并推动文明的进程。”她在1884年对德比勋爵说道，这些在她看来就是“大不列颠的使命”。1898年，她也曾轻描淡写地说道：“我认为重要的是我们不能让世界人民最终认为，除了我们自己，我们不会让其他任何人拥有任何东西……”在奥斯本宫一个不起眼的角落里，我们可以发现一个线索，它告诉我们为什么女王年纪越大，越感觉到与帝国的关系更加密切的原因。1902年，当这座行宫被交还国家时，人们曾一度认为这个线索并不值得保存，那就是楼下边房内女王的电报室。到19世纪70年代，印度的消息已经能够在几个小时内传达到英国；而女王则会仔细地阅读这些电报。这充分显示了维多利亚统治下的世界发生了怎样的变化。世界缩小了——这在很大程度上，是因为英国技术的发展。

电报是英国海军部试图忽略的另一个发明。1816年，电报的最早发明者弗朗西斯·罗纳尔兹在告知海军部他的初步想法时，却被海军部回绝。结果又是私营企业而非军队开发了19世纪的信息高速公路，它们最初都是依托早期铁路的基础设施构架的。到19世纪40年代末，人们已能清楚地预见电报将革命性地改变陆上信息传播方式；到19世纪50年代，印度的基础设施已经足够先进，电报因此在镇压兵变的过程中起了决定性的作用。①但是，从帝国统治的角度看，最重要的是建立持久耐用的海底电缆。值得注意的是，大英帝国的一种产品——产于马来岛的一种像橡皮一样的物质，被称为马来乳胶——解决了这一问题。1851年，第一条跨英吉利海峡的海底电缆铺设成功，15年后，第一根跨大西洋的海底电缆建成。当英美电报公司的电缆终于在1866年7月27日到达美洲海岸，并由伊桑巴德·金德姆·布鲁内尔的“大东方”号巨型轮船沿着海底大陆架铺设完毕时，一个新的时代就此拉开序幕。电缆从爱尔兰一直通到纽芬兰岛，这充分显示了哪个国家将当仁不让地主宰这个电报时代。从印度到欧洲的电报线已经在多年前由印度政府建设完毕，这也切实表明这个国家的统治者（尽管秉持不干涉原则）决意要主宰这个时代。②到1880年，世界跨海电缆总长约156 105公里，将英国与印度、加拿大、澳大利亚、非洲和澳大利亚连接了起来。现在，从孟买到伦敦的消

① 一位兵变者在行刑路上将电报描述成“将我勒死的那条该死的电线”。

② 虽然英国的国内电报网被国有化了，但海外网络的构架和运营都是由私营企业负责的。

息可以以一个词4先令的成本隔日抵达。[①]用查尔斯·布赖特，一位新技术信徒的话来说，电报就是“世界的电力神经系统”。

电报线和蒸汽船航线是当年最重要的三个网络之中的两个，在它们的共同作用下，世界缩小了，控制更容易了。这第三个网络就是铁路网。不用说，英国人又一次感受到了自由市场的局限。因此，1826年后，英国国内的铁路网开始建造，其间政府很少插手。但英国人在大英帝国的铁路网建造虽然也是由私营企业承担的，却得到了政府的慷慨补贴，这有效地确保了政府能从这些工程中获取利润。印度的第一条铁路线连接了孟买和塔尼，全长33公里，1853年正式开通；其后不到5年的时间内，印度铺设的铁路总长达38 400公里。相隔不过一代人，印度的经济和社会生活却因铁路发生了巨变：由于三等舱车票只要7安那，几百万名印度人第一次圆了长途旅行之梦。火车“让朋友得以相会，让苦苦思念的人得以团聚”。当时一些人还预言，由此将掀起一场文化上的革命，因为“一小时48公里的速度将会对异教徒落后的神灵带来致命的打击”。当然，印度火车的开通也给英国的火车头制造商带来了一个巨大的市场，因为在这里成千上万的机车中，大部分是英国制造的。但铁路网的建设从一开始就是带有战略和经济目的的。勒克瑙的主火车站被设计成一座宏伟的哥特式堡垒的外观，这可不是出于英国股东的慷慨。

正如当时大英帝国一位知名的评论家所言，维多利亚时代在全球通讯方面的革命“消除了距离”的阻隔。同时这也让远程歼灭战成为可能。在战争年代，距离是一个必须克服的问题，原因很简单，英国的主要兵源如今都在世界的另一边。

长期以来，英国本土的常驻军队规模相对较小。在欧洲，国防事务都是皇家海军承担的：该国庞大的海军舰队的1/3人员常年驻扎在本国领海或者地中海地区。英国的进攻性军事力量则大部分放在了印度。即使兵变后，这点也并未有所改变。当然，1857年之后，当地人军队的数量减少了，而英军数量增加了约1/3。但是出于经费考虑，英国能派驻印度的军人数量毕竟有限。1863年据一个皇家委

① 致外国或者殖民部的信息得从东部电报公司在各城市的办事处经由伦敦发出；随后，还要像所有传统的书面信函一样经过同样的登记流程。

员会的报告，1800~1836 年，普通士兵（招募的士兵）的死亡率是 69%，而英国同年龄段平民的死亡率只有 10%。另外，驻印军队的得病率也更高。这个委员会以典型的维多利亚式的精确方式计算出，对一支有 7 万人的英国军队来说，每年死亡的人数是 4 830，另有 5 880 人因疾病失去战斗力而住院。由于招募一名士兵并将其派驻印度的成本是 100 英镑，因此，英国每年的损失超过 100 万英镑。鉴于同样规模的一支军队如果驻扎在欧洲，成本是 20 万英镑左右，那么这多出的 80 万英镑被视为在热带服兵役的额外费用。这其实是以一种非常委婉的方式说明不应该再将英国军人派到印度去死亡和患病了。最后的结论是，如果驻印军队要维持军事实力，就还得启用印度兵。

结果，到 1881 年，驻印军队中，英军有 69 647 人，当地人有 125 000 人，而在英国国内，英国军人和爱尔兰军人分别为 65 809 人和 25 353 人。作为大英帝国所有军力中的一部分，驻印军队所占比例超过一半（62%）。索尔兹伯里勋爵就曾尖刻地将印度描述为“东方海域中的一个英国军营，它可以为我们提供任何数量的军队，而不用我们花一分钱”。他和其他英国首相们也确实常常这么做。在 1914 年前的半个世纪里，印度军队参与了大英帝国发起的从中国到乌干达的十几次战役。自由党政治家 W · E · 帕斯特在 1878 年也抱怨政府不是依赖于“人民的爱国主义和精神”，而是热衷于驱使“廓尔喀人、锡克人和穆斯林人为我们战斗”。那时，甚至有人以此为主题编了一首歌：

我们可不想打什么仗，
可是，哎哟，如果我们要打仗，
我们不会自己上前线，
我们会派出温和的印度人。

与维多利亚时代中期的大英帝国的几乎任何一个组成部分一样，驻印军队也要依靠技术：不仅仅是制造来复枪的技术，还有绘制地图的技术。我们不应该忘记，在帮助英国统治世界的技术中，与电报同样重要的是经纬仪。

早在 18 世纪 70 年代，东印度公司就意识到了绘图的战略重要性，因为在 18

世纪末和19世纪初的盎格鲁–印度战争中，拥有更精确地图的一方总是占据关键优势。正是出于这个原因，英国地形测量局也绘制了英伦诸岛的地图。1800年，大三角测量站在印度成立，领导人是勇敢的地图绘制家威廉·兰布顿，从1818年开始，又由乔治·埃佛斯特继任领导者。他们常常在夜间工作，以防灼热的日光影响经纬仪的测量数据，就这样，他们绘制出了第一张权威的印度地图—以2.54厘米代表6.4公里的比例，完美地融给了地理、地质和生态等方面的广泛信息。

知识就是信息，知道所需要的东西在哪里则是政府所要的基本信息。当大三角测量站推进到喜马拉雅山时，他们所收集的信息此时有了新的意义。英属印度的疆界要到哪里才结束呢？我们很容易忘记，印度在鼎盛时期的版图远远大于当今的印度，包括现在的巴基斯坦、孟加拉国、缅甸，更别提波斯南部和尼泊尔了，阿富汗也曾差一点被纳入印度版图。而在印度多山北部地区的另一边，则盘踞着另一个同样野心勃勃的欧洲帝国，那就是俄国。19世纪，俄国在陆上的扩张速度与英国在海上的扩张速度不分上下——向南到高加索山脉，沿途经过切尔克斯、佐治亚、埃里温和阿塞拜疆；向东从里海，沿着丝绸之路，穿过布哈拉、撒马尔罕、塔什干，最远到达浩罕和帕米尔山区的安集延。那里，不足32公里的地方，就有狮子和狗熊（就像欧洲风格的卡通画中常见的那样）虎视眈眈地看着对方，是世界上最不适宜居住的地区之一。

从1879年英国第二次试图侵略和控制阿富汗，到1919年第三次作此企图期间，英国和俄国在西北前线展开了世界上第一次冷战。在这次冷战中，间谍就是那些测绘人员，因为谁能够正确绘制前线地形，谁就有了占领该地的良机。大三角测量站自然无可推脱地承担起了这项间谍任务，早期的一位英国前线测绘人员称此为“伟大的游戏”。有时这看起来确实像在游戏。英国的测绘员要打扮成和尚，深入克什米尔和开伯尔山口之外的未知区域，利用念珠来测绘两地之间的距离（一颗念珠代表100步），并将他们偷偷绘制的地图藏入转经轮中。[①]但这是一

① 这场浪漫游戏中的英雄就是诸如基尚·辛格和萨拉·钱德拉·达什等梵学家，也是吉卜林小说《基姆》中“赫里·琼德尔·莫克吉”的原型。

个在异邦进行的死亡游戏，唯一的规则就是无情的普什图人或者“帕坦人”的荣誉规则：友好对待陌生人，但一旦他出现越界行为，那么所有与他沾亲带故的人就将遭到致命的、无休止的仇杀。

英国人从来未在西北前线放松过警惕，但这里并非英属印度的边界。维多利亚时代技术的发展，最终让大英帝国的统治延伸到了印度洋的对岸。

1866 年，大英帝国遭遇了一次远程的人质绑架案，这让它的通讯系统接受了一次极限考验。当时，一群居住在东非阿比西尼亚（埃塞俄比亚旧称）的英国人被该国的皇帝狄奥多尔二世（又称特沃弗洛斯二世）囚禁，因为后者认为，英国人对他的政权（非洲唯一的一个基督教君主国）未能表示出足够的尊重。狄奥多尔曾致信要求得到英国的认可。当英国殖民部拒绝回应后，他逮捕了他能抓到的所有欧洲人，并将他们送往抹大拉偏远的山区要塞。英国派去了一支外交使团前往协商，但这些人也被监禁了起来。

有一个大家都清楚但并未说破的事实，那就是没有人在这样对待维多利亚女王的臣民后还能逃脱惩罚。但是，要从黑暗的埃塞俄比亚救出这么一群人质可不是一项小行动，为此他们派出了一支特殊团队，如果是今天，我们得称他们为快速反应部队。最有意思的事情是，这支部队的成员都不是英国人。阿比西尼亚将切身感受到英属印度的强大军力了。

如果没有全球电报网和蒸汽船的航行网，英国人不可能作出反应。在征求了内阁和王室的意见后，英国首相德比勋爵作出了派军队解救人质的决定。当女王在 1867 年 4 月发出敦促释放人质的通牒未得到回应后，政府别无选择，只能靠“武力”解救人质。自然，这么大的一个决定必定要牵涉到英国所有重要的部门：外交部、战争部、海军部，以及财务部，因此得一一征求这些部门的意见。而要执行这项命令，就必须将这条命令从伦敦的印度事务国务卿那里传递给几千公里之外的孟买总督府的总督，因为行动部队是从那里派出的。以前传达这样一个命令需要几个月的时间，而如今只要发一份电报就到了。

受命组织这一远征的是中将罗伯特 · 内皮尔爵士——一位古板严厉、一丝不苟的人，也是一位军事机械天才。众所周知的是，他从女王那里接到了一份煽动性的命令："你要打破枷锁"，后来内皮尔便将这份命令的印度语"Tu vincula frange"作为他的座右铭。但私下里，内皮尔对他的任务却抱有职业军人悲观的现实主义态度。他在1867年7月25日致信剑桥公爵说，现在能够希望的最好情况是：

外交使团能够不惜任何重金将这些被囚禁的人保释出来，因为远征是一件极其费钱和麻烦的事；即便没有交战，光是天气和意外就会导致10倍于人质的士兵伤亡。当然，如果那些可怜人被杀死，或者一直被扣押着，我想我们仍必须采取行动。

也许他早就料到执行这项任务的重任将落到他的身上——当然，还有驻印军队的身上。8月13日，内皮尔提出了他的预计军需方案："4个团的当地骑兵，一个中队的英国骑兵，10个团的当地步兵……4门野战炮和骑乘炮；一辆山地火车；13.75厘米口径的迫击炮6门……如果可能的话，其中两门炮换成20厘米口径的；还有一支3 000人左右的苦力团，帮助装卸和运输。"2天后，他接到了远征命令。11月，议会已就必要的资金进行了表决（早年迪斯雷利曾对此进行了回忆，他曾试图利用这一事件帮自己拉一些选票）。国务卿斯塔福德·诺思科特爵士告诉印度总督："如果罗伯特·内皮尔再要求更多的援军组织和装备，那么与此有关的所有费用应该由印度政府承担。"诺思科特还提醒总督说，内皮尔远征队中的"当地人"部分按惯例，还是应该由印度政府来"维护"——换句话说，也就是支付费用。

几个月内，远征军就从孟买起航，向红海沿岸的马萨瓦进发了。这支小舰队中，有13 000名英国和印度军人，26 000名随军者，还有大量的牲口：13 000头骡子和马，同样数量的绵羊，7 000头骆驼、7 000头小公牛，以及1 000头驴子，外加44头大象。内皮尔还带了一个活动码头，配备了灯塔和铁路系统。这是一个伟大的物流奇迹——将印度的肌肉和英国的技术完美地结合在了一起。

阿比西尼亚皇帝想当然地认为，没有人可以穿越海岸和马格拉达之间640公里炎热而崎岖的山区，他根本没有把内皮尔放在眼里。而内皮尔缓慢地推进着他的部队行进到了目的地，身后残酷地留下了几千具活活脱水而死的动物尸体。历经3个月漫长的跋涉后，他们终于到达了要塞脚下。结束行军让他们都松了一口气，接下来就是准备最后的决斗了。就在一个雷雨交加的天气，伴随着军乐队演奏的“加里·欧文”，西骑部队和黑衣卫士团向山上发起了猛攻。在两个小时的激战中，内皮尔的军队打死狄奥多尔的手下700人，打伤1 200人。为了不落入敌手，皇帝本人自杀。而英国士兵只有20人受伤，无人死亡。远征军中有人兴奋地记录道：“鲜艳的团旗迎风飘扬，潮水般的头盔满山涌动，胜利的欢呼响彻云霄。捷报从山上一路频传，在高原上传播了3公里远……整个山谷回荡着呼声‘上帝拯救女王’。”

内皮尔的胜利展示了维多利亚中期典型的外科手术式打击：当时被称为“闪电屠杀”行动。在军事部署、军备和纪律上的显著优势使得英军以最小的代价推翻了一个皇帝。内皮尔以胜利者的姿态满载而归，不仅带回了那些获救的人质，还带回了他和他的部下所能找到的所有战利品——其中最重要的是1 000卷古代阿比西尼亚的基督教手抄本以及皇帝的项链，让迪斯雷利开心不已。同样，笑逐颜开的女王也毫不犹豫地授予内皮尔贵族地位，当然也少不了为他塑造一座雕像，如今，内皮尔骑马扬鞭的雕像仍屹立在巴勒克波尔的老总督府花园里。

由于印度军队可以被成功地部署到远至埃塞俄比亚的地方，因此舆论逐渐认为，印度自1857年兵变后已经开始改变。就在内皮尔远征前的10年，英国在印度的统治已经被兵变摧毁到只剩一个基座了。但是，英国人却决定从这个惨痛的经历中吸取教训。在兵变之后，他们改变了统治印度的方法。东印度公司最终瓦解了，结束了由一家公司统治一个次大陆的不正常现象。当然，有些改变不过是换汤不换药的事情。印度最高统治者的头衔由Governor-General（总督）改成了Viceroy（仍为总督），他的6人顾问内阁的结构也并未发生多大变化。从理论上说，最终权力应该掌握在伦敦的印度事务国务卿手中，后者有一个印度事务理事会来辅佐（实际上就是老的董事会和控制局的合并）。但是，当时人们已经普遍认为“总体说来，印度政府就必须在印度境内开展工作”。1858年11月女王发表声明，就政府的管理方式向她的印度臣民做了两点保证。第一个我们已经知道了，英国将不再干涉印度的传统宗教文化，这实际上也默认了印度兵变的主要原因。

但声明也指出“就所有职位的任命而言，欧洲人和当地人享有完全的平等原则”。这对未来局势的演变产生了深远影响。

当然，印度仍处于独裁统治中，女王那几百万印度臣民在议会中没有一个代表。正如后期的一位印度总督所言，印度“实际上是靠印度事务国务卿和印度总督之间的密件往来统治的”。另外，声明除了作出抚慰性的保证，也采取了从本质上说更有针对性的实际措施。勒克瑙事件揭示出英国在基层的统治被如何剧烈地颠覆了。即使在兵变事件平息后，也至少有一个人已经清醒地意识到，只有做最彻底的改变才能防止1857年的覆辙重蹈，此人是孟加拉工程师部队的一位准将。他在“勒克瑙军事占领备忘录”中写道：“勒克瑙地域广阔，一望无垠，地表形态单一，没有一支庞大的军队是很难控制这个地方的。”这位工程师的名字就是罗伯特·内皮尔，正是后来在玛格达拉领导英军大获全胜的那位，他以同样的方法精神为勒克瑙问题设计了解决方案：

> 如果能建立足够多的军事据点，那么这一困难就能迎刃而解……拓宽城中的街道……军队就能向任何一个方向快速挺进……所有城郊的覆盖物……如果阻碍了军队的自由行进……就必须被清除……至于建立（新的）街道……当然是绝对必要的……那些私人财产因此受损的人无疑会陷入困境，但是整个群体受益了，受损的个体也能得到补偿。

根据这一方案，首先，城中的人口遭到了驱逐；随后，建筑物被强行拆除。当内皮尔完成这一任务时，老城区里2/5的房子被拆除，火上浇油的是，他们将一些主要的清真寺也改成了军营。而所有这些工作的开支都是由当地居民承担的，后者只有在付清税负之后才能回到城中。

在印度所有的大城市中，主要驻军现在都被部署在楼房密集区之外的兵站中，这样，士兵们可以在很短的时间内出兵镇压任何对抗英国统治的挑战。在兵站里，每个军官都单独住一个带花园的平房——面积根据军衔高低而不同，另外还有仆人房间和马房。英国军队住的都是砖砌营房，相隔都不远，而当地人的军队则在较远的地方安营扎寨，住的都是自己盖的茅草房。甚至勒克瑙的火车站设计也考虑到了这种传统秩序，车站建筑从结构上看就像一个要塞，长长的站台也是为了便于军队乘火车过来后快速集结而特地设计的。而在火车站外，内皮尔打造的宽阔道路确保了英军的火力可以畅通无阻。人们常说，维多利亚时代的英国没有什么可以与拿破仑三世时期对巴黎进行的奥斯曼式大规模城市改造相媲美。但实际上，勒克瑙的改造已经与之很接近了。

内皮尔对勒克瑙的改造，反映出英国在印度统治的一个不可否认的基本事实。那就是，这个统治的基础就是武力。这里的军队不仅担负着大英帝国的战略驻防责任，还要确保这个亚洲火药桶的内部稳定。

但是，英属印度也不仅仅是靠铁拳统治的。像内皮尔那样黩武之人也要承担官僚管理职责：用文职管理体制来实际统治印度。这包括裁决和处理没完没了的当地危机：从断桥引发的小争执，到全面爆发的饥荒。虽然这是份吃力不讨好，有时甚至令人头痛的工作，但是做这些工作的精英们却感到莫大的荣誉，就像他们的绰号所示，他们都是“天之骄子”。

远离印度平原

每年3月底，印度平原便变得无比炎热，这种天气延续到季风雨结束，直至9月末：

> 每家每户都门窗紧闭，因为外面的空气如同火炉燃烧一般。室内温度表显示的温度很高，弥漫着煤油灯的难闻气味；这个气味再混合着当地烟草、烤砖，以及干土的气息，让许多强壮的男人都倒下了，因为在这6个月中，印度变成了一个大蒸笼，它的气味简直让人难以忍受。

在有空调之前，印度的夏天对欧洲人来说就是一个“大蒸笼”，怎样让伺候的仆人摇蒲扇都无济于事。英国人一边出汗，一边诅咒，恨不得插翅逃离印度平原这榨干人精气的炎热。他们怎么才能在统治这块次大陆的同时，不用每年都忍受炎热的折磨呢？答案在喜马拉雅山脚下找到了，在那里，仲夏的天气还算过得去，有点像“老家”的气候。

常年在印度遭受日晒的英国人找到了好几个海拔颇高的避暑胜地—东边有大吉岭，南边有乌塔卡蒙德—但是，最特别的还是一个堪比“桃花源”的山区驻地。如果你坐火车从德里向北行进，盘山而上，到达今天的喜马偕尔邦，你无疑就是在沿着几代英国军人和行政管理人员（更别提他们的妻子和情人）所走过的那条路前进。有些英国人去那里是为了休假，有些是为了散步，或者是为了聚会，或幽会。但大多数人去那里，是因为每年的7个月时间里，那里实际就是印度政府的所在地。

西姆拉海拔21 336米，距加尔各答1 600公里。在1903年以前，也就是加尔加到西姆拉的铁路建成之前，到那里的唯一方法就是骑马上山，或者坐在轿子里被抬上山。洪水季节就要用到大象了。对现代旅游者来说，西姆拉比看上去还远。那里的山景美轮美奂，巨松参天、空气清凉，加上偶尔云雾缭绕，让这里看上去更像是一片高原而不是喜马拉雅山区。这里甚至还有一个哥特式的苏格兰教堂和一座华美的剧院。这不奇怪，因为开辟这块胜地的人是一位苏格兰人，名叫查尔斯·普拉特·肯尼迪，1822年，他就在山顶上建了第一座房子。维多利亚时代的英国人以一种浪漫情怀将苏格兰人建设的这片山头诗化了，他们将西姆拉视为世外桃源。早期一位游客兴奋地说，山间的空气“似乎将乙醚注入了我的血管，因为我感觉到了一种一头冲向幽深峡谷，或者在陡峭的崖壁上轻快跳跃的冲动……”印度的统治者们很快闻风而至，来呼吸这里沁人心脾的空气。1827年，时任印度总督的阿默斯特勋爵造访了西姆拉，1864年，这里变成了印度总督的官方避暑胜地。从那时起，天文台岭上的总督行宫就成为政府的夏季办公地。

栖息在山顶的西姆拉是一个奇怪的、小小的混合世界——既有高原，也有喜马拉雅山脉；既是权力机关，也是娱乐场所。①对这个世界，没有人比罗德亚德·吉卜林更了解。吉卜林于1865年在孟买出生，在他5岁之前，他的大部分时间是与印度奶妈而非自己的父母一起度过的。在学会英文之前，他就会说印度斯坦

① 在威耸的总督行宫和总指挥的宅邸下面的山坡上，很快就建满了仿都铎王朝的度假村。勒琴斯就曾这样评价西姆拉：“如果有人听说是猴子建造了这些房子，那么他只能回答说：‘多么聪明的猴子——如果他们再这样做的话那就该毙了他们。’”

语了，5岁被送回英格兰接受教育，但是却讨厌英格兰。11年后，他回到印度，在拉合尔的一家杂志《民事及军事杂志》担任助理编辑，很快就发表了许多轻快的诗句，绘声绘色地描述居住在印度的英国侨民的生活，让这份杂志鲜活了起来。作为一个踌躇满志的年轻记者，吉卜林很喜欢穿梭在拉合尔的集市（那些引人入胜、肮脏、神秘的蚂蚁山）上，搜寻一些好的新闻题材，与印度店主和穆斯林马贩子交换东西、讨价还价。这才是真正的印度，这里的感觉令他心醉："热浪夹杂着香油和香料的气味，寺院香火的烟味，以及汗味，还有黑暗、肮脏、贪婪、残酷，更重要的是，这里有无数精彩和令人着迷的东西。"晚上，他甚至会去鸦片馆。在吉卜林看来，既然这种药能让一个体面的人做出那些伤风败俗之事，那它"本身一定是个好东西"。

但吉卜林对西姆拉却抱有一种矛盾的感情。与去过那里的所有人一样，他也喜欢山间"香槟般醉人的空气"，也沉醉于"如女人酥胸般起伏的草甸……微风拂过青草，雨水落入雪杉，似乎在低吟'沙沙沙'"。在他看来，社会生活就是由不同的乐趣组成的："有人侍弄花草，有人打网球，有人野餐，有人在安南戴尔举行早午餐，有人举行射击比赛，有人晚宴连着舞会，当然还有人骑马和散步"。有时候，西姆拉的生活似乎"是这片荒芜之地上唯一值得生活的地方"。吉卜林半开玩笑半认真地在他自己的《双城记》（写的是加尔各答和西姆拉）中承认：

商人们甘愿在平原上冒险，
为的是获利，
统治者没法让一屋子的人发财，
靠他在厨房发号施令。

他完全能够理解，为什么？
……海边那座城市的统治者，
想要逃离——
逃离，每个人从委靡不振变得精神焕发，
只因为逃到了山顶。

除了怡人的天气，这里还有机会与别人的妻子调情，这些女人被送上山来休养生息，而信任他们的丈夫却在山下的平原上挥汗如雨地工作。

同时，吉卜林不禁疑惑，总督和他的顾问团“在那条涨落不定的河流的另一端”一住就是半年，到底妥不妥当，因为这样就相当于切断了与被统治者的联系，就好像“这几个月是被隔离在了远洋之上”。虽然吉卜林喜欢西姆拉的那些平民寡妇，但是他还是对生活在印度平原的同胞更有感情，比如孤儿基姆（他是一位英国士兵留下的孤儿），沿着印度的“主干道”流浪，与当地人并无二致；苦中作乐的二等兵科波拉 · 特伦斯 · 马尔瓦尼，说着奇怪的方言，一半是爱尔兰血统，一半是印度血统；当然，还有印度文员机构中的地区官员们，在太阳炙烤的前哨汗流浃背地工作。正如吉卜林所说，他们可能“愤世嫉俗、粗鄙、乏味”。他们可能像可怜的杰克 · 巴雷特一样，遭到山上妻子们的背叛。[①]但正是这些“文员”们的贡献，英国才得以牢牢把握在印度的政权。

也许有关英属印度的统计数据中，最不可理解的就是印度文员机构的规模。1858~1947 年间，印度的合同文员不过 1 000 多人，[②]与之形成鲜明对比的是他们所管理的人口数，在英国统治末期，他们管理的人口总计超过 4 亿人。正如吉卜

① 杰克 · 巴雷特赶往基达，
因为他们下了命令。
他把他的妻子留在西姆拉，
把月薪的四分之三都给了她；
……
杰克 · 巴雷特赶往基达，
在那里送了命，
一个人做两个人的活，
在那个体面的职位上；
巴雷特夫人悼念亡夫，
最多不过 5 个月。

② 之所以叫他们合同文员，是因为他们要和印度事务国务卿签订一份合同。在 19 世纪的大部分时间里，文员的人数保持在 900 名左右。直到 20 世纪，印度文员的数量才显著增长到千人以上。1939 年，这一数目为 1 384。行政人员精简的现象并不止存在于印度。非洲殖民地的整个管理骨干阶层也只有 1 200 名，管理着 12 个殖民地的 4 300 万人。马来岛的文员有 220 人，管理着 320 万当地居民，以印度的标准看，这已经是冗员了。

林所说："印度与英格兰相比的少数优势之一就是，在这里，认识人很容易……只要在这待上20年，一个人就能认识大英帝国的几乎所有英国人。"那这是不是历史上最有效的官僚体制呢？一个英国文员是否就能管理这44 200平方公里土地上多达300万的印度人呢？这正是当年的政府对地方官员的期望。吉卜林的结论是，要实现这点，除非这些人让自己像奴隶一样工作。

年复一年，英格兰都要给它的首要前线（官方称为印度文员机构）补充新的人员。那里的人或死于操劳过度，或忧郁成疾，或者健康和精神都陷入崩溃，他们为的就是防止这片土地遭遇死亡和疾病、饥荒和战乱，为的就是让它能够最终独立。当然它永远不会独立，但是这个理念很高尚，吸引着人们为之献身，年复一年，他们不断地推动、劝导、责备、恳求这个国家过上更好的生活。一旦取得了进步，所有荣誉都留给当地人，英国人却退到后面，默默地擦干额头的汗水。如果事情失败了，又是英国人站了出来，承受所有的指责。

"当蒸汽动力在大英帝国取代人力之前，"吉卜林写在《奥迪斯·耶里的教育》中写道："总是有人要在机械般的日常工作中被耗尽和榨干。"这些人"就是寻常职员——忍受着高温的炙烤——他们与农夫（农民）和耕牛一起，荣幸地成为这个国家建立的基石"。奥迪斯·耶里是那个"眼窝深陷的男人"的原型，"用官方的戏语来说，他'负责'一个闷热、嘈杂、岌岌可危的蜂巢，虽自身难保，但却总有能力伤害、阻挠和激怒他人。"

正如吉卜林所描述的，印度文员机构的工作并非一份诱人的职业选择。但是，职位竞争却很激烈，他们的招聘考试可能是历史上最严格的考试了。我们来看看1859年应聘者的一些试题，以现在的标准来看，他们的历史试卷可能很合乎死记硬背者的胃口。以下是两个典型的问题：

> 14. 请举例英格兰的主要殖民地，并陈述它是何时，以什么方法获得每一个殖民地的。
>
> 15. 请说出1830年以来历任英属印度的总督姓名，说出他们就任的时间，并分别概述他们任期内印度出现的重大事件。

相比而言，逻辑和心理哲学试卷的要求就更高了——措辞也更优美：

3. 当某一现象可能有多种原因时，可以采用哪些试验方法来判断真实的起因？

5. 请分类阐述谬论。

但最难的还是心理学和道德哲学试卷，充分显示了印度行政人员的考试难度：

1. 请描述能让人产生权欲满足感的各类情景。

如果要问什么叫刁钻问题的话，这个就是（如果有哪个应聘者承认，权利确实能带来快感的话，那他就被淘汰了）。下面一个问题也同样费脑筋：

2. 请尽量详细地说明司法部部长的具体职责。

最后，为了将贝列尔学院①的苗子和芸芸众生区分开来，还有这么一个问题：

7. 对于将实用主义作为实际的、恰当的道德基础的观点，请分别举出支持和反对的论据。

托马斯·皮特和沃伦·黑斯廷斯的时代显然已经过去。在他们那个时候，东印度公司的职位当做这个复杂的权贵裙带体系的一部分被买卖。虽然 1805 年黑利伯瑞学院创立，专门为未来的印度行政人员输送人才，1827 年开始实行招聘考试，但东印度公司的董事仍将印度文员机构的职位视为自己的囊中之物。直到 1853 年，任人唯钱的状况才被任人唯贤的制度所取代。当年的《印度政府法》打破了黑利伯瑞学院对印度文员机构职位的实际垄断，引入了通过公开考试招聘人员的原则。维多利亚时代的人们希望印度由学术精英来统治，因为他们公正、廉洁，还无所不知。

当时政府的想法是，吸引大学生在获取学士学位后直接进入大英帝国的行政体系，最好是牛津或者剑桥的大学生，毕业后再送他们学习一两年的法律、语言、

① 尤其在坚持帝国思想的院长本杰明·乔伊特的管理下，贝列尔学院成为那些未来殖民地总督的首选读书圣地。1874~1914 年，不少于 27%的毕业生受聘于大英帝国的各个机构。

印度历史以及骑术。但实际上，印度文员机构根本吸引不了牛津剑桥的那些精英中的精英们——学者、双重一级荣誉获得者，以及大学奖学金获得者。甘愿去次大陆磨炼的人往往都是在家乡前景不乐观的人，比如外省职员的聪明子弟，他们愿意去海外寻求一份体面的工作。出生于德文郡的埃文·马克努奇就是这样一个人。他的叔祖父和哥哥都曾做过印度行政人员，正是他们寄回家的信让他相信，“向东才能找到幸福之路”。1887 年，在用功 2 年后，他通过了印度文员机构的入门考试。接着又在牛津大学奋斗了一两年，通过了印度历史、法律和语言等的一系列考试后，他被派到了孟加拉。不过这个筛选过程还没结束，因为在印度的头几个月里，他还得应付几门考试。在通过了印度斯坦语的初级考试后，马克努奇被正式授予三等地方行政官的职位。不过让他尴尬的是，他在古吉拉特语、印度法律、财务流程和营收账户等几门课上考砸了（因为他的脑子里“充满了更有趣的东西，我的第一匹马、我的小猎狗，以及猎鹌鹑的那个地方”）；不过，好在他的补考好不容易过关了。

马克努奇先是当地方行政官（现在成二等了），后来又做县税收长，在他看来，这样的生活简直快乐极了：

清晨几乎没有什么特别的工作，都是在遛马、搭帐篷、做园艺，或者拍照中度过的。白天的工作时间差不多是上午 11 点到下午 5 点，随后，打一场网球，或者在阳台上聊聊天，一晃就到晚饭时间了……想象一下，11 月清凉的早晨，一个年轻的助理骑着马，沐浴着宜人的微风出门了……他心无旁骛、轻松愉快。如果谁对这里的景色无动于衷的话，那他的灵魂一定也枯燥乏味。一路上，有那么多村庄可以看看，如果时间允许，还可以静静地拍几张照片……听村民歌罢交谈，或者看他们乘一叶扁舟漂浮于静谧的池塘之上，你或许也能体会他们的所思所想吧。

但是，如果一名外派官员的生活也有另一面的话，那就是他们不断听到反对税赋的呼吁，当“在（兵营里）漫步了很长时间，吃完丰盛早餐后，我就要在炎热的下午一边撑着不让自己打瞌睡，一边记录证据或者听人读当地的报纸，直到头痛欲裂……”然后就是漫长的孤独，方圆几百公里之内只有一个白人：

我刚到这里时，办公室文员没有一个说英语的，除了当地少数几个官员，在塔卢卡地区就没有一个说英语的。而我也很少再遇见其他的县税收长。一连几个月，我都没有说过一句英语，而且，我就好像被抛弃在了这里，只能靠自己手里的资源处理事情。

更糟糕的是，我还得管理数百万的居民，尤其是在发生了诸如1896年席卷孟买的瘟疫，或者1900年的饥荒等危机的时候。正如马克努奇后来所说："这标志着那些快乐轻松、没有负担的日子结束了。随后的几年中，他们几乎无法摆脱连年的瘟疫和饥荒所带来的无尽焦虑。"① 直到1897年，他才缓了一口气，他谋到了一个到西姆拉担任收入及农业部门副秘书的职位。到那里，他才开始理解："你并不只是一个无足轻重的人……而是一部伟大机器的一部分，我们很荣幸能够为机器的有效运转出力。"

当然，马克努奇并不怀疑，在其辖区居民的眼里一位县税收长的重要地位。对村夫（农民）来说，拜见"官员大人"，或者与其非正式的会面也会让他们兴奋不已……这会成为他们好几天在炉边闲谈的话题，并一直被他们记在脑子里，多年不忘。他们会认为白人精明而坦诚，因此，注意你的举止和你的习惯吧！

从其回忆录的字里行间，你可以察觉出一个虽然隐晦却很关键的事实。他和其他县税收长所做的任何事情都依赖于他们下面的另一个更为庞大的官僚阶层。这是一个合同编制之外的文员机构，完全由印度人组成。正是他们承担着每个县的乡、镇的日常管理工作。到1868年，从事这种编制外文职工作的印度人达4 000人。而他们下面又是更低级的公职人员，包括电报员、售票员等，许多都是亚欧人和印度人担任的。1867年，公职职位共有13 000个，月薪最低为75卢比，

① 一种常见的说法是，英国政府没有采取任何措施缓解当时因干旱所引起的饥荒。但其实并非这样。1874年，H·M·基希，印度文员机构的一位二等地方官，被派往比哈尔某地阻止赈灾，那地方面积515平方公里，人口约10万。他写信回家时自豪地说："自从我来到这里，我已经建立起了15个政府谷仓，开展了12个赈灾项目，我每天给15 000名男人和女人以工作，还慷慨地赡养着约3 000人。我有充分的权利做我选择做的，我也确实是这么做的。1877年的灾难则是因为没有采取这样的方法。"

其中一半的公职是由印度人占据的。要是没有这支由当地人组成的附属团队，那些“天之骄子”可能什么事也干不成。这就是英属印度的一个不言而喻的事实；这也是为什么正如马克努奇所说，印度并不真正像一个“被征服的国家”的原因。只有印度原来的统治者感觉遭到了排挤和压制，而大多数印度人的生活却一如既往——事实上，对印度的一个重要阶层来说，英国的统治实际上为他们提供了一个进步的契机。

这个阶层就是亲英的印度精英阶层，他们崛起的关键就在于教育。虽然英国人自己一开始也对是否要向当地人引入西方教育心存疑虑，但许多印度人——尤其是孟加拉的上流社会人士——很快就意识到，说新东家的语言，了解新东家的文化可以让他们受益匪浅。早在 1817 年，孟加拉一些渴望接受西方教育的社会名流就在加尔各答建立了印度大学，教授欧洲历史、文学和自然科学。继印度大学之后，类似的大学纷纷建立。正如我们所见，有意实现印度现代化和福音化的人也极力主张向印度人提供西式教育。1835 年，著名的辉格党历史学家兼印度行政管理人员托马斯·巴宾顿·麦考利——废奴主义者扎卡里·麦考利的儿子——就曾在他著名的《教育笔记》中明确地说明了此法可能取得的成效：

> 我们的能力有限，不可能教育这么多人民。目前，我们最好培育一个阶层，让他们在我们和我们所统治的百万人民之间担负起桥梁的作用；这个阶层的人虽然有着印度人的外表，流着印度人的血液，但却有着英国人的品位、英国人的洞见、英国人的道德观和智慧。

1838 年，公共教育委员会下辖的英语授课学院已达 40 所。到 19 世纪 70 年代，麦考利的意愿已经基本实现了。6 000 名印度学生接受了高等教育，还有 200 万名学生进入了讲英语的“高级中学”。加尔各答的英文图书出版业也就此兴旺起来，每年出版的文学和科学类书籍达到上千种。

英语教育普及的受益者中，有一位野心勃勃的孟加拉年轻人亚纳金纳斯·博斯。博斯是在加尔各答接受教育的，1885 年，他进入了克塔克镇的律师圈，后来又成为市政部门的主席。1905 年，他当上了政府抗辩人和首席起诉人，7 年后，他的职业生涯到达巅峰，进入了孟加拉的立法会。博斯作为律师的成功不仅使他有能力在加尔各答的闹市区买下了一栋豪宅，还使他获得了英国方面授予的骑士头衔。他也并非特例，他的三个兄弟都先后进入了政府文员机构，其中一人还进入了西姆拉的帝国秘书处。

这个新的精英阶层甚至渗透到了印度合同文员阶层。1863 年，萨蒂恩德拉斯·泰戈尔是第一个通过印度文员招聘考试的——正如维多利亚女王所承诺的，该项考试向任何肤色的任何人开放——1871 年，又有 3 位当地人获准进入了这个“天之骄子”的行列。

博斯等人是大英帝国在印度所真正依靠的中坚力量。如果没有他们执行印度文员机构的命令，英国在印度的统治从根本上来说无法巩固。事实上，没有被统治国的这个关键阶层的配合，整个大英帝国的政府统治都不可能长久。在加拿大、澳大利亚和新西兰，局面相对较容易掌控，因为那里的当地人口已经被大幅度地削减了。但在白人占少数的地区，如何保持殖民者和当地精英的忠诚就是个关键

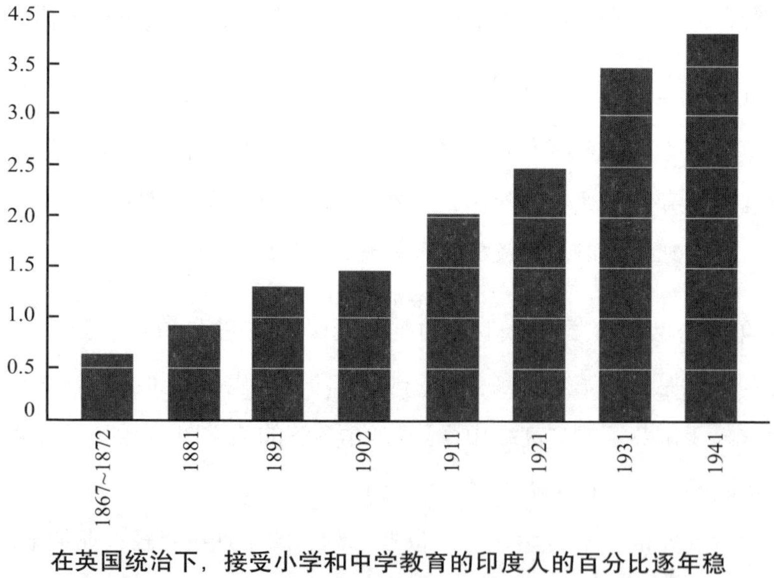

在英国统治下，接受小学和中学教育的印度人的百分比逐年稳步上升，虽然以欧洲的标准来看还很低。比如 1911 年，欧洲的在校学生比例就是在 8%~18% 之间。

问题，比如在印度，英国人口最多占印度总人口的0.05%[①]

就印度的情况来看，从伦敦派出的官员别无选择，只能与当地的精英合作。但这正是实际居住在印度的英国人所摒弃的做法。在那里任职的英国人更愿意压制当地人：如果有必要的话，可以强迫他们，但千万不要与他们合作。这是维多利亚时代最大的两难之处——而这个问题不仅让印度，甚至让整个大英帝国都陷入了困境。

种族隔离

1865年6月，卢西（属于牙买加的汉诺威教区）的码头大门上贴出了一张告示，宣告了一个神秘的神谕：

> 1864年，我听到一个声音对我说："告诉非洲的儿女们，一次伟大的大赦即将来临，他们将从压迫者的手中被解救出来。因为，他们已经受够了政府、地方官、有钱人和商人们的压迫。"那个声音还说："告诉他们举行一个庄严的集会，并在大赦之日奉献自己，这一天必定会来临。倘若不听规劝，那么我将剑指这片土地，这些人将因不服从，以及他们做出的不公正行为受到惩罚。"……我在意象中看到，这片土地将承受痛苦而可怕的灾难，以至于人们宁可去死。但幸运的是，非洲的儿女们将得到解救，只要他们像尼尼微的孩子们一样，向上帝我主谦卑而诚心地忏悔；只要我们衷心祷告，谦卑向神，我们就不用恐惧；如若不然，敌人必将更加残暴，因为我们将与撒旦手下的歌革和玛格作战。相信我吧！

这一布告的署名是"一名非洲的儿子"。

牙买加曾是殖民地压迫的最极端方式——奴隶制的中心。但奴隶制废除之后，牙买加人民的生活也没有多大改善。这些前奴隶们只分得了可怜的一点点资源进

---

① 1805年在印度的英国人只有31 000人（其中22 000人在军队，2 000人在文职政府机构，7 000人在私营企业）。1881年，在印度的英国人总计89 778人。到1931年，总计168 000人（其中60 000人在军队和警局，4 000人在文职政府机构，60 000人在私营企业。

行耕种，连续干旱推高了食品价格。同时，没有了奴隶的免费劳动，这种古老的种植园经济陷入了停滞。糖价一直在下跌，而咖啡作为一种经济作物，只能在一定程度上起到替代作用。那里的人曾经辛苦得几乎累死，而今却因失业而闲散无事。而权力——政治权力，更重要的是立法权——却掌握在白人手中，他们的人数虽少，却主宰着这个岛上的议会和官僚阶层。一小批牙买加黑人则由于积累了足够的财富，受到了更多的教育，形成了中产阶层的雏形，但作为统治阶层的大庄园主却对这些人加强了戒备。只有在教堂里，大多数牙买加黑人才能自由地发表言论。

正是在这样的背景下，19 世纪 60 年代才爆发了席卷该岛的宗教复兴运动。这场复兴的结果是产生了一个浸信会与非洲宗教玛厄尔糅合在一起的前所未有的混合体。当时，浸信会传道会秘书爱德华 · 昂德希尔写的一封信被公开，其中呼吁对牙买加的困境进行调查。卢西码头的公告上绘声绘色地所描绘的那种“大赦”将至的感觉经这封信一煽动，更让人激昂了。传言说，维多利亚女王本来就愿意在赋予奴隶们自由的同时，也赋予他们土地，不用他们再向以前的奴隶主租种土地。教会组织了会议来讨论昂德希尔的信，日益高涨的期望正酝酿着一场典型的革命。

这场革命是 1865 年 10 月 7 日（周日），从东部圣托马斯教区的莫兰特湾开始的。当天正好是一桩起诉案的审判日，一位名叫路易斯 · 米勒的人因附近一位庄园主一个小小的冒犯行为而对其提起了诉讼。米勒是保尔 · 博格尔的表兄弟，后者是斯托尼–古特地区的一个小农庄主，也是当地黑人浸信会中的活跃分子，受昂德希尔信件的煽动，他直接参与了政治行动。以前，博格尔曾希望建立另一个黑人“法庭”，而现在，他已经建立了自己的武装力量。他率领 150 人冲入审理其表兄弟案子的法院。随后与法庭外的警方产生冲突，这给了政府部门以逮捕博格尔及其追随者的理由。但是当下一周的礼拜二，警方在斯托尼–古特地区执行这一命令时，却遭到了死亡威胁。次日，几百名博格尔的同情者“吹着螺号或号角，敲着鼓”来到莫兰特湾，他们与被派来负责区政会会议安保工作的民兵自愿者发生了冲突。在随后的暴力冲突中，这帮人刺死或打死了 18 人，其中有区政会成员；他们自己则有 7 人被民兵杀死。接下来的几天，暴力活动席卷了该教区，甚至蔓延到更远的地方，两名庄园主在此期间丧生。10 月 17 日，博格尔向邻居散发传单，大意是让大家武装起来：

你们所有的人都必须离开你们的家，拿起你们的枪，没有枪的人请马上拿起你们的弯刀……吹响你们的号角，敲响你们的战鼓，每家每户派出你们的每个男人……战争即将降临到我们黑皮肤的人身上，战争即将在今明两天爆发。

正如这些话所暗示的，这场冲突已经演变成为公开的种族冲突了。一位白种女人声称，他听到暴乱者唱着一支令人不寒而栗的歌：

我们要的是白人的血，
我们必能得到白人的血。
我们将去找白人的血，
直到他们一滴血都不剩。

一位庄园主就接到过一份死亡威胁信，署名是“托马斯 · 杀死多，还打算杀死更多”。

以前，在牙买加也发生过反对白人统治的暴动。离这次最近的是 1831 年，那次叛乱遭到了残酷的镇压。对刚被任命为总督的爱德华 · 艾尔（他曾在澳大利亚内地久经磨炼）[①]来说，对待这种情况只需作出一种反应。他认为，黑人之所以贫穷的唯一原因就是“人类的懒惰、目光短浅，以及邪恶”。10 月 13 日，他在整个萨里郡宣布了戒严令，并派出了正规军进驻。经过一个月的大肆镇压后，大约 200 人被处决，另有 200 人受鞭刑，1 000 座房子被夷为平地。艾尔所采取的战术很容易让人联想起 8 年前英国镇压印度兵变时所采用的手段。至少，一切并未通

① 艾尔是惠普斯奈德一位副牧师的第三个儿子，他是第一个从阿德莱德横穿澳大利亚沙漠到达穆尔迪的白人。他因那次探险和耐力壮举而获得的奖励就是，被提升为当地土著人的地方官和保护官。如今，当地有一个湖、一个半岛，以及阿德莱德到佩思之间的一条高速公司都是以他的名字命名的。

过恰当的法律途径解决。实际上，士兵们被允许乱砍乱杀——其实他们中也有许多是黑人，就像当年的西印度第一军团中不少都是马伦斯人一样。许多囚犯未经审判就被直接枪杀了，一位残疾的年轻人还被当着他母亲的面被枪杀，一位妇女在自己的家中被强奸，被鞭打的人更是数不胜数。

除了博格尔本人，被处死的人中还有一位叫乔治·威廉·戈登。他是一位地主，曾做过地方官，也是该岛民选议会中的成员，可以说，他是黑人社群的中坚分子，并没有革命的动机。从保存下来的他的唯一一张相片上，我们看到的是一位戴着眼镜、留着胡子的谦谦君子，他几乎没有参与这场暴乱。事实上，当叛乱爆发时，他根本就不在莫兰特湾附近。虽然圣托马斯教区是他的辖区，可他最近已经从那里的区政会被赶了出去。但是，作为一个混血儿（他是一位庄园主和一个女奴的儿子），戈登拥护前奴隶们的解放事业，因此早就被艾尔视为眼中钉。实际上，3 年前，就是艾尔撤销了戈登的地方官职位。现在，为了彻底解决他，艾尔将其逮捕，从牙买加首都金斯敦转移到实行戒严的地区。在草草地审判后，他就因一份来源可疑的书面证词，被判煽动叛乱罪。10 月 23 日，戈登被处以绞刑。

莫兰特湾的暴动被无情而残酷地镇压了；但是，对艾尔的危机处理方式拍手称快的那些庄园主们很快便大吃一惊——甚至艾尔也不例外。起先，艾尔的“精神、精力和判断力”都受到了殖民地秘书处的称赞，但随后他却震惊地听说，英国组织了皇家委员会来调查他在牙买加的作为，而他的总督职位也暂时被人取代了。英国及海外反奴隶制协会是最早对他的残酷行径提出抗议的，这一协会仍旧保持着废奴运动的斗志，并将艾尔的戒严令视为向奴隶制的倒退。甚至在遥远的非洲，戴维·利文斯顿也听说了这一事件，并严词谴责了艾尔的行径：

> 英格兰落后了。早年他们的母亲就震惊于“可怕的黑人”，他们被一场暴乱吓破了胆，耸人听闻的作家充当了“恐怖男孩”的角色，恐吓老奶奶们，叫嚣着奴隶解放是一场错误。“牙买加黑人就像他们离开非洲时那么野蛮。”他们可能还会添油加醋地说，乌合之众……聚集在新兴门监狱的每一个行刑场。

但是，反对艾尔的运动很快从他的一位辩护者所称的“克拉彭的老奶奶”群体蔓延到维多利亚时代一些伟大的自由派知识分子之中，其中包括查尔斯·达尔文和约翰·斯图亚特·穆勒。这些人并不满足于仅仅撤销艾尔的总督职位，他们成立了一个委员会，向他提起了四项独立的诉讼，第一个就是协同谋杀的指控。但是，这位被罢黜的总督同样也有颇具影响力的支持者，包括托马斯·卡莱尔、约翰·拉斯金、查尔斯·狄更斯，以及桂冠诗人阿尔弗雷德·丁尼生勋爵。结果，这几起诉讼均以败诉告终，艾尔得以隐退德文郡，享受政府养老金，一直到他 1901 年去世，享年 86 岁。

但是，从艾尔离开牙买加开始，以庄园主阶层为基础的旧的统治制度也随之解体。从此，该岛直接由伦敦的总督管制；大多由他任命的人员组成的立法会取代了旧的议会。这是向实行“责任政府”之前的时代倒退了一步，英国对殖民地人民的政治统治加强了，但从另一方面说，这一步是以进步而非被动的姿态作出的，是为了限制庄园主的专制统治，保护牙买加黑人的权利。[①]这也将成为日后大英帝国的基本特征。在政府和国会，自由思想日益深入人心，这意味着不论肤色，法治为先的思想愈加根深蒂固。如果不遵行这一原则，那么殖民地议会的任何提案将不做考虑。但是，英国在各地的殖民者们——无论是男人还是女人——却日益认为，他们不仅在法律上，也在生理上优越于其他种族。在他们看来，那些攻击艾尔的人过于“保守”，完全不知道或者不理解殖民地的状况。这两种截然不同的思想——中央地区的自由主义思想和偏远地区的种族主义思想——迟早会产生冲突。

到了 19 世纪 60 年代，种族主义在大英帝国的所有殖民地都开始露出端倪，无论是印度还是牙买加，而对此问题最关注的莫过于从事商业的驻印英国侨民群体了。[②]从经济上看，牙买加在不断衰落，而维多利亚统治下的印度却日益繁荣。英国资本大量投资于一些新兴行业：棉花和黄麻纺织、煤炭开采和钢铁生产。最典型的莫过于恒河边上的坎普尔了。这里曾经是印度兵变最惨烈的战场，几年工

---

① 没人考虑过，要实现这一良好的初衷，只需允许他们在议会和政府中有自己的合法代表。

② 英国侨民有时被用来指代英-印混血儿，这可能会造成一定的概念混乱。在此，我遵照维多利亚时代的习俗，用“英国侨民”指代在印度长期居住的英国人，而用“欧亚人”指代欧亚混血儿。

夫就转变为“东方的曼彻斯特”——一个繁荣的工业中心。这场转变从很大程度上说归功于休·马克斯韦尔——一个外表冷峻的人。他的家族源于英国阿伯丁郡，1806年移居坎普尔，并率先在这里种植靛青和原棉。1857年，马克斯韦尔和几个志同道合的朋友通过进口英国的纺织机和编织机，建立英国式的纺织作坊，将工业革命带到了印度。在前蒸汽机时代，印度曾在手工纺织和编织，以及印染等领域处于世界领先地位。英国起先对这些产品征收关税；后来，当以蒸汽机为动力的工业生产模式逐步完善后，他们又开始倡导自由贸易。现在，他们又希望利用英国的技术和印度的廉价劳动力来重建印度的制造业经济。

我们对英属印度的印象往往局限于吉卜林、E·M·福斯特和保罗·司格特笔下栩栩如生的官僚阶层、士兵和行政人员。因此我们很容易忘记，这些人实际上只是印度社会中很小的一部分，而商人、庄园主和职业人员的人数是那些人的数倍之多。另外，吃官俸的人与做生意的人在思想理念上也有着显著差异。诸如休·马克斯韦尔等人就认为，日益壮大的印度文化精英对他们来说是一种威胁，其中一个相当重要的原因是，这意味着他们自己可能成为一个可有可无的群体。毕竟，一个受过良好教育的印度人凭什么不能像马克斯韦尔家族的成员一样，把纺织厂管理得井井有条呢？

当这群人感受到了来自另一个族群的威胁时，他们的反应通常是藐视后者，以突出自己的优越性。1857年之后，英国侨民就几乎一边倒地秉持着这种态度。甚至在兵变之前，白人和当地人之间也存在明显的种族隔离倾向，这种非正式的种族隔离将坎普尔等城明显地分割成了两块，“市民线”之后属于白人城镇，而另一边则是黑人城镇。在这两者之间，用吉卜林话来说，存在“一道边界线，这里是最后一滴白人的血消失，滚滚的黑人潮涌入的地方”。虽然伦敦最进步的自由党人为印度人设想了参政的愿景，但是，英国侨民却日益用美国南方人的语言污蔑着当地的“黑佬”，并希望用法律来巩固他们的优越地位。

但这一期望却在1880年被一举摧毁，当时刚成立的格莱斯敦政府，任命了格雷伯爵兼里彭侯爵乔治·弗雷德里克·塞缪尔·罗宾逊担任印度总督。就连维多利亚女王听说任命了这么一个以进步思想闻名，而且皈依了天主教（这是她最痛恨的一点）的人担任总督，也不由得“大吃一惊”。她写信警告首相，说她“认为这项任命值得商榷。虽然此人为人不错，但过于软弱”。确实，很快，里彭侯爵的行为就印证了她的疑虑。到加尔各答不久，他就开始干预一些事务，而这些事务正是诸如休 · 马克斯韦尔等久居印度的元老很看重的。

1872~1883 年之间，印度乡村（印度语中称mofussil）的英国地方官和地区法官的权力与同级别的印度人的权力之间有着显著差别。[①]虽然双方同属合同文员，但印度人不能在刑事案件中审判白人被告。在新总督看来，这是个说不过去的非正常规定；因此他要求下属制定废除这一法令的提案。这项任务落到了他的理事会中的法律顾问身上，此人名叫考特尼 · 佩里格林 · 伊尔伯特。伊尔伯特与他的上司一样都是热忱的自由党人，同时他在很多方面也是休 · 马克斯韦尔的反对者。马克斯韦尔家族已经有好几代生于印度，长于印度了，而伊尔伯特则是初来乍到，本是个性情怯懦的小律师，除了贝利奥尔学院和大法官法庭，他没见过什么世面。然而，他和里彭侯爵却毫不迟疑地将理论应用到了实践之中。伊尔伯特在起草的提案中写道，根据立法，有合法正当资历的印度人理应有权审判任何被告，无论被告是什么肤色。司法公正是不分肤色的，就像加尔各答高等法院的花园中象征司法公正的那尊蒙眼的雕像一样。

实际上，这个变化不过就牵涉到 20 多位印度地方官。但对英国侨民群体来说，伊尔伯特的主张正是对他们优势地位的一种难以容忍的侮辱。事实上，这些人对伊尔伯特提案作出了强烈反应，以至于有人称其为“白人兵变”。1883 年 2 月 28 日，就在该提案公布后的几周之内，继通过媒体以激愤的公开信进行口诛笔伐之后，又有几千人聚集在加尔各答高耸的新古典主义风格的市政厅门口，听一系列极具煽动性的演讲，演讲直指那些受过教育的印度文员，那些受他们唾弃的“孟加拉佬”。这场运动的领导者是德高望重的“人气王”凯瑟克，他也是茶叶及贸易公司贾丁 · 斯金纳公司的高级合伙人。凯瑟克问观众：“难道你们认为，本地法官在英格兰居住三四年后，就能够在本质上和性格上实现欧洲化，即使在审

① 但是孟买、加尔各答和马德拉斯的情况并非如此。

判诬陷欧洲人的案件中，也会像土生土长的欧洲人那样，作出公正裁决？埃塞俄比亚黑人能够改变他的肤色吗？猎豹能改变它皮毛上的斑点吗？让印度人受教育简直是徒劳无益”：

> 政府让他们接受教育……他们反过来却借此忘恩负义地奚落政府……这些人……现在又来索要司法裁决的权力，还谴责我们这个英勇顽强的民族，却忘记了正是我们的勇气和鲜血，才成就了这个国家的今天，才让这个国家取得了今天的进步！

对凯瑟克来说，培训印度人做法官根本就毫无意义，因为一个印度人无论从出身还是教育来说，都没有资格审判一个欧洲人。“在这样的情况下，”面对如潮的喝彩，他问道：“我们还用质疑该不该抗议吗？难道我们不应该说，让这些人来统治我们是不合适的，他们不能审判我们，我们不能接受他们的审判？”这番长篇大论说得如此霸道，可能也只有当晚的第二位主讲人詹姆斯 · 布兰森的演讲能与此相提并论了：

> 确实，现在是蠢驴踢了狮子。（雷鸣般的掌声）如果你珍视你的自由，要让他看到，看到狮子并没有垂死，它不过是在睡觉，以上帝的名义，让他在醒狮的威严中战栗吧。（喝彩声和欢呼声四起。）

在街对面的政府大楼，里彭侯爵吓坏了，他没料到，伊尔伯特的这份提案会引发如此敌对的情绪。“我很快承认，”他向殖民大臣金伯利勋爵坦白道：“我没想到印度的英国人会被这件事激怒。”

> 这件事应该怪我，我在印度居住了两年半，竟没有发现英国侨民对其周围当地人的真实态度。我现在知道他们了，这个事实让我预感到，这个国家的未来可能没有希望了。

但是，里彭侯爵仍打算继续推进此事，因为他相信：“既然我们提出了这个问题，就最好坚持到底，解决这个问题，为我们的继任者铺平道路。”就他看来，这个问题很清楚：统治印度是“为了种族、阶层和信仰各不相同的所有印度人民的利益”，还是“只为了一小批欧洲人的利益”呢？

> 提升印度人民，提高他们的社会地位，训练他们的政治素质，增加他们的物质财富，改善他们的受教育程度和道德水准，这难道不是英格兰的责任吗？难道她统治的根本就是为了岌岌可危地凌驾于布兰森先生所称的“对征服者恨之入骨的臣民”之上吗？

里彭侯爵的道理当然是对的。加尔各答商人群体之所以抗议的原因，不仅仅是出于他们内在的种族歧视，说得简单点，像凯瑟克和布兰森等人需要乡村的法律符合他们的方式，毕竟这里是他们公司的黄麻、丝绸、靛青和茶叶庄园的所在地。但现在既然他们对伊尔伯特提案的反对已经公开化，总督不仅需要思考这项提案的可行性，也要反思其原则立场了。不幸的是，他仍然决定按其惯例行事。在白人圈子里投下了这颗重磅炸弹后，里彭侯爵随即离开了加尔各答。不管怎样，夏天又临近了，没有什么能够改变总督神圣不可动摇的日程安排，这是他一年一度去西姆拉的时候。于是，他就这样走了。但是，对加尔各答各公司的商人来说，他们没有闲暇去山区度假；不管温度有多高，平原上的生意还得照常进行。里彭侯爵躲入西姆拉，并不能平息“人气王”凯瑟克的怒气。

同样，躲入深山的还有提案的起草者本人，他在西姆拉的查普斯里还有一座非常雅致的宅邸。伊尔伯特的战略是躲过这个夏天，希望这场骚乱能够自动平息下来。“至于这项提案可能激发的情绪及其强度，”他在致牛津导师本杰明·乔伊特的信中焦虑地写道：“我自己也没有把握……而且……也没料到会引起这样强烈的反响。”在对另一个朋友倾诉时，他又说：“这一举措竟然暴露并激化了种族敌对情绪，我对此深感遗憾。”他在商会中的朋友托马斯·法勒爵士写信安慰伊尔伯特说，自由主义观念站在他的这一边：

> 一面是统治的欲望、种族的自豪，以及商人的贪婪……另一面是真正的自知之明、谦卑、公平对待弱势群体、富有同情心（山上的布道——一个多

么讨厌的词汇），他们就在这两类情感中挣扎，就像天使和魔鬼……为了争夺一个人的灵魂而进行斗争。

正如这段话所暗示的，伊尔伯特提案不仅在印度，而且在英格兰都引发了两极分化的观点。对法勒等自由派而言，他们忍受着良心的煎熬。加尔各答山上的布道所教化的民众毕竟要比在克拉彭的少得多。确实，伊尔伯特提案的危机日益深化，恰恰充分证实了从山上统治一个大陆的危险。

在印度夏日的灼热中，不安的情绪蔓延到了整个国家。在非官方的英国侨民的鼓动下，委员会成立了，资金也募集了。吉卜林也加入了声讨，斥责里彭侯爵“描绘了一个虚无的乌托邦，用司法公正的童话纵容着印度人的自负——虽然自己对此心知肚明”。他抱怨道，这就是总督的政策：“混乱而无序，引发无尽的纷争。”坎普尔的休·马克斯韦尔也加入了反对阵营。他严厉地指责道，政府“引发这种种族仇恨是不明智的”。为什么里彭侯爵和伊尔伯特没有看到“当地人的脑子很难理解和认同欧洲人对一个国家和一个民族的政府的管理方式”？

这场“白人兵变”很容易让人联想起25年前的那次印度人兵变，那时，坎普尔的每个白人女性都被杀死了——而且，正如我们所见，当时的传言说，这些女人在被杀害之前都遭遇了强奸，就好像每个印度男人都在伺机冒犯离他最近的白人太太们一样。蹊跷的是，这次的反伊尔伯特运动中再一次出现了类似的传言，声称印度的地方官们对英国妇女来说，就是一个威胁。一封致英国男人的匿名公开信是这样说的：“可以想象你的妻子会遭到怎样的侵犯……还有什么比欺负和侮辱可怜的欧洲女人让我们这些印度臣民更快活的呢？……她丈夫越是德高望重，折磨她的人就越是开心。”一位记者在《马德拉斯邮报》中也以同样的角度质问道：“我们的妻子会不会被他们以捏造的理由从家里抓走，并受到那些不尊重女性、不理解我们，甚至在很多情况下仇视我们的人的审判？……想想吧，英国人，她被带到衣冠不整的当地人面前，被审判，甚至被判刑……”这些语言暴露了大英帝国一个奇怪的复杂心态：性不安全感。奇怪的是，英国最知名的小说——福斯特的《印度之行》和司格特的《皇冠上的明珠》开篇讲的就是一个印度男人被控对一位欧洲女人实施了性侵犯，随后由一个印度法官来审理案件的故事。事实上，这种事情也确实发生过。就在反伊尔伯特运动演绎到最高潮时，一位名叫胡默的英国女人就指控她的清洁工强奸了她，虽然后来证明这项指控不属实（他们实际上就是情人），但在当时那种狂热的氛围中，这件事却也起了推波助澜的作用。

问题是，为什么人们总是将印度法官审判英国女人的威胁与印度男人性侵英国女人的危险联系在一起呢？事实上，英国男人强奸印度女人的案子也比比皆是，1888 年之前，甚至还存在供英国士兵娱乐的合法妓院。可伊尔伯特提案却似乎不仅仅推倒兵营的墙壁，甚至有推倒卧室墙壁之势。号称统治了 3.5 亿印度人的 9 万白人，却将强奸异族女人的自由视为法律面前的平等。①

当里彭侯爵在 12 月终于从西姆拉回到加尔各答时，受到了冷热参半的接待。或者说，不同种族的人对他表示出了不同的态度。当他从火车站出来穿过天桥时，受到了印度人的夹道欢迎，民众们称他为他们的“朋友和救世主”。但是在政府办公楼，他却遭到了他的同胞的嘘声和嘲笑，其中一人还称他为“该死的老家伙”。在公共晚宴上，只有官员们还会举杯祝总督身体健康。当时甚至有传言说，有人计划绑架他，并把他抓回英格兰。还有人则拿可怜的伊尔伯特出气，把他的肖像照当众焚毁。

但是，就像女王所预言的，里彭侯爵是个软弱的人，而他的儿子康诺特公爵又偏偏选择这时候来看他，并指责他是“亚洲最大的傻瓜”。在种种压力之下，总督让步了。在任何涉及白人被告的刑事案件中，如果允许一位印度地方官旁听，

---

① 性焦虑的一个可能原因在于，英国人意识到，“白人和黑人”之间应该很明显的界限在现实中却往往很模糊。在与欧洲人相处了 2 个世纪后，混血人群（所谓的欧亚人）已经占到了相当比例，他们常常受雇于公共部门的底层职位（尤其是在铁路局或电报局）。反对“种族通婚”是维多利亚后期的一个显著特征：吉卜林至少写过两篇短篇小说，指出一个“事实”，说从女人手指甲的颜色可以看出她的血统是否纯正（手指甲底部半圆如果发暗，就表明她血统不正）。第一次世界大战以后有一个声名狼藉的英国士兵生于印度，他曾听到，他母亲在看到他父亲借一个缅甸女孩的雪茄点烟后不由惊呼：“正是这种放任的行为才导致西姆拉有了 3 万欧亚人！”白人男子和印度女人之间司空见惯的这种关系，并不能让人们容忍印度男人和白人女子间出现这种关系。

并需要组织一个陪审团，那么陪审团成员中需有一半是英美人士。这样看来，伊尔伯特提案无异于一纸空文。这是一种你能想象到的最神秘的妥协，这是一种屈服，预示着大英帝国统治在未来的危机。为了教育印度地方官和他们的朋友，大部分英国侨民对他们的蔑视日益公开。伊尔伯特的一位同事就不安地觉察到，媒体上反对提案的言论也越来越肆无忌惮。那些信件中“充满了对当地人的谩骂和侮辱性的抨击。铁路安保人员或者靛青种植园工头们似乎都在践踏这些印度人，就像主人虐待奴隶而不用遭受惩罚一样”。“政府盖在两个民族脆弱关系之上的政治面纱”已经被“一群在当地人面前挥舞着拳头的暴民撕为两半”。如今，就像他一直所担心的那样，伊尔伯特提案的真正严重后果暴露无遗：可怕的倒不是“白人兵变”，而是这在印度人中所激起的反响。

里彭侯爵不经意间成了真正的印度的良心。正如《印度镜报》所说：

> 在现代史上，印度教、伊斯兰教、锡克族人、拉其普特人、孟加拉人、马德拉斯人、孟买人、旁遮普人第一次抱成一团。从前对国家事务从来不感兴趣的各个民族和阶层，如今拿出了与以往的冷漠相当的热情和迫切参与了进来。

就在白人兵变两年后，印度召开了第一届印度国民大会党会议。虽然英国建立国大党[①]的初衷是为了疏导和平息印度人的不满情绪，但是，国大党很快就成为了印度民族主义者的“大熔炉”。从一开始，那些为大英帝国统治效力、受过教育的中坚分子就加入了该党，比如贾纳克纳斯 · 博斯和一位阿拉哈巴德律师莫蒂利亚 · 尼赫鲁。

后者的儿子贾瓦哈拉尔，后来成为印度独立后的第一任总理。博斯的儿子苏巴斯 · 钱得拉则在后来的第二次世界大战中率领一支军队抵抗英军。不难看出，白人兵变成了印度人家庭之所以仇视英国统治的起因和源头。

---

① 国大党是由艾伦 · 奥克塔维安 · 胡默创建的，此人是一位自由党印度文员，极为反感英国人的反伊尔伯特运动。

印度是大英帝国统治的战略核心。如果英国人与那些已经英国化的印度精英们对立，那么大英帝国统治的基础就岌岌可危了。但是，印度社会的另一组成部分会不会支持大英帝国的统治呢？说来可能让人难以置信，有人在寻求复制英国的封建等级制度，借以消除亚洲的种族隔离现象。

守旧主义

印度的英国官员们在如此偏远的地方无休止地辛苦劳作，对他们来说，“家”的概念（不是西姆拉那个仿制的“家”，而是真正的家，他们退休后要回归的地方）抚慰了他们煎熬的内心。可是，随着维多利亚时代接近尾声，这些外派印度的英国人对家的记忆却日益与现实相左。对他们来说，家是对永远的英格兰乡村，对乡绅和教区牧师，对茅草小屋和朴实村民那怀旧而浪漫的记忆。这基本上是守旧派眼中秉承开明家长式作风的地主贵族统治下的传统等级社会。但他们似乎忘记了，英国现在已经成长为一个工业巨人——早在 1870 年，大部分英国人民就都已经居住在了人口超 1 万的各大城镇。

而英国人民也是这样想象印度的。“他们知道什么是英格兰吗？这个只有英格兰人自己才了解的地方。”吉卜林曾这样斥责那些统治着大英帝国在全球的殖民地，却从来没有迈出过英伦诸岛的同胞们。他兴许曾向维多利亚女王提出过这一问题。当 1877 年，议会向女王（在她的建议下）授予印度女皇的头衔时，她非常高兴，但是她从未走近过这个地区。维多利亚要的是印度走近她。19 世纪 80 年代之前，她最喜欢的仆人就是一个名叫阿卜杜勒 · 卡里姆的印度人，也被称为“御师”。1887 年，他随女王来到奥斯本行宫，他有着女王认为印度所应具备的基本素质：礼貌、恭敬、顺服、忠诚。之后不久，这位英国女王兼印度女皇又打算为他的奥斯本行宫修建一个侧厢房，其中最重要的就是一个富丽堂皇的会客厅。该工程是洛克伍德 · 吉卜林（拉迪亚德的父亲）监工的，显然是借鉴了莫卧尔皇宫雕栏画栋的内饰。确实，它的一部分就很像刷白了的德里红堡。会客厅展现出的显然是印度古老的过去，全然忽略了英国人也给印度带来了火车、煤矿和棉纱作坊。这充分反映了 19 世纪 90 年代的英国是怎样看印度的，在他们的眼里，印度就是一个美丽的幻境。

1898 年，索尔兹伯里侯爵的保守党政府任命了新一届印度总督，而后者在印度的整个职业生涯似乎都在致力于将这个幻境变为现实。

对与他同时代的许多人来说，乔治·纳撒尼尔·寇松是个最让人难以忍受的人。他出身于德贝郡的一个贵族家庭，其家族最远可以追溯到诺曼征服时期。他的成长可谓一帆风顺，从伊顿公学读到牛津大学，后来又先后进入上议院和印度司。当然，他也并非不费吹灰之力就飞黄腾达的[①]。孩提时代，他就被交托给一个疯疯癫癫的女家庭教师，常常被迫戴着一顶大大的圆锥帽穿过村子，帽子上写着“骗子”、“小偷”和“胆小鬼”。（“我猜想”，他后来回忆道，“没有一个出身富贵人家的孩子会哭得像我这样惨。”）在学校，寇松“力求在我上的每一门功课上争得第一……我的意思是以我自己而非他们的方式”。在牛津大学，他也同样非常努力。牛津大学被人戏称为“从伊顿公学到进入内阁之间必须经历的短暂过渡”。有一次，一位考官拒绝给予他第一名，他便决定“要让他们知道，他们错了”。接着，他在很短的时间内先后赢得了洛锡安奖、阿诺德奖和万灵奖学金。马戈·阿斯奎思不禁感叹于他这种“上了瓷漆的自信”，其他人对他的嘲弄就没那么客气了。有人画了一幅他在上议院演讲台演讲的漫画，题为“一个对着黑甲虫们演讲的神”。

当寇松被任命为印度总督时，他还不到 40 岁。这是一个他认为自己命中注定会获得的职位。加尔各答辉煌的总督府，不就是他的家族在凯德尔斯顿乡间别墅的翻版吗？他曾公开宣布，当总督“是我童年时期的梦，是我成年后抱负的实现，是我眼中这个国家最崇高的职责”。尤其是，寇松认为自己是蒙召来到印度，重振被里彭侯爵等自由党所削弱的统治。自由党人的理念是，所有人，无论肤色，都拥有平等的权利；但英国侨民，正如我们所见，更坚持种族隔离，这样，占少数的这一小撮白人就能够骑在占多数的“黑人”大众头上作威作福了。但是，对寇松这样的保守主义派贵族来说，印度社会从来不是简简单单地由两个对立阵营组

① 有一首诗就把他好好地嘲弄了一把：“我的名字叫乔治·纳撒尼尔·寇松，我最高贵，我油头粉面，我一周在布伦海姆吃一次晚饭。”

成。从小他就认为，在以王室为巅峰的金字塔上，自己已经非常接近于顶端了，而他最关注的也就是维持这种等级制度。他和他的“同道中人”追求的是在大英帝国重现英国封建主义时代的辉煌过去，那才是他们所推崇的。早期在印度的英国统治者中，有人曾非常痴迷于印度文化，甚至成为真正的东方主义者。而像寇松那样迷恋封建守旧文化的人，或许可以被称为“守旧主义者”。

印度的封建主义残余并不难找。所谓的“土邦”占据了印度国土面积的1/3。这些地方至少在名义上还由传统的王公统治，虽然一切都在英国政府专职大臣（在其他东方帝国，这一职位被称为“首席大臣”）的监管之下。甚至在英国人直接统治的地区，大多数乡村地区还是由印度地方贵族主导。在寇松的眼里，这些人正是印度的自然领导者。正如1905年他在加尔各答大学一个集会上的演讲中所说：

> 我一直坚信印度土邦有继续存在的理由，我也是土邦王公热情的支持者。我相信他们不是封建残余，而是统治者，不是傀儡，而是管理阶层中活跃的一分子。我希望他们与英国统治者共担责任，共享荣誉。

寇松所看重的人就是像迈索尔王公那样的人。从1902年起，迈索尔王公开始接受新的专职大臣埃文·马克努奇的辅佐。迈索尔王公至少在理论上是蒂普苏丹的王位继承人。蒂普苏丹曾经是东印度公司最危险的敌人。但是，这样的日子已经一去不复返了。这位王公有一名高级印度文员斯图亚特·弗雷泽爵士做他的老师；马克努奇回忆道，大家都认为：“一位从同一文职系统中提拔上来的，具备必要经验的专职大臣，应该能够将王公陛下从繁忙的国事中解脱出来，向他展示一下我们处理工作的方式，同时约束一下他的性情，以便发挥一些良好的影响。”马克努奇对自己在迈索尔宫廷7年工作生活的描述，充分揭示了像王公那样的傀儡所扮演的角色：

> 王公大人……虽然年轻，头脑却极其成熟，但这并不妨碍他像孩童般乐此不疲地投入激烈的运动中……他也有足够的品位和知识来欣赏本国音乐以

及西方音乐……

同时，我们得工作，清理贫民窟、拓宽拉直街道、安装地表排水系统、引导污水排入下水道，最后流入污水池，另外，我们还要为失去居所的民众安排新的住所，并进行整体清洁。

王公的花花公子形象由此可见一斑——富有、西化、政治上无能，而且，这日益成为印度司空见惯的一种形象了。

虽然英国人要代替这些王公们管理王国，还要给他们丰厚的津贴，但英国人索要的回报只有一样，那就是要求他们不问政事、保证忠诚。总的来说，英国人也获得了这个回报。当寇松以总督的身份造访纳希布尔时，王公还特地赋诗一首来纪念这次会面：

欢迎您，哦，总督，印度伟大的统治者，
喔！千万双眼睛急切地盼望着见到您！
我们的心欢呼雀跃，兴奋无比，
我们满足了，我们的希望实现了；
纳希布尔为您踏上了这片土地而欢呼！
英国在印度的统治光荣而伟大。
在仁慈统治者的统治下，人民有福了。
改善臣民的福利是您永恒的目标；
像慈父般喜爱和保护他们；
喔！我们到哪里才能找到像您那样的高尚统治者！

那么，确实如此吗？

实际上，寇松热衷于维护等级制度并非什么新鲜事。迪斯雷利的同僚，曾做过印度总督的利顿勋爵的热衷程度则更夸张。这位罗曼蒂克的勋爵想重建印度的“封建贵族”阶层，他的理由是“越往东走，轻轻一击就越能制造出更大的影响”。利顿甚至还在印度文员机构中专门为东方贵族的子弟们创设了一个新的部门。正如旁遮普的一位官员在1860年所说，这么做的目的是为了“通过暂时的妥协……让一个分散在全国各地，拥有财产最多、地位最高的群体，能够凝聚到政府身边”。守旧主义者也不仅仅存在于印度。在坦噶尼喀，唐纳德·卡梅伦爵士也在努力强化从“农民……到村长，从村长到副首领，从副首领到首领，从首领到县官”之间的等级划分。在西非，金伯利勋爵认为最好“不要与‘受过教育的当地人’群体接触，我只于世袭的头领打交道”。汉密尔顿夫人（斐济的总督夫人），甚至将斐济的头领们视为与自己同属一个社会阶层的人（不同于她孩子的英国保姆）。又如刚被任命为埃及高级专员的乔治·劳合，他在履职之际坚持认为“所有东方人都很敬畏勋爵”。弗雷德里克·卢格德则认为，大英帝国存在的整个意义，英国的西非帝国存在的整个意义，就是“在一个变化无常的世界里，维持传统统治阶层在维护社会稳定方面的堡垒作用……真正重要的问题就在于社会地位”。卢格德发明了整套“间接统治”理论，反对诸如1865年对牙买加庄园主的直接强行统治。根据这一理论，通过将当地权力下放给现有的精英阶层，只保留最基本的中央政权（尤其是财政权），英国便能以最低的成本维持统治。

除了恢复传统的等级制度，大英帝国的管理阶层还煞费苦心地保留或者（在必要时）创造出等级制度。印度的礼仪严格受制于“等级次序规定”，1881年，印度的职位分为77个等级。在整个大英帝国，官员们热衷于追逐圣米歇尔及圣乔治勋章，无论是三等勋爵士CMG（戏称为“叫我上帝”）、二等勋爵士KCMG（戏称为“请叫我上帝”），还是最高的一等勋爵士GCMG（戏称为“上帝叫我上帝”）。寇松伯爵就宣称：“说英语的群体是世界上最热衷于加官晋爵的一群人了。”

当然他也确信，这些人对宏伟建筑也很感兴趣。在寇松统治期间，泰姬陵和胜利宫得到了重建，加尔各答则修建起了维多利亚博物馆。值得注意的是，寇松在印度最不喜欢的地方就是维多利亚时代的英国人在印度从片瓦开始修建起的西姆拉。他抱怨道，这“不过是建在山顶上的中产阶层城郊”。在那里，他不得不与“一群只对马球和跳舞感兴趣的年轻人”共进午餐。而山上的总督府在寇松看来，也粗鄙得令人厌恶。（“我极力让自己不要失望，”寇松夫人承认道，“可能美国明尼阿波利斯的富翁们会对此感兴趣。”）与他们共进晚餐的人也让他们感觉，自己好像“每天都在管家的房间里，与管家和女仆吃晚饭”一样。这里的林林总总让他们简直忍无可忍，只好在索马里高尔夫球场旁边找了个地方野营。在他们看来，最令人悲哀的事实就是，印度的英国人是那么无可救药的平庸。

最能反映出寇松的守旧主义思想的就是1903年德里杜巴广场大游行了，这是他为了庆祝爱德华八世继位而组织的一场盛况空前的仪式。这次杜巴游行——有人则戏称其为寇松游行——将总督眼里的所谓印度封建社会形态表现得淋漓尽致。最引人注目的是一场极富象征意义的大象游行，印度王公贵族们还在其中扮演了重要角色。正如一位观察家所说，这是：

> 一个壮观的景象，任何文字都不足以描绘出它的特色，它绚丽的色彩，它不断变化的场面，象背上形形色色的装饰，以及跟在总督后面的头领们美妙绝伦的服饰……人们开始只是小声地啧啧称赞，继而爆发出阵阵欢呼。

从博帕尔的贵妇们到卡普塔拉的王公们都坐在象背上，摇摇晃晃地跟在总督本人身后。在一名报道杜巴游行的记者的印象里，“黑髯的国王们随着他们巨型战马的晃动摇来摇去……这种景象让人简直不相信这是在19世纪”。英国国王兼印度皇帝虽未亲驾，但却传了话过来，这席话简练地表达出了总督自己的观点，让后者不由感慨道：

> 国王陛下太强大了……因为他关注其所有封地和臣民的自由，尊重他们的尊严和权利。英国在印度政策的关键就是保持当地社会架构的精髓。这种政策也确实帮助我们在很大程度上取得了成功，因此我们认为它也是我们确保未来胜利的可靠工具。

但是，这里面有一个致命错误，[①]杜巴游行确实是个壮观的盛会，没错；但这只是权力的表面，而非实质。除了印度军队，英国统治的第二大基础并非坐在

① （正如马克努奇所观察到的）不仅许多印度王公私下里不喜欢寇松以俨然“校长”的姿态对待他们，而且寇松在这些王公贵族们赏光参与杜巴游行后竟然未对他们进行任何回访，也足以引起他们的不满。

象背上的王公们，而是被英国化了的印度精英们，比如在麦考利的支持下培养的律师以及印度行政人员。可这些人却被寇松视为威胁。事实上，他有意躲避这些所谓的“孟加拉先生”们。当被问及被提升为合同文员的当地人为什么这么少时，他轻蔑地回答道：“当地人即使晋升到高位，也未必能承担相应的责任，无法赢得欧洲下属的尊重，甚至不能获得当地下属的尊重。他们往往不得不辞职，或者逃避。”

就在杜巴游行的两年后，寇松又有预谋地对印度“先生们”发起了攻击。他宣布，为了提高管理效率，他们的家乡孟加拉将被一分为二。加尔各答既是孟加拉首府，也是整个印度的首都。这里也是印度国大党的权力基础，而国大党已经不再是（如果它曾经是的话）发泄当地人不满的“安全阀门”了。寇松很清楚，他的城市分割政策一定会受到新崛起的民族主义者的抨击。用他自己的话来说：“国大党操控的触手就是从加尔各答这个中心地带伸出的……任何以分割孟加拉语民众为目的的举措……或者任何能够削弱律师阶层（他们完全将整个组织玩弄于股掌之上）影响的举措，都将遭到他们激烈而愤怒的排斥。”这个建议确实极其不得人心，乃至于掀起了继兵变后最严重的一次反英政治暴力运动。

民族主义者们第一次通过有组织的英国商品抵制运动，提出了印度经济自给自足的主张。这正是中间派人士（比如，作家拉宾德拉纳特 · 泰戈尔[①]）所支持的战略。而罢工和游行也开始蔓延。有些抗议者走得就更远了。在孟加拉，有一群暴力袭击者专门袭击英国政府行政人员，包括多次试图暗杀孟加拉总督本人。起先，有关部门以为暴力活动都是未受过教育的印度穷人发动的。但是 1908 年 4 月 30 日，原本以马扎弗普尔地区法官 J · D · 金斯福特为目标的炸弹炸死了两名英国妇女，警方防暴队调查后发现了一个惊人的真相：这次暴乱与 1857 年印度兵变者所带来的威胁截然不同。上次兵变不过是一些普通士兵为了维护他们传统的宗教文化，抵制英国的干涉而发起的。而这次则不同，这是一场现代的恐怖主

① 泰戈尔在 1913 年被授予诺贝尔文学奖的消息对自视甚高的英国文学界精英来说，不啻为一个沉重打击。乔治 · 伯纳德 · 肖嘲笑了这位“拉宾德拉斯特 · 泰戈尔”——他轻佻的口吻也充分显示，对受过教育的孟加拉人的反感在当时的英国人中是多么普遍。

义，是极端民族主义加上炸药的结合物。而且，运动领袖绝非贫穷的苦力。其中一个恐怖主义组织叫“自主文化协会”，是由巴曼塔纳特 · 米特拉领导的。米拉特是加尔各答高等法院的律师。当英国的特别行动小组突袭了加尔各答五个极其受人尊重的场所时，发现这些恐怖分子身上带了制造炸弹的设备。26 名年轻人被捕——他们绝非英国人所怀疑的苦力，而是孟加拉婆罗门阶层的成员。

后来，在阿里布尔接受审讯的人则有着更受人尊重的背景。其中一位被告奥罗宾多 · 高斯曾在伦敦圣保罗学校当过班长，还是剑桥国王学院的学者。他甚至刚好是审讯他的官员的同龄人；实际上，高斯曾在希腊的印度文员考试中击败过后者，只不过因为错过了骑术考试而未被录取为行政人员。正如参与审理该案的另一位英国律师所言：

> 只因为不会或者不愿意骑马，就将像奥罗宾多这样聪慧睿智的人拒在文职系统之外，真是太可惜了……如果在印度的教育体系中为他留有一席之地，不仅他个人能够飞黄腾达，而且他也能够更坚定地强化他的国家与我们国家之间的联系。

但是，现在后悔为时已晚。英国人一直在按他们自己的形象来塑造印度人。现在，与这些英国化了的印度人对立，结果只能是酿成灾祸。奥罗宾多 · 高斯代表着即将席卷整个大英帝国的民族主义浪潮，而他本人正是英国教育的产物。

阿里布尔审判显然又与 40 年前莫兰湾的审判不同。后者很快结案，而阿里布尔审判却持续了 7 个月之久，最后，奥罗宾多被无罪释放。他们的组织头领——他的兄弟巴伦达 · 库马尔 · 高斯原本被判死刑，后来也得以减刑，即使他已经承认是他授权暗杀主原告的。1911 年，英国撤销了分割孟加拉的决定，这次让步让它颜面尽失。颇具讽刺意味的是，印度独立以后，孟加拉又被分割开来。英国方面的示弱并未阻止恐怖主义运动，根本没有。

但同时，英国人也设计了一个更好的办法来惩罚孟加拉这个不服管理的首府。他们决定将政府迁至德里——莫卧儿王国以前的首府。曾经，就在这些惹是生非的印度“先生们”出现之前，加尔各答因为其经济地位成为大英帝国基地的自然选择。但对守旧主义者来说，德里是一个更适合的首都；新德里最好地展示了那个时代不言而喻的势利态度。

可惜寇松本人的仕途不够长，没有看到他为杜巴绘制的宏伟壮丽的都市蓝图变成实实在在的金碧辉煌的城市。新德里的建筑师赫伯特·贝克和埃德温·吕特延深信，他们的目标就是建造可以与莫卧儿王朝的辉煌相媲美的英国权力的象征。他们当时就领悟到，这无异于为守旧主义的大英帝国书写永垂不朽的传奇。吕特延承认，光是住在印度就让他感觉自己“非常守旧，回到了守旧的前封建主义”（他甚至娶了利顿勋爵的女儿）。贝克则马上认识到了“在一个政治首都中的政治立场”；他认为，目的是“为了让印度人的情感不要与大原则相冲突，这也是英国政府应该做的。”这两个人确实创造了奇迹，创造了大英帝国建筑史上的杰作。新德里恢宏壮观，毫无疑问。光是总督府就占地4.5英亩，雇用了6 000名仆人和400名园丁，其中有50人的专职任务就是驱赶鸟儿。同时，它也当之无愧地精致美丽。高耸的塔楼和穹顶在清晨朦胧的光线中熠熠生辉，总督府（现在的总统府）门口的士兵就在此时换岗，只有铁石心肠的反帝国主义者才会在看到这幅情景后不为所动。但是，新德里所传递出的政治信息也是异常明确的，你甚至不必通过建筑物的象征意义来解读。贝克和吕特延为他们的创造添上了精彩的一笔，那就是在秘书处的墙上刻上了一段铭文，这可能是大英帝国历史上最谦卑的措辞了。

> 自由不会自己降临到人们身上，人们必须站起来争取自己的自由，这是需要付出汗水和努力才能享受到的祝福。

这段铭文并非寇松所写。但是这种俨然以导师的姿态说话的口吻，却带有十足的寇松风格。

最具讽刺意味的是，为建造这一璀璨的建筑提供资金的正是印度的纳税人。显然，在获得自由之前，印度人还将继续为他们被英国人统治的特权付费。

这个特权值得花钱买吗？英国人想当然地认为它值得。但即使是寇松本人，也曾承认英国人统治印度“也许对我们有利，但并未给印度人带来同样的好处，甚至根本没有任何好处”。印度民族主义者对此深表同意，他们抱怨说，印度的财富都流入了外国人的口袋。但实际上，我们现在知道，就1868~1930年来看，综合考虑印度的外流财富（也就是殖民地的负担）与殖民地的贸易顺差，外流的财富不过占印度国民生产净值的1%。这远远少于荷兰通过它的东印度公司所攫取的财富，荷兰同期在印度尼西亚攫取的财富占后者国民生产净值的7%~10%。

同时，在资产负债表的另一边，英国也对印度的基础建筑、灌溉系统及工业进行了大量投资。到19世纪80年代，英国已经在印度投资了2.7亿英镑，几乎占其海外投资的1/5。到1914年，该数据已达到4亿英镑。英国人将印度受灌溉的土地面积扩大到了原来的8倍，当英国统治结束前夕，1/4的印度国土得到了灌溉，而在莫卧儿王朝时代，只有5%的土地受到灌溉。英国人从头建立了印度的煤炭业，到1914年，印度的产煤量已经达到年产近1 600万吨的水平。同时他们将黄麻纺织机的数量增加了9倍。在英国人统治期间，公共健康和卫生状况有了很大的改善，印度平均寿命因此增加了11年①。英国人还引入奎宁作为疟疾预防药物，并推广天花疫苗接种，尽管常常受到当地人的反对。不仅如此，他们还努力改善城市用水供应，而在此之前，水一直是传播霍乱和其他疾病的介质。另外，虽然我们没办法量化，但是我们还是很难相信，像印度文员机构这样一个清廉的官僚系统的统治会没有优势。印度独立后，少数派，也是亲英派人士乔杜里曾将他的书《一位无名印度人的自传》献给“对大英帝国在印度统治的回忆……因为在我们的记忆中，所有美好而鲜活的东西都是由大英帝国产生、形成和催化的”，为此，他还遭到印度所有广播电台的封杀。他的话当然有些言过其实了，但是这些话中也不乏实情，这也是为什么这句话让乔杜里的民族主义派批评者如此愤怒的原因。

当然，在英国人的统治下，普通印度人并未变得富裕起来。1757~1947年，英国的实际人均国内生产总值增长了347%，而印度只增长了14%。印度经济工业化所带来的利润增长很大一部分进入了英国管理机构、银行或者股东的口袋，虽然事实上当时的印度也不乏投资者和企业家。19世纪强加于印度的自由贸易致

① 从人均寿命21岁增加到了32岁。但是，同期（1820~1950年），英国人的平均寿命从40岁增加到了69岁。

使本土制造商暴露于欧洲人的致命竞争之中，而与此同时，独立的美国却为了保护其稚嫩的工业而竖立起了高高的关税壁垒。1896 年，印度消费的布料中只有 8%是由印度作坊提供的。[①]我们还应该记住，印度的契约劳动者为大英帝国提供了其经济赖以发展的廉价劳动力。19 世纪 20 年代~20 世纪 20 年代期间，近 160 万名印度人离开印度，去加勒比海、非洲、印度洋和太平洋沿岸的英属殖民地寻找工作，从马来西亚的橡胶种植园到斐济的糖作坊，印度人的身影随处可见。他们所经过和工作的地方条件并不比一个世纪以前的非洲奴隶们的待遇好多少。像马克努奇这样的文员虽然尽了很大努力，也未能扭转 1876~1878 年和 1899~1900 年间可怕的大饥荒。确实，在前一次饥荒中，英国所推崇的自由竞争经济实际上导致事态更为严峻。但是如果在莫卧儿王朝的统治下，印度人的日子就会更好过吗？[②]或者如果在荷兰人或俄国人的统治下，又会如何呢？

他们在印度统治者的治理下可能会更好过，这似乎是显而易见的事。被英国人推翻的印度统治阶层显然是这样认为的，以前国民收入的一部分（大约 5%）都是专供他们挥霍的。但是对大多数印度人来说，独立后是否就能改变命运还是个未知数。在英国统治下，农村经济在税后总收入中的占比实际上从 45%增长到了 54%。由于农村人口占印度总人口的 3/4，我们显然可以说，英国统治缩小了印度的贫富差距。另外，即使英国统治并未极大地提高印度人的收入，但可以相信，如果兵变成功，莫卧儿王朝复辟，情况将更为糟糕。

原因就在于，印度的民族主义者事实上并不是以改善大多数人的生活为己任的，而只是为了推翻少数的特权阶层。在麦考利时代，英国人扶植了一批说英语，接受英国教育的印度精英。这些从属于印度文员机构的阶层正是英国管理体系所依赖的一大基础。随后，这些人自然希望在政府中谋职，这点麦考利也预见到

---

① 但是内战期间，这一情况也有所改变。到 1945 年，国内消费的 3/4 都是由印度作坊提供的。

② 如果将英国人在 1877 年大饥荒中依靠自由市场的想法与纳粹对犹太人实行种族灭绝政策的行动相提并论，那可能是很不公平的。当时的印度总督利顿勋爵想当然地认为，1876 年旱灾之后，市场的力量足以让饥民们吃饱，可结果却事与愿违。但再怎么说，他的初衷并不坏，不像希特勒，后者蓄意谋杀的意图是昭然若揭的。

了。[①]但是在寇松时代，这些人突然失宠，英国人又开始扶植那些表面风光，实际已经极其腐朽的王公贵族了。

结果，在维多利亚女王的统治后期，英国在印度的统治就好像寇松所欣赏的那些古代宫殿一样。从表面看富丽堂皇，殊不知，楼梯下面的仆人们却忙着将地板劈成柴火。

> 我们的海军消失在了远方；
> 沙丘和海岬上的火熄灭了；
> 瞧，我们往日的浮华，
> 随着尼尼微和提尔城而沉没！
> 国家法官啊，宽恕我们，
> 不要让我们忘记——不要让我们忘记！

这是吉卜林在1897年写的一首哀伤的“退场赞美诗”，当同胞们正在庆祝维多利亚女王登基60周年的时候，吉卜林却在他们的头顶上撒下了一丝忧虑。当然，正如尼尼微和提尔城这些傲人的大本营一样，寇松的大部分杰作也没能经受住时间的考验。作为总督，他踌躇满志地想要提高英国政府在印度的统治效率。他热切地相信，如果没有印度，英国将从“世界最强国的宝座”上跌落，沦为“三流”国家。但是，他仅仅希望对英国的统治，而非印度的统治实行现代化。就像对待印度古代的纪念碑一样，寇松在印度王公贵族的身上贴上了“保存”的标签，将知名的建筑中塞满可靠的“知名”的贵族阶层，但这根本不是一个可靠的举措。

寇松本人的仕途还算顺利，1915年被封为掌玺大臣，1919年成为外交大臣。但是，他始终未能得到他所期盼的最高职位，这也与他的守旧主义领导风格有关，根据一份绝密备忘录记载，不考虑他的原因在于他“代表了特权保守阶层这个在当今的民主时代”已经不再占据一席之地的阶层。这句评论也足以作为这个守旧主义项目的墓志铭了。

---

① “让一个伟大的民族不再深陷奴隶制和迷信的泥潭，管理他们，让他们充满希望，拥有一个公民应有的所有特权，那对我们自己来说也是一件荣耀的事。”

英国下议院议员阿瑟·李有一次在杜莎夫人蜡像馆偶遇寇松伯爵，后者“正聚精会神地注视着自己的蜡制雕像，脸上露出一丝失望的表情”。如果他看到维多利亚女王兼印度女皇，以及英国历任印度总督的塑像落寞地站在勒克瑙动物园如今人迹罕至的后院的话，他还不知道要怎么失望呢。这些雕像自印度独立后就被丢弃在了那里。没有比这块破旧的小园地里，这些维多利亚时代巨大的大理石雕像更能生动地象征大英帝国成就的短暂了。仅仅将雕刻好的巨石从伦敦运到勒克瑙就是一个浩大的工程，只有借助吊车、蒸汽船和火车才能办到，这些正是维多利亚权力的真正引擎。而今天，这个面容愁苦的老太太统治印度的故事却被视为一段荒谬的过去。这尊巨大的女王兼女皇雕像曾经站在某个公共场所高高的基座上，从那里搬离后，它似乎也丧失了过往的恢宏气势。①

随着新世纪的来临，印度已经不再像19世纪60年代那样是英国皇冠上的一颗不可缺少的明珠了，它也不再是大英帝国权力的核心。在世界的其他地方，新一代的帝国主义者成长了起来，他们相信，大英帝国要生存，要迎接新世纪的挑战，就必须向新的方向拓展。

在他们看来，大英帝国必须放弃虚名，回归到前维多利亚时代的核心：扩张新的市场，占领新的殖民地——如果有必要，不惜发动新的战争。

① 即使是这样，雕像鼻子被人砸坏的惨状似乎还是微妙地给人一种渎圣的感觉。

EMPIRE
HOW BRITAIN MADE
THE MODERN WORLD

第五章

帝国的旗帜

约翰·罗斯金，就任牛津大学史莱德艺术教席教授时的就职演说，1870年

我们有两面旗帜，应该把哪一面插在遥远的岛上——是飘扬在圣火中的那面，还是沉甸甸地挂满缀着黄金的肮脏布条的那面？我们面前铺开了一条能给我们带来益处和光荣的路，可怜的凡夫俗子们从未得到过如此良机。但对我们来说，这也是涉及生死存亡的问题，“要么统治，要么死亡”……这也是（英格兰）的命运，要么扩张，要么衰退：她必须在尽量快的时间内，在尽量远的地方，找到新的殖民地，培养最有精力和最有价值的人；占领她能够到达的每一寸未被占领的富饶土地。

塞西尔·罗德斯，向罗斯柴尔德勋爵概述设立罗德斯奖学金的初衷，1888年

尽可能地参照耶稣会的样式缔造一个组织，其成员效忠于大英帝国，就像耶稣会成员效忠于罗马天主教一样。

约瑟夫·张伯伦

不打碎鸡蛋，你没法做煎蛋；不用武力……你没法消除野蛮行径、奴隶制和迷信。

仅仅几年后——就在19世纪过去，20世纪来临时——英国人对大英帝国的态度从自负变成了焦虑。维多利亚女王统治的最后几年，帝国的自大膨胀到了极点。凭借着强大的炮火和金融力量，世界上似乎就没有英国人不能占领的地方。既是世界警察，也是世界银行的大英帝国开拓了历史上前所未有的广阔疆域。甚至其最强的竞争对手——法国和俄国——也在这位大不列颠巨人的面前自惭形秽，这是历史上第一个真正的超级大国。但是，就在1901年多利亚女王在奥斯本宫的病榻上奄奄一息之前，复仇女神降临了。非洲一向被理所当然地视为英国的属国，此时却出人意料地给了英国重重的一击。虽然有人秉持沙文主义的强硬态度作出了反应，但其他人却举棋不定。甚至一些知名的将领和总督也显示出了最多可称为颓废的态度。大英帝国最野心勃勃的对手也很快嗅到了这种优柔寡断所带来的机会。

从开普敦到开罗

19世纪中叶，除了少量沿海口岸，非洲的大部分地方都未被划入大英帝国的世界版图。在开普敦北部，大英帝国的占领区只限于西非，包括塞拉利昂、赞比亚、黄金海岸和拉各斯，绝大部分是英国在进行奴隶贸易，后来又为反奴隶制而战的过程中夺得的。但就在1880年后的短短20年内，1万多个非洲的部落王国被改造成40多个城邦，其中36个在欧洲人的直接控制下。人类历史上从未有过如此大规模的版图更动。到1914年，除了阿比西尼亚和利比里亚（后者是美国的准殖民地），整个大陆都被欧洲人以各种形式占领了，其中大约1/3被置于英国的统治之下。这就是后来我们所说的“瓜分非洲”——虽然我认为，说“宰割非洲”更为确切。

维多利亚统治后期，大英帝国之所以能够大规模扩张，一个关键原因就是金融力量和武力的结合。这种结合在塞西尔·罗德斯身上得到了充分展现。罗德斯是彼谢普斯托福的一位牧师的儿子，17岁时移民南非。正如他后来所说，移民是因为他“无法再忍受冻羊肉的味道了”。他既是一位商业天才，也是一位极富政治远见的人；是一位好掠夺的男爵，也是一位神秘主义者。与其他“兰德贵族”不同，至少与他的搭档巴内·巴尔托纳不同，罗德斯并不满足于从金佰利巨大的德比尔斯钻石矿中赚钱。他不仅仅想发财，更希望成为一个帝国的缔造者。

虽然在公众眼里，他就好像一个骑在非洲身上的巨人，但是，若没有他在伦敦的朋友们的协助，他也很难在非洲的钻石生产领域占据几近垄断的地位。他的朋友中最值得一提的就是罗斯柴尔德银行，当时是世界上金融资本最雄厚的财团。就在罗德斯来到金佰利的钻石矿之前，已经有上百家小公司在当地4个主要的矿脉上工作了，这不仅让市场充斥着钻石，也导致这些公司一家接一家地破产。1882年，罗斯柴尔德银行的一位代理人造访金佰利，建议进行大规模的并购；4年时间里，这些公司的数量缩减为3家。一年后，罗德斯的德比尔斯钻石公司并购弗朗西斯公司，紧接着又进行了最后一次重要合并，收购了规模更大的金佰利中央公司，（罗斯柴尔德银行为这两次并购都提供了融资）最后就只剩下了罗德斯的德比尔斯钻石公司了。我们通常都认为，德比尔斯钻石公司的老板是罗德斯，但实际上并非如此。纳撒尼尔·罗斯柴尔德才是比罗德斯本人更大的股东；实际上，到了1899年，罗斯柴尔德所持股份是罗德斯的两倍。1888年，罗德斯在致罗斯柴尔德勋爵[①]的信中说："我知道，有了您的支持，我可以实现我所说的一切。如果您与我意见相左，那么我绝不会说一句话。"因此，1888 年 10 月，当罗德斯在非洲有了一个新的项目后，他很清楚自己应该向谁求助。

罗德斯希望罗斯柴尔德考虑的是一个金矿开采项目。他刚刚从马塔贝莱族酋长洛本古拉手中获得了一块土地的使用权，因为罗德斯相信，这里的林波波河之外一定存在一个"取之不竭"的金矿。从他致信罗斯柴尔德的措辞中可以看出，他对洛本古拉的态度是极不友好的。这位马塔贝莱族酋长，他写道，是"进入中非的唯一障碍，一旦我们获得他的领土，剩余的就简单了，因为其余部落都由不同的头领领导，各自为政……现在的关键就在于拿到他的土地马塔贝莱，这里藏有黄金的事可不仅仅是传闻……想想看，2 年前用 15 万英镑买下的黄金矿，现在能以 1 000 万英镑的价格卖出。"罗斯柴尔德给出了积极的反馈。当罗德斯与贝专纳公司共同创立新企业"马塔贝莱中央研究协会"时，罗斯柴尔德成为新公司的大股东，当该公司在 1890 年更名为联合特权公司时，罗斯柴尔德又追加了投资。1889 年，当罗德斯创建英属南非公司时，罗斯柴尔德也是原始股东之一；事实上，他仿佛是不拿公司薪水的财务顾问。

如果说，德比尔斯公司经历的不过是在金佰利的股东之间的争斗，那么英属非洲公司所经历的就是真枪实弹的战斗了。当洛本古拉发现自己被骗签署了不仅仅涉及采矿权的特权授予协议后，他决定抓捕罗德斯。而罗德斯也决心除掉洛本古拉。罗德斯派出了一支由特许公司 700 名自愿者组成的侵略军。以非洲人的标准来看，马塔贝莱军队是一支强大而有组织的军队；洛本古拉的部队人数也有 3 000 人之多。但是，罗德斯的侵略军配备了一种极具杀伤力的秘密武器，那就是马克西姆重机枪，这种 1.13 厘米口径的机枪由 4 个人配合操纵，每分钟可发射 500 发子弹，子弹数量是速度最快的来复枪的 50 倍。一支军队只要配备 5 挺这种致命武器，就能够所向披靡了。

1893 年的桑格尼河战役是最早使用马克西姆重机枪的战争之一。一位目击者

---

① 纳斯尼尔 · 罗斯柴尔德在 1885 年被册封为贵族，成为第一个进入下议院的犹太人。

记录了当时的情景：

> 马塔贝莱军队在努布祖军团的率领下冲过来，但始终冲不过100码之外的火线。努布祖军团是酋长的保镖团，他们一边冲，一边像魔鬼般叫嚣，前仆后继地赴死。因为马克西姆重机枪的威力出乎他们所有人的预料，他们就像除草一样一茬茬地倒下了。我从未见过像马克西姆重机枪这样的武器，也想象不出会有这样的武器：持枪人打得有多快，子弹带就能多快地往枪膛传送子弹。托上帝的福，战壕里的所有人靠着马克西姆重机枪才得以保命。当地人告诉他们的酋长，他们不怕我们，也不怕我们的来复枪，但是，他们杀不了那一直连射的怪物，他们指的就是那马克西姆重机枪。

对马塔贝莱人来说："白人……带着……枪来了，这些枪射出的子弹就像天上下的冰雹一样向他们砸来，没有哪个马塔贝莱人能够经受这样的枪林弹雨。"最后，大约1 500个马塔贝莱勇士牺牲。而700名侵略者中只死了4人。《泰晤士报》自鸣得意地报道说，马塔贝莱人"诬蔑我们的胜利，说我们是靠巫术取胜的，他们以为马克西姆重机枪纯粹是邪恶神灵的创造。他们称它为'斯库卡库卡'，因为它开火时发出的特别声音就是这样的。"

如果有人不知道是谁策划了这场战役，那么我们只要看看这块被征服的土地的名称就知道了，它被命名为罗得西亚。而在罗德斯背后，则是罗斯柴尔德强大的金融力量。值得注意的是，该家族法国分支机构中的一名成员满意地看到了"与马塔贝莱人发生激战"的新闻与罗德斯的英属南非公司的"股票小幅提升"之间的联系。罗斯柴尔德的唯一忧虑，（而且，这也不无道理）就是罗德斯正将资金从利润丰厚的德比尔斯公司转移到前景尚不确定的英属南非公司。1891年，保守党那位特立独行的伦道夫·丘吉尔勋爵访问南非归来后，声称"没有比投资于（矿业）更加不明智和不安全的投机了"，他还谴责罗德斯是个"骗子……不能让他在城里集资51 000英镑用于开矿"，罗斯柴尔德也被激怒了。在这位颓废的金融家眼里，没有比贬低一项投资更严重的罪过了。

马塔贝莱战役的官方纪念品在这场单方面伤亡战役的40周年纪念日被公开，

首先公开展示的就是罗德斯为那些征服了马塔贝莱“野蛮人”的军人颁发的“勋章”。不过，最引人注目的则是献给征服者挚爱武器的一首奇特的赞美诗。这首赞美诗实际上开头就从自由主义的角度对远征进行了一种嘲讽，但是，罗德斯的军队却厚颜无耻地用它当做他们的颂歌：

> 特许士兵们朝着异教徒的土地向前进发，
> 祈祷书放入口袋，来复枪握在手中，
> 顺着商贸之路，我们乘风破浪，
> 传播和平的福音——用一杆马克西姆重机枪。
>
> 告诉可怜的当地人，他们的心中充满了罪恶，
> 让他们的异教寺院变成圣洁的地方。
> 如果他们不听从你的教诲，
> 叫他们听听另一种布道，用你的马克西姆重机枪。
>
> ……
>
> 当他们深刻理解了十诫，
> 你必须哄骗他们的头领，并吞并他们的土地；
> 如果他们不听从你的指挥，
> 叫他们听听另一种布道——从山上，用你的马克西姆重机枪。

马克西姆重机枪实际上是美国人的发明。但是，它的发明人海勒姆·马克西姆始终将目光牢牢地锁定英国市场。当他在伦敦哈顿公园的地下室研发出机枪的雏形后，他立即邀请一些名人和神枪手来试用这款武器。接受邀请的人中有剑桥公爵、军队总司令、威尔士亲王、爱丁堡公爵、德文郡公爵、萨瑟兰郡公爵，以及肯特郡公爵。剑桥公爵直接表达出他对这款武器的欣赏，这是他那个阶层人士的典型特征。他声称，自己“非常欣赏这款机枪的价值”；实际上，他“坚信，不久之后，这种枪就会在所有军队中普及”。但是，他“并不认为现在是购买的最佳时机”，他还补充道：“当我们需要这种枪时，我们会购买最新的机型，而且聪明

人能够在几个小时内就学会使用它们。”其他人更是马上对马克西姆发明的巨大潜力表示了赞赏。当1884年11月马克西姆重机枪公司成立时，罗斯柴尔德勋爵加入了董事会。1888年，他的银行为马克西姆重机枪公司与努登费尔特机枪公司和军火公司的合并提供了190万英镑的融资。

罗德斯与罗斯柴尔德之间的关系非常密切，他甚至将自己遗嘱的执行权交给了罗斯柴尔德勋爵，并说明，他的财产要用来建立一个地位相当于耶稣会的帝国主义组织——这也是后来罗德斯奖学金基金会成立的初衷。这将是一个“为了大英帝国的利益而建立的精英协会”。他的遗嘱上潦草地写道：“考虑到我所提出的问题，请尽可能地参照耶稣会的形式设立一个组织，其成员效忠于大英帝国，就像耶稣会成员效忠于罗马天主教一样。”罗斯柴尔德则安慰罗德斯说：“在南非问题上，我们首要的，也是最重要的愿望，就是你应该保持在该殖民地所有事务中的领导地位，你也应该执行伟大的帝国政策，实现我们毕生的梦想。”

创建自己的个人王国，获得自己的帝国主义圣职，实际上只是罗德斯更宏大的“帝国政策”的一个组成部分。在他那张能覆盖整张桌子的非洲地图上（现在还能在金佰利看到这张地图），罗德斯用铅笔在开普敦和开罗之间画了一条线。这就是后来的帝国铁路线。从开普敦出发，这条铁路线就像一根巨大的钢铁脊柱，经过贝专纳，再从贝专纳到罗德西亚，从罗德西亚到尼亚萨兰，随后经过大湖区到喀土穆，最后沿尼罗河北上到达终点站埃及。

在罗德斯的愿景里，这样就能将整个非洲大陆置于英国的统治之下了。他的理由很简单：“我们是世界上最优良的民族，我们占领的领土越大，整个人类的进步就越大。”罗德斯的野心根本没有尽头。他甚至一本正经地讨论“最终收复美利坚合众国，使其重新成为大英帝国不可分割的一部分的设想”。

曾经，诸如罗德斯打击马塔贝莱人的战役，不过是由金佰利俱乐部等私人俱乐部谋划的私人战役。金佰利俱乐部是资本盛宴背后古板的堡垒，罗德斯本人也是其创始人之一。大英帝国没有花费英国纳税人的一分钱，就将马塔贝莱纳入了英国版图，因为这场战役的士兵都是罗德斯雇来的，而打仗的经费是英属南非公司和德比尔斯公司的股东出资的。如果最后发现马塔贝莱没有黄金，那么损失的也是这些股东。事实上，大英帝国的殖民扩张又一次依靠了私人力量的支撑，这好像回到了大英帝国早期，垄断贸易公司作为英国扩张的先行者，从加拿大一直拓展到加尔各答一样。罗德斯也确实是有意识地从历史中吸取经验。英国曾凭借东印度公司在印度贸易拉开了扩张的序幕，如今，英国在非洲的统治也将建立在商业利益的基础上。在致罗斯柴尔德的一封信中，他甚至将德比尔斯比做“另一家东印度公司”。

这么想的人不只是他一个。乔治·戈尔迪出身于曼克斯一个靠走私发家的家族，年轻时是一名浪荡的兵痞，他也是从孩提时代就梦想着“英国的白底红色正十字旗能占满整个世界地图”；他的宏伟规划就是占领从尼日尔到尼罗河之间的每一寸土地。1875 年，他赶赴西非去拯救他嫂子的家族在当地的一个小商业公司。1879 年，他已经并购了多家棕榈油公司，从而建立了英国国立非洲公司。但是，戈尔迪很快认识到，“在一个不能强制实行真正的法律和规则的地方，根本没有办法做生意”。1883 年，他建议国立非洲公司在王室授权下接管尼日尔的整个中南部地区。3 年后，他如愿以偿：重新建立的皇家尼日尔公司获得了特许权。随后，再次上演了 17 世纪殖民活动转包给私营机构的模式，由股东而非纳税人来承担风险。戈尔迪欣喜地看到“为创立公司而投资的股东，得到了公平对待”：

> 人们常说“枪打出头鸟”，但我说这回出头鸟不应该挨子弹，它确实也没有挨打。我走上街头，劝说人们给我 100 万启动资金。我承诺他们的投资会获得公平的回报。如果不是这样，那我就食言了。我的工作就是努力让英国占领世界其他地方的领土，我要提醒诸位的是，在尼日尔公司的特许权到期之前，这项工作一定会取得圆满成功。我相信你们会同意，我绝对会将股东的利益放在第一位……

英国政府当然乐得坐享其成。正如 1892 年戈尔迪所说，英国“已经采纳了依靠商业公司进行扩张的政策……”，而且，如果要“动用大英帝国的资源”来推进他野心勃勃的计划的话，“议会是不可能同意的”。

戈尔迪和罗德斯一样，对他们来说，对公司有利的事情显然也对大英帝国有利。另外，戈尔迪也像罗德斯一样，将马克西姆重机枪视为公司业务和大英帝国拓展的关键。19 世纪 80 年代末，他攻占了好几个富拉尼酋长国，并向比达和伊洛林的几个定居点发动了战争。虽然他手下不过 500 名士兵，但是，马克西姆重机枪能帮助他们打败多于他们 13 倍的兵力。东非的情况也很类似，弗里德里克 · 卢格德在受雇于大英帝国东非公司期间，在布干达确立了英国人的统治。戈尔迪对卢格德的成就非常欣赏，于是便雇用他为尼日尔公司效力。1900 年，北尼日利亚成为英国的受保护国，卢格德被任命为高级专员；12 年后，他成为统一后的尼日利亚的总督。从贸易垄断向“政治保护”转变正是“瓜分非洲”的典型途径。政治家总是先让商人在当地统治一段时间，然后迅速介入，创立某种正式的殖民政府。虽然这些新的非洲公司最初的统治模式很像东印度公司，但是，它们统治非洲的时间却比其前辈公司统治印度的时间短得多。另一方面，即使英国在开始“正式”统治后，也只保留最核心的那部分统治架构。卢格德在他的书《英属热带非洲的双重委任统治》（1922 年）中，将这种间接统治称为“系统地将当地人的习俗惯例作为统治当地的手段”。这么说看上去很复杂，实质的含义是，统治非洲的方式将与统治印度土邦的方式一样：将非洲现有的统治者充当傀儡政府，而英国人则尽量躲在幕后操纵，避免直接干预政治。

但在瓜分非洲的过程中，上述情况只代表了其中部分情况。当罗德斯从开普敦向北推进，以及戈尔迪从尼日尔向东推进时，英国政客们则从开罗向南推进。而他们这么做的原因是，如果他们无所作为的话，其他国家就要插手了。

他们说的其他国家就是法国。法国一直在北非拓展，比英国更稳扎稳打地在奥斯曼帝国的边缘蚕食。他们在埃及的第一次霸权之争是由拿破仑领导的，但在 1789 年的阿布基尔湾海战中，他们却遭到了英国皇家海军的重创。不过，拿破仑下台后，法国很快就恢复了在该地区的军事行动。早在 1830 年，法国军队就开始入侵阿尔及利亚了；7 年后，控制了该国大部分地区。当思想进步的埃及领袖迈赫迈特 · 阿里企图挑衅（如果不说推翻的话）奥斯曼苏丹的政权时，他很快得到了法国人的支持。最值得一提的是，法国投资者是最早开始在土耳其和埃及进行经济开发的。设计和建造苏黎世运河的是法国人费迪南 · 德 · 莱塞普，而实施这项庞大的战略性工程（1869 年 11 月开建）的资金大部分都是法国人出的。不过，英国人却再三坚称，奥斯曼帝国的未来将由五大强国决定，除了英国和法国，还有俄国、奥地利和普鲁士。

确实，要理解瓜分非洲的形势，我们就无法忽略它实际上只是欧洲列强为了保持——或者推翻——它们在欧洲以及近东地区的权力平衡而进行的无休止争斗的延续。1829~1930 年间，它们就希腊和比利时的未来达成共识。在克里米亚战争（1854~1856 年）前夕，它们又就欧洲在土耳其的剩余控制权，尤其是对黑海海峡控制权的未来达成了一个更加脆弱的协议。19 世纪 80 年代，对非洲的争夺在很多方面就是欧洲列强在其他地方外交政策的延续——当然，一个重要的前提条件是，俄国或者奥地利对地中海以南地区的兴趣不大。因此在 1878 年的柏林国会上，将突尼斯让给法国，只是在它们针对巴尔干半岛的未来所签订的一份更为复杂的协议的一条子条款。

1874 年当埃及和土耳其政府破产后，起初人们都认为，按惯例这应该由各列强会晤讨论解决。但是，先后担任英国首相的迪斯雷利以及他的主要对手格拉德斯通，都抵制不住采取单边行动为英国在该地区赢得优势的诱惑。当埃及总督以 400 万英镑出让他在苏黎世运河中的股份时，迪斯雷利抓住了这一机会。他向他的朋友罗斯柴尔德家族求助（还能找谁呢？），请求后者贷给他达成交易所需的巨额现金。当然，在运河公司中持 44%的原始股还无法让英国对运河拥有控制权，尤其是这些股票在 1895 年前都不具备投票权，而之后也只有 10 票的投票权。但另一方面，埃及总督承诺每年将每股价值的 5%以股息的形式派发给股东，这让英国政府对埃及的投资有了新的兴趣。迪斯雷利曾暗示，英国如今依靠运河开展的运输业务正日益增长，不可不考虑运河公司有权关闭运河的风险，他这么想其实多虑了。但从另一方面说，该公司确实也未必永远遵守禁止关闭运河的法律规定。迪斯雷利不无道理地说，在该公司持股为英国增添了一个制衡“工具”。况且，这也是一项收益极佳的公共投资。

后来，埃及财政的重组让法国紧绷的弦稍微松弛了一点：在法国政府的建议下，埃及建立了一个多国委员会，英国、法国和意大利在其中拥有平等的代表权。

1876年，旨在处理埃及公共债务的国际银行建立，两年后，在该银行的建议下，埃及又建立了一个国际化政府，由英国人担任财务部部长，法国人担任公共工程部部长。同时，在英法两国都有业务的罗斯柴尔德家族同意向其贷款850万英镑。《新闻讨论报》甚至夸张地将这个合作描述为“几乎是英法之间的联盟”。一位英国政客概述了这种妥协的理由：“要么断绝关系，要么垄断权力，要么分享权力。断绝关系将导致法国转而与印度结盟。垄断权力难免挑起战争。所以，我们决定分享权力。”但是，这种分享政策持续的时间并不长。1879年，埃及总督废除了这个国际化政府。各列强立即作出反应，罢黜了这位总督，扶植其继子陶菲克继位。但是，当陶菲克政府被阿拉比帕夏领导的埃及军队推翻后，欧洲人很快意识到，埃及随时准备着从海外经济强国的控制下解放出来。于是，亚历山大港加强了防御，苏黎世运河上筑起了一个大坝。该国全面拖欠外债成为债权国们的一大忧虑。而居住在埃及的37 000名欧洲人的生命似乎也受到了威胁。

作为反对派领袖，格拉德斯通曾经激烈地反对迪斯雷利在近东的外交政策。他曾经出于本能反对购买苏黎世运河的股权；他也谴责迪斯雷利无视土耳其人在保加利亚针对基督教群体的暴行。因此，当格拉德斯通当上英国首相后，他对维多利亚时代的外交政策进行了一个180度大转弯。当然，他的本能是坚持英法对埃及的共同控制体系。但在埃及危机爆发的同时，法国国内正发生政治骚乱，这在法国第三共和国的历史上简直是家常便饭。法国人内讧不断，埃及拖欠债务的风险显得尤为突出。亚历山大港发生了大规模的反欧暴乱。在主战意愿更强的内阁成员的怂恿下，加之罗斯柴尔德也向其保证说法国不会反对，格拉德斯通在1882年7月31日同意“镇压阿拉比”。英国舰队炮轰了亚历山大港，9月13日，海军将军加尼特·沃尔斯利爵士率领侵略军——由三支王室骑兵中队，两门大炮和1 000名步兵组成——在半小时内奇袭并摧毁了阿拉比在泰勒凯比尔的规模更大的军队。次日，他们攻占开罗，逮捕了阿拉比，并将其押送到锡兰。用罗斯柴尔德勋爵的话来说，现在“形势已经很明朗了，未来占领”埃及的“一定是英国”。不过，这种占领始终未能以完全殖民地化的形式正式延续下来。占领埃及后，英国人就开始告诉其他列强，后者在当地的势力可以暂时保留。1882~1922年间，英国人反复重申这句话不下 66 次。表面上看，埃及仍然是一个独立的主权国。但实际上，它不过是英国统治下的“蒙着面纱的被保护国”。埃及总督不过是另一个政治傀儡，实权掌握在英国代理人和总领事的手中。

占领埃及为大英帝国的历史翻开了新的篇章。实际上，从很多方面来看，这是诱发非洲瓜分战的真正原因。在欧洲其他列强的眼里，现在显然有必要采取行动了，在英国占据整个大陆之前必须快速行动，法国人的默许同样没有持续多久。事实上，如果这些国家只保留对开普敦和开罗几个战略据点的控制，英国人是很愿意与他们分享这块肥肉的。历史上最大的一次垄断权争夺战即将上演。非洲俨然已成为待宰的羔羊。

正如我们所见，在帝国主义的历史上，瓜分他国领土并非什么新鲜事。但在此之前，非洲的未来还只是英国、法国和葡萄牙（第一个在非洲建立殖民地的欧洲国家）最关心的问题。而现在，三个新的国家加入了争夺，它们是比利时王国（1831 年创立）、意大利王国（1861 年创立）和德意志帝国（1871 年创立）。比利时国王利奥波德二世已在 1876 年建立了他的国际协会，赞助刚果的探险行动，旨在占领该地进行经济上的掠夺。意大利人则幻想着建立一个横跨地中海两岸的新的罗马帝国，并将的黎波里（现在的黎巴嫩）作为他们攻占的首个目标；后来，他们又侵略了阿比西尼亚，但是，1896 年在阿杜瓦战役中却一败涂地，只好满足于控制索马里的一部分领土。德国人的角色比较微妙，起码一开始就是如此。

德国总理俾斯麦是 19 世纪为数不多的真正的天才型政治家之一。他曾说过，他的非洲地图就是欧洲地图，他的意思是，他将非洲视为挑拨英法两国关系，同时将德国选民的注意力从他的自由主义和民主主义反对党的身上转移开的一个良机。1884 年 4 月，俾斯麦宣布对安哥拉佩克（在今天的纳米比亚）实行保护。随后，他又扩大了德国的势力范围，从英属开普敦殖民地的北部边界一直延伸到葡属安哥拉的南部边界，外加西非沿岸的喀麦隆和多哥，最后，还有大陆另一侧的坦噶尼喀。将德国确立为分食非洲的重要成员后，俾斯麦又在 1884 年 11 月 15 日至1885年2月26日期间，在柏林召开了一个有关非洲的重要国际会议。[①]表面上看，柏林会议的目的是确保各国在非洲的自由贸易，尤其是在刚果河和尼日尔河的航运自由。会议最终制定的《总议定书》中多数条款涉及的是这些问题。这份议定书给利文斯顿时代的解放事业和理想开了一张空头支票，它规定所有签字者：

> 确保当地部族的生存，关心他们道德和物质生活条件的改善，帮助他们消灭奴隶制，尤其是禁止奴隶贸易。他们应该不分种族或国家，保护和支持为了上述目的而建立的所有有关宗教、科学或者慈善的机构或事业，或者致力于教导当地人，让后者得到文明祝福的所有机构或事业——基督教传教士、科学家和探险家，以及他们的随从、财产和收集品同样也将被置于特殊保护之下。我们应该明确地向当地人承诺良心的自由和宗教的宽容，就像我们对殖民地的人民和外国人所承诺的那样。

但是，此次会议的真正目的是（正如它在开幕议程上说明的）"确定大家共同认可的，未来瓜分非洲领土的条件"。这次会议的焦点是第34条：

> 从此以后，任何国家如果要在目前的领地之外占领非洲大陆沿海地区的任何一寸土地，或者占领迄今尚未被占领的任何一寸土地，都要在占领后承担起保护国的责任……都要同时对本议定书的其他签字国发出通告，以便他们在有反对理由的情况下对此提出反对意见。

为了让《总议定书》看上去无懈可击，第35条又模糊地规定了签字各方"有责任在他们非洲大陆的沿海占领地确立权威机构，以便保护现有权力"。但当地统治者及其人民的"现有权力"，显然不在议定书制定者的考虑范围内了。

这简直是一份强盗式契约：只要凭借"有效占领"，而无须其他更有法律效应

① 与会代表国包括奥匈帝国、比利时、丹麦、法国、德国、英国、意大利、荷兰、葡萄牙、俄国、西班牙、瑞典、土耳其和美国。值得注意的是，没有一位非洲代表参加该会议，虽然此时，已有不到1/5的非洲领土处于欧洲人的统治下了。

的依据，就有权将非洲瓜分成多个“势力范围”。而且，他们的瓜分行动立即开始了。在会议期间，德国对喀麦隆的占领就得到了承认；利奥波德二世对刚果的主权也就此合法。但是，此次会议的重要性更为深远。除了将非洲大陆像蛋糕那样瓜分，它还巧妙地实现了俾斯麦的核心意图，即挑拨英国和法国相互争斗。确实，在接下来的10年间，这两个国家时常发生冲突，在埃及、尼日利亚、乌干达和苏丹都产生了矛盾。对英国的政策制定者来说，在19世纪90年代，他们的眼中钉就是米宗和马尔尚等法国探险家，就是他们造成了像1898年法绍达冲突（那是发生在苏丹一个小村落的一次超现实主义的尴尬事件）那样怪异的妥协。事实上，英国人被德国总理骗得更惨；因为他们对后者在柏林的胜利所作出的第一反应就是将他在非洲想要（或者看似想要）的所有东西都给它，事实上还不仅如此。

就在柏林会议结束后，英国驻桑给巴尔岛的领事接到了伦敦外交部发来的电报，说是德国皇帝已经宣布对维多利亚湖、坦噶尼喀湖和尼亚萨湖之间的区域实行保护，因为在一年前，探险家卡尔 · 彼得的德国殖民协会声称对这块土地拥有所有权。这份电报生硬地要求领事“在所有方面配合德国”，并让他“谨慎行事”，也“不能允许桑给巴尔政府对德国代理人或者其代表有任何敌意的言辞”。英国驻桑给巴尔岛的领事叫约翰 · 柯克，曾是戴维 · 利文斯顿在桑给巴尔岛那次命运多舛的探险旅途中随行的一位植物学家。在利文斯顿去世后，他曾发誓继续前者未竟的事业，终止东非的奴隶贸易。与德国合作的命令让他震惊万分。多年来，他一直在努力获取桑给巴尔岛统治者巴尔巴什苏丹的信任，并与他达成了一个相互认可的协定，如果苏丹终止奴隶贸易，那么柯克将帮助苏丹拓展在东非的领土，并通过合法贸易让该地区繁荣起来。1873年，巴尔巴什苏丹果然在桑给巴尔岛废除了奴隶贸易，而柯克也履行了他的承诺。到1885年，苏丹在非洲大陆的领地沿着东非沿岸绵延有1 600公里，并深入非洲腹地，最远达大湖地区。可现在，英国政府却因为要取悦德国而抛弃苏丹了。

柯克别无选择，只能服从命令。“我劝告苏丹，”他负责地回复道：“撤回它对德国保护权的反对，并承认德国的所有权。”但同时他也毫不掩盖他的沮丧之情。“我的处境始终是非常微妙而困难的，曾有一度，我以为在说服苏丹作出这次让步后，以后我将再无希望对它产生任何影响力了。”

在我看来，德国意在吞并整个桑给巴尔岛，这是毋庸置疑的，如果是这样，它为什么要否认呢？我认为……德国和英国之间早已达成了一个协议，让我们不要反对德国在该地区的任何行动。但是，对这份协议我却一无所知。如果它们此前已有共识，那么德国的计划就势在必行了。如果是这样，那为什么没人告诉我呢？这些计划到底是政府的计划还是一些德国人的私人计划？……虽然有人对我下达了指令，可是这些有关德国和德国人政策的指令是很晚才下达给我的。我曾遵循我一贯的行动准则……与苏丹订立条约……规定，在没有得到英国允许的情况下，他不得将他的任何领土或权利，或者对其国土的全部或者部分的保护权授予其他人……我以前从未接到过向德国让步的命令，但现在我很快认清了形势，因此我采取了谨慎行动，寄予谨慎的期待……但是，为什么与会各国不要求苏丹殿下去柏林呢……他们集会的时候显然是堂而皇之地忽略了他，就我所知，他们也从未告诉过他，他们都干了些什么。

柯克感到，他没有理由“因为不是我自己的错误，而牺牲自己在这里效力多年而获得的英名”。如果他像英国所明确要求的那样向苏丹施压，要求后者同意德国的要求，那么，苏丹就会“直接抛弃”他，“而我也会因我无力阻止的事情受到谴责”。

只要我们还有一线希望收回失去的一小块土地，或者保留一小部分土地，以便在其归属权问题最终盖棺定论之前的多变形势中派上一点点用场，我也不愿意一脚踢开这最后一根支柱。毕竟德国在此建立殖民地说来不过是场闹剧，很难长时间地持续下去。要么这个国家变得越来越糟，要么德国人付出血和金钱的代价，就像我们在印度时一样，以便把这里建成其帝国的一部分。它如果真这么做倒是对它有好处，但我现在看不出德国人考虑过这个问题。因此，我们很可能会失去苏丹统治时期所享有的保护国的尊荣和自由，因此使国家陷入长期的混乱，我前期所有的工作也将功亏一篑。

但是，柯克竟然希望柏林大会邀请苏丹与会，这充分说明柯克已经过时了。帝国主义垄断统治完全是根据无关道德的真正的政治规则而进行的游戏。英国首相索尔兹伯里勋爵与俾斯麦一样，都准备好按这些规则“出牌”了。而苏丹只是位非洲统治者，牌桌上根本没有他的席位。

索尔兹伯里勋爵是一位臃肿、邋遢、极端保守而狡诈的人，对帝国主义也常常冷嘲热讽。他认为帝国价值的计算很简单，就等于“胜利（除以）税收”。“这头水牛”对“做做表面文章的慈善事业”，以及那些为了自身利益在非洲扩张的“狂热分子”的“流氓行为”非常不屑。与俾斯麦一样，只有当某块殖民地能够成为权力政治谈判桌上的筹码时，他才会对此感兴趣。他对罗德斯在非洲大陆拓展英国势力的前景公开表示蔑视。正如他在1890年对他的同僚所说的，他认为：

这简直是个奇怪的想法……凭什么占领了从开普敦一直延伸到尼罗河源头的广大土地后，我们就有了特殊的优势？现在，坦噶尼喀湖以北的领土非常狭窄，我都无法想象有人去那里进行贸易，这是一个不切实际的国家，曾经只被葡萄牙占领，而在葡萄牙的统治下，据我所知，在过去的300年内都没有开展过轰轰烈烈的贸易潮。我猜想，正是一门心思研究地图才破坏了人们的推理能力……但是，如果考虑商业贸易之外的战略意义，我想，我再也找不到比在非洲腹地占领一部分狭窄的地区更尴尬的处境了。这里距离沿海有3个月的行程，可以阻隔德国的军队……但也能阻隔我们的军队。失去了地理优势，我们在防御上会陷入重重危险。

换句话说，只有一块土地能够同时增强大英帝国的经济和战略地位时，才值得去占领。罗德斯规划的从开普敦延伸至开罗的“红色道路”，也许在地图上看还不错，但是却欠缺战略安全上的考虑，因而未被索尔兹伯里勋爵放在眼里。至于那些居住在非洲的人，索尔兹伯里勋爵丝毫不关心他们的命运。“如果我们的祖先那么关心他人的权利，”他在1878年提醒他的内阁同僚说：“那么大英帝国永远不可能建立起来。”巴尔加苏丹很快将领悟到他这句话的含义。

1885 年 8 月，俾斯麦派来 5 艘军舰去桑给巴尔岛，命令苏丹向德国移交他的帝国。当 1 个月后他们离开时，这片土地几乎被德国和英国瓜分了，只留给苏丹沿海的一部分狭长地区。但苏丹并非唯一的输家。约翰 · 柯克在非洲的工作也到此为止了，德国要求他辞职，他确实也遵从了。德国倒没有多重视桑给巴尔岛。没过几年，就在 1890 年 7 月，俾斯麦的继任者就承认了英国在该地区的保护国地位，以换取德国对北海沿岸赫尔葛兰岛的所有权。这确实是在全球范围内赤裸裸的垄断交易。

在非洲，这样的故事到处重演：首领被骗、部族被驱逐、按一个指印，或者画一个歪歪扭扭的十字就表示签名画押，把自己的财产拱手相送，有谁胆敢反抗，就用马克西姆重机枪实施镇压。非洲的国家就这样一个接一个地被征服了——祖鲁族人、马塔贝莱人、马绍那人，尼日尔王国、伊斯兰卡诺公国、丁卡人和马赛人，苏丹穆斯林，贝宁和贝专纳人。新世纪开始时，这场瓜分总算结束了。英国人差不多实现了罗德斯所憧憬的从开普敦到开罗之间不间断的领土控制：他们的非洲帝国从开普敦殖民地向北延伸到纳塔耳、贝专纳（博茨瓦纳）、南罗得西亚（现津巴布韦）、北罗得西亚（赞比亚）和尼亚萨兰（马拉维）；北面从埃及开始向南经过苏丹、乌干达到东非（肯尼亚）。德国占领的东非是罗德斯梦想的南北纵贯线上唯一未被英国夺取的地域。另外，正如我们所见，德国占领了西南非（纳米比亚）、喀麦隆和多哥。当然，英国也占领了冈比亚、塞拉利昂，以及西非的黄金海岸（加纳）和尼日利亚，还有索马里兰（索马里）的北部。但是，西非殖民地大多像孤岛一样，被包围在一片法国殖民地的海洋中。从北部的突尼斯和阿尔及利亚，向南穿过毛里塔尼亚、塞内加尔、法属苏丹、几内亚、象牙海岸、上沃尔特、达荷美、尼日尔、乍得，到法属刚果和加蓬，西非的绝大部分都掌握在法国人手里；法国人在东部只占领了马达加斯加岛。而葡萄牙呢，除了占领莫桑比克和安哥拉，它还在几尼保留了一小块占领地。意大利占领的是利比亚、厄立特里亚，和大部分的索马里兰。比利时——或者，更确切地说是比利时国王——则占领了刚果中部的广大地区。西班牙占领的是里约奥罗（现在的南摩洛哥）。非洲现在几乎完全落入欧洲人的手中，而英国则占领了其中的大部分。

大不列颠

1897 年，维多利亚女王继位 60 周年，是统治着世界历史上疆域最广袤的帝国最鼎盛的时代。大英帝国的国土面积是一连串惊人的数据。1860 年，大英帝国领土面积达 2 470 万平方公里；到 1909 年，总面积增加到 3 302 万平方公里，占世界陆地面积的 25%——是法国领土的 3 倍，德国领土的 10 倍——统治着 4.44 亿人口，差不多人口也占世界人口的 1/4。英国不仅发起了“瓜分非洲”的行动，在争夺远东的行动中也冲在了前列，它夺取了婆罗洲的北部、马来西亚，以及新几内亚岛的一大部分，更别提太平洋诸岛：斐济（1874 年占领）、库克群岛（1880 年占领）、新西伯地斯岛（1887 年占领）①、凤凰岛（1889 年）、吉尔柏特及埃里斯群岛（1892 年）和所罗门群岛（1893 年）。据《圣詹姆斯杂志》所刊登的信息表明，维多利亚女王管辖着“一个大陆、100 座半岛、500 个海角、1 000 个湖泊、

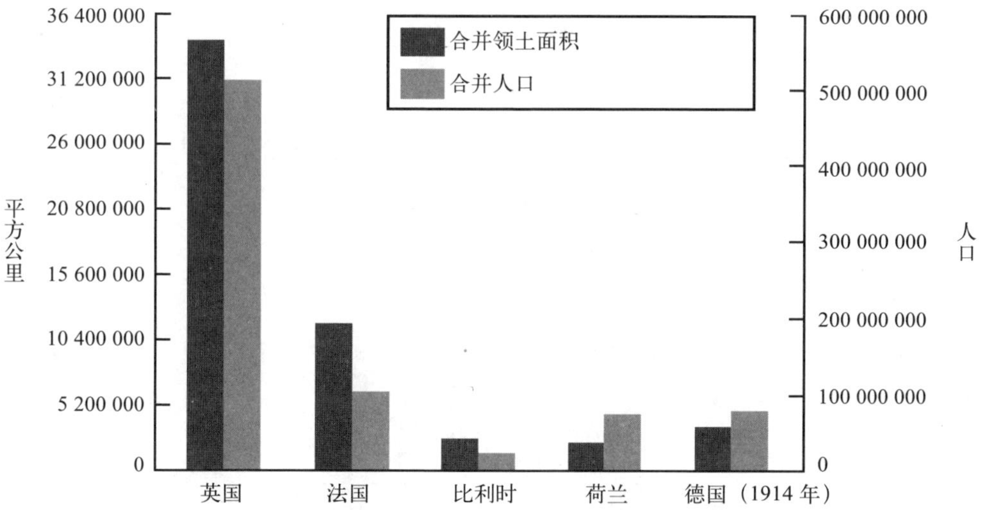

欧洲帝国：领土面积及人口（1939 年）。

① 新西伯地斯岛是与法国共同统治的。

2 000 条河流，以及 1 万座岛屿”。当时的一枚邮票上就绘制着一幅世界地图，上面写了一行文字：“我们拥有了一个前所未有的广袤帝国”。英国所有的学校里都挂着用醒目的红色凸显了大英帝国版图的世界地图。英国人开始认为他们得到了统治世界的神授权力，也就不令人感到奇怪了。正如记者 J · L · 加文在 1903 年所说，这是“对天生所有的统治权的延伸和扩大”。

大英帝国的庞大不仅仅可以从世界地图和人口统计数据上反映出来。事实上，英国俨然已成为世界的银行，在世界范围内进行了大量投资。到 1914 年，英国在海外资本投资的名义总价值达 38 亿英镑，占世界境外投资总资产的 2/5~1/2，是法国海外投资的两倍，德国的 3 倍多。一个经济体能拥有如此高比例的海外资产，可以说是空前绝后的。1870~1913 年间，英国的投资资金平均占国内生产总值的 4.5%，1872 年、1890 年和 1913 年都达到周期性的顶峰，占国内生产总值的 7%。英国从股市中筹措的资金大多投向了美国，而非英国本身。另外，比起其他欧洲经济体，英国资金的投资区域更为分散。英国的海外投资中只有 6% 投在西欧，45% 都投到了美国和白人殖民地上。20% 投给了拉美地区，16% 投到了亚洲，13% 投给了非洲。事实上，只有 18 亿英镑投给英国殖民地，而且几乎全部都投到了较早占领的殖民地上，对于在瓜分非洲的行动中所获得的土地，英国几乎没有进行任何投资。但是，大英帝国的重要性也日益增加。1865~1914 年期间，英国的这些海外领土吸引了英国投资资金的 38%，到 19 世纪 90 年代，这一比例升至 44%。同样的，大英帝国的出口占英国出口总量的比例也在上升，从 1/4~1/3 上升到 1902 年的 2/5。

实际上，并非大英帝国的所有地区都处于英国的正式统治之下，因此，英国地图其实低估了大英帝国的实际势力范围。比如，英国在拉美的大笔投资使英国得以享受极大的权力——尤其是在阿根廷和巴西，说这两个国家是英国“非正式的帝国成员”也不为过。也许有人会认为，在英伦诸岛自身的工业还需进一步现代化之际，英国投资者不应该在布宜诺斯艾利斯和里约热内卢等地投资。但是，海外投资的预期收益率普遍要高于投资国内制造业的收益率。不管怎么说，这并非一个零和游戏。新的投资很快能实现自我融资，因为来自海外资产的收益总是高于投出的资金：1870~1913 年期间，每年的海外总收益约占国内生产总值的 5.3%。当然也没有明显证据表明，1914 年之前，英国的工业因资本短缺而受到打击。

正是通过投资，英国才扩大了它的非正式帝国领地。商业谈判还促使世界上的大部分经济体接受了自由贸易，让英国与拉美诸国、土耳其、摩洛哥、暹罗、日本和南海诸岛都签订了贸易条约。到了 19 世纪末叶，英国 60%的贸易是与欧洲之外的合作伙伴进行的。与发展中国家进行自由贸易很适合英国，有了来自海外投资的巨额收益，再加上保险和航运等“隐性”收入，它完全有实力进口比出口物资多得多的产品。不管如何，贸易说到底就是出口价格和进口价格之间的关系。1870~1914 年期间，英国的出口贸易量比进口贸易量高出约 10%。

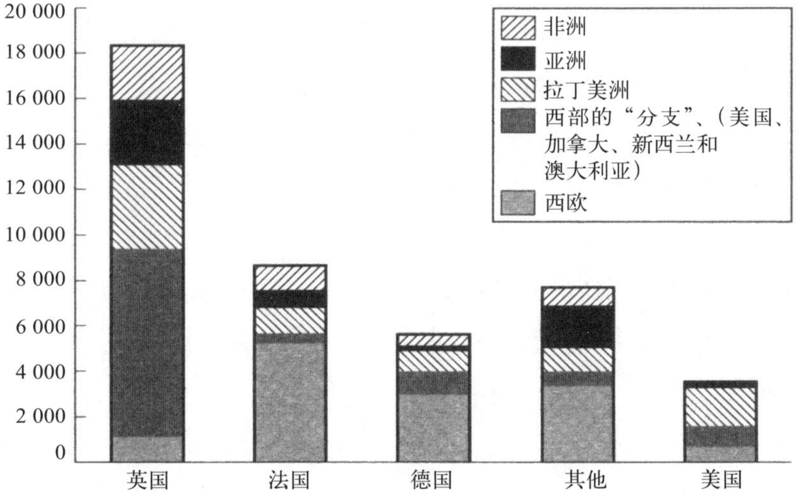

1914 年的海外总投资：从哪里来，到哪里去（单位：百万美元）。

英国甚至为国际货币体系设定了标准。1868 年，只有英国和它的一些经济依附国——葡萄牙、埃及、加拿大、智利和澳大利亚实行金本位制（也就是将一国纸币的价值与黄金挂钩，央行有责任根据需求将纸币兑换成金币）。法国和拉丁货币同盟的其他成员国，以及俄国、普鲁士，还有一些拉美国家则实行的是复本位制（黄金和白银），而世界其余地区则大多实行银本位制。但是到 1908 年，只有中国、普鲁士和少数中美国家还在实行银本位制，金本位制成了世界货币体系的标志。抛开名称不说，它实际上就是英镑本位制。

也许这里最值得关注的是，大英帝国的国防成本是多么低。1898 年，有 9.9 万名常规军驻扎在英国，7.5 万名常规军驻扎在印度，4.1 万名常规军驻扎在世界其他地方。海军还另有 10 万人，印度海军有 14.8 万人之多。此外，还有 33 座军营和海军运煤站分布在世界各地。但是，当年的国防总预算只高出 4 000 万英镑一点点，仅仅是其国民生产净值的 2.5%。这比现在英国的国防预算也高不了多少，远远低于冷战期间花在军务上的费用。即使在英国建造了它的第一艘“无畏”战舰，从而大胆地对其舰队进行现代化改造时，国防预算比例也并未增加多少。“无畏”战舰是一艘极其先进的战舰，载有 30 厘米口径的大炮，并安装了带有技术革命标志的涡轮。这艘战舰下水后，当时的所有战舰都显得过时了。1906~1913 年间，英国建造了 27 艘这种海上堡垒，只花了 4 900 万英镑，比国债的一年利息还少。英国以最低的成本统治着世界。

但是，参透了古代历史的英国人丝毫没有对他们的霸权地位沾沾自喜。甚至在他们权力的巅峰时期，他们也会想到，或者被吉卜林提醒尼尼微和提尔城的命运。而且，还有许多人不安地预见到了帝国的衰落和瓦解，就像之前的所有帝国一样。马修·阿诺德已经将英国描绘为“筋疲力尽的巨人，他的耳朵已经聋了，他的双眼，疲惫呆滞……他踉踉跄跄地走向目标，宽阔的肩膀上，负荷着巨大的亚特兰蒂斯岛，不堪重负他那过于沉重的命运”。但是，这位“巨人”还能东山再起吗？在他踉跄跌倒之前，其权力衰落的趋势能够遏制，局势能够扭转吗？有一个人认为是可以的。

约翰·罗伯特·西利是一位福音派出版商的儿子。其父亲的办公室曾是教会传教士协会开会的地方。西利算是一位小有成就的古典学者，1865 年因发表《瞧，这个人》而扬名。该书以一种对超自然现象谨慎忽略的态度，讲述了一位基督徒的生活。4 年后，他被提升为剑桥大学现代历史学教授，致力于现代外交史的研究，并为 19 世纪的普鲁士改革家斯坦写了自传。到了 1883 年，出乎所有人的意料，西利写了一本畅销书《英国的扩张》。在两年的时间里，该书售出了 8 万册，直到1956年还在印刷。

西利的《英国的扩张》写的是1688~1815年间的大英帝国历史。迄今，人们仍然记得对18世纪的大英帝国随兴而为的本质，此书进行了令人难忘的刻画："我们似乎……在不经意间就统治了世界上1/2的领土和人口。"但激发公众想象的是该书对政治局势的预见。西利承认大英帝国国土广袤，但是他也预见到，如果英国继续以这种心不在焉的态度对待帝国主义，那么它很快将濒临衰退：

> 如果美国和俄国两国再次合作半个世纪，那么届时它们必将让法国和德国等老牌欧洲国家相形见绌，沦为二流国家。如果到那时，英国仍然只把自己视为一个欧洲国家，那么它也将面临同样的命运。

西利坚持认为，英国有必要将过去随兴而建的大英帝国版图再推进一步。这依据两个不可忽略的事实：其一，大英帝国在殖民地的臣民们很快将超出英国本土的居民；其二，电报和蒸汽船的发明使英国有可能将大英帝国的各部分连接为一个前所未有的整体。只有将整个"大不列颠"帝国牢固地连在一起，大英帝国才能在将来与各列强竞争。

西利本人并非帝国的建造者。他从来没有出过欧洲，实际上，他是在瑞士度假的时候才萌发了写这本书的灵感。被患有失眠症的太太折磨得发疯的西利，在剑桥大学却因为装腔作势、穷讲究而沦为笑柄。一位同时代的人就称其是一位"过于注重言行举止的人"。但是，他号召英国人与说英语的白人殖民地之间加强联系的主张，却深得新一代帝国主义者的认同，这种想法流传甚广。1886年，造访澳大利亚之后，历史学家J·A·法洛特出版了《海洋或英国，及其殖民地》。4年后，名声不佳的自由党政治家查尔斯·迪尔克（他因为一桩离婚丑闻而断送了自己的政治生涯）又出版了《大不列颠的问题》，"大不列颠"可能是所有这些作者脑海中最简洁地表达了。正如迪尔克所说，这么称呼的目的是"让我们在提到加拿大和澳大利亚时，好像说的是我们的肯特郡和康沃尔一样"。当这些理念在上层社会找到支持者时，就出现了政府政策的关注力度开始向大英帝国大幅倾斜的结果。

约瑟夫·张伯伦是英国首位真正的、自觉的帝国主义政治家。早年，他是伯明翰的一位制造商，靠制造木质螺旋发家，接着，先后进入国家教育联盟和当地政府，从而在自由党中平步青云，后来在爱尔兰地方自治的问题上与格拉德斯通发生了争执，作为“自由统一党”的一员，他越来越倾向于保守派，但保守派成员从来也没有真正地理解过他。一个穿着“紧扣扣子的黑色上装，戴着大礼帽”在草地上打网球的人，你怎么能够理解他？但是对付自由党，他们拿不出更好的武器了，尤其是当张伯伦的自由统一党很快发展成自由帝国主义的思想时。张伯伦阅读了西利的《英国的扩张》，事实上，他后来声称，这就是他送他的儿子奥斯丁去读剑桥大学的原因。当他听说法洛特造访开普敦时，他写道：“以我的名义告诉他们，他们将发现我这个激进党比最顽固的保守党还要坚信帝国主义。”

1887 年 8 月，为了考验一下这个浮夸的背叛者，索尔兹伯里勋爵邀请张伯伦跨越大西洋，并试图作为中间人帮助美国和加拿大达成一项协议。当时，美加两国在圣路易斯湾的捕鱼权问题上发生了争执。这次旅行让张伯伦开了眼界。他发现，加拿大人均消费的英国进口产品数量是美国的 5 倍；但许多有影响力的加拿大人都公开表示考虑与美国建立商业联盟。就在抵达加拿大以前，张伯伦还曾抨击过这一观点。他宣称：“与美国建立商业联盟就意味着在美国和英国的自治领之间实行自由贸易，而对祖国征收保护性关税。如果加拿大想这样做，那它可以这样做；但是它首先必须清楚地知道，这意味着在政治上与大不列颠决裂。”在多伦多的演讲上，张伯伦热情洋溢地鼓吹“盎格鲁-萨克斯民族所特有的优越性的伟大和重要，他们是自豪、坚韧、自信而果决的民族，即使来到了不同的气候和环境下也不可能改变……”他希望借此阻止加拿大的疏离。

张伯伦问道，现在的问题是，“真正民主的关键”在于“分裂大英帝国”，还是在于“与有共同目标的同族人民结盟”。实际上，他暗示着关键在于“建立联邦政府这个重大问题”——加拿大人已经在自己国家实现了联邦政府，而现在应该在整个大英帝国中推行这种体制了。如果帝国主义联邦是一个梦想，他总结道，那它就是“一个伟大的梦想，激发着热爱祖国的每个人的爱国激情和政治抱负，无论它是否注定失败，或者无法完美实现，至少让我们……尽我们的全力来推动这个梦想”。在归途中，他对“盎格鲁–萨克斯民族不同支派之间的纽带”表现出了狂热的信仰，认为正是这些纽带“维系着大英帝国”。

张伯伦曾一度希望成为“殖民部部长”。1895 年 6 月，他拒绝了英国内政部和财政部的职位，宁愿去殖民部当官，这大大出乎索尔兹伯里的意料。作为殖民大臣，他反复强调自己对“更广泛的爱国主义”的“信仰”，因为这种爱国主义“将整个英国包括在内”。只有当大英帝国岿然屹立，才能实现超越；帝国主义联邦正是解决之道，虽然这确实暗示了伦敦方面和各殖民地都要做些让步。张伯伦在 1902 年宣称：“大英帝国是在一个懂得自我牺牲的群体的基础上建立的。什么时候我们要是忽略了这点，那么我想，我们就将像以往的帝国一样被遗弃在历史的长河中……在向世人展示了它的实力和力量后，却黯然没落，无人叹息，身后只留下一连串自私的记录。”

张伯伦并非当时唯一一个支持“英国”概念的政治家。另一位同样执著地坚信这一理念的人是阿尔弗雷德 · 米尔纳，他在南非为年轻热情的帝国官员和政治积极分子们所创建的非正式俱乐部——后来在伦敦被重建为“圆桌”俱乐部——已经很接近于罗德斯梦想的“帝国主义耶稣会”。“如果说我也是一位帝国主义者，”米尔纳说道：“那是因为，英国的岛国环境和长期的海上霸权使我们这个民族注定要去世界上的各个遥远地区开辟新的领地。我们的爱国主义没有地域界限，只有人种之分。我是一个帝国主义者，而不是一个反对帝国扩张的‘英帝国主义者’，因为我热爱我的祖国英国，激发我爱国热情的并不仅仅是英国的土地……还有英国人的语言、传统、精神遗产、原则和期望……”这种豪言壮语确实很有感染力——特别是对张伯伦和米尔纳等社会边缘人物而言，他们时常感觉很难与傲慢的贵族遗老遗少们在政府中平分秋色。

当然，要建立帝国主义联邦，前提是英国的自治领愿意重新界定它们与伦敦方面的关系——事实上，它们中的大部分思考再三，都更愿意依照《达拉谟报告》，以模糊和淡化的方式处理这个关系。白人殖民地中并不缺乏对大英帝国概念狂热的人。事实上，他们甚至比英国本土居民更爽快地接受了米斯郡伯爵将女王生日当天（5 月 24 日）作为年度“大英帝国日”的建议。1901 年在加拿大，1905

年在澳大利亚，1910年在新西兰和南非，该日被定为官方公共假日，反而英国本土是到了1916年才将那天定为国假的。但是，象征性的举措是一回事，帝国主义联盟所带来的自治权削弱又是另外一回事。关键是，在目前的情况下，加拿大人有权——而且从1879年开始也确实——对英国商品征收保护性关税，澳大利亚和新西兰很快也如法炮制；如果成立联邦帝国，就不太可能发生这样的情况。联邦制的另一个显著漏洞就是如何处理与印度的关系，在以白人为主导的英国，印度的角色很不清晰。但是，最大的漏洞来自爱尔兰。

爱尔兰是第一个成为殖民地的国家，却是19世纪80年代前所有白人殖民地中最后一个被赋予"责任政府"的地方。原因有三：第一，大多数爱尔兰人虽然都是白人，但信仰的是天主教，在许多英国人眼里，他们就像黑人一样属于劣等民族。第二，少数爱尔兰人——尤其是那些17世纪在爱尔兰岛定居的移民者的后代——更倾向于拥护1800年制定的《联合法案》，根据该法案，爱尔兰作为联合王国不可分割的一部分，直接受威斯敏斯特议会的管理。第三，也是最具决定性的原因是，张伯伦等人认为，允许爱尔兰设立自己的议会——就像1800年前那样，或者像其他白人殖民地那样——多少会削弱大英帝国作为一个整体的完整性。这也是为什么格拉德斯通试图赋予爱尔兰地方自治权而未成功的首要原因。

当然，格拉德斯通在1885年和1893年两次制定的爱尔兰地方自治法案之所以未获通过，与一些激进的爱尔兰民族主义者对这种不完整的权力移交方案不满有关。芬尼亚兄弟会曾在1867年发起过起义，虽然失败了，但他们后来还是在英国发起了一项爆炸性行动。1882年，从芬尼亚兄弟会中分离出的一个被称为"隐形人"的团体在凤凰公园里暗杀了爱尔兰总理弗雷德里克·卡文迪什伯爵，以及副总理托马斯·亨利·伯克。爱尔兰人诉诸武力对抗英国统治的行为并不奇怪。威斯敏斯特议会的直接统治无疑恶化了19世纪40年代中期的一场灾难性的饥荒（有100万人死于饥饿与疾病）。虽然客观上是虫害影响了土豆的收成，但爱尔兰的英国统治者教条的、放任不理的政策使粮食歉收最终发展成了一场大规模的饥荒。但是，以武力抗争的毕竟只是少数。大多数地方自治派的领袖，比如自治政府协会的创始人艾萨克·巴特，都希望能享有与加拿大和澳大利亚同等的自治权，他们并不指望更多。巴特与自治运动最具魅力的领袖查尔斯·斯图亚特·巴涅尔不仅在语言和文化上被英国化了，他们还是虔诚的清教徒。如果巴涅尔不是因为与基蒂·欧谢伊的绯闻毁了前途，他完全可能成为一个完美的殖民地总理：像加拿大总理捍卫加拿大的利益一样，捍卫爱尔兰的利益，这点毋庸置疑，但是，他也不可能成为“地方自治”的破冰者。

地方自治提案两次未获通过，显示出自由统一党和保守党又回归了18世纪70年代的那种狭隘的政策，当年议会就曾固执地拒绝向美国殖民者移交统治权。他们的立场反映出的问题很明确。如果爱尔兰——英国的第一个殖民地——都不能设立自己的议会，那么大英帝国的梦想怎么可能实现呢？这就是统一党和新“保守”派帝国主义之间的矛盾，而张伯伦和他的助手们似乎都忽略了这点。确实，张伯伦想过在英伦诸岛实行美式的联邦体制，允许爱尔兰、苏格兰和威尔士拥有自己独立的立法权，而将帝国事务留给威斯敏斯特议会处理，但是，我们很难相信他真的认真考虑过这个计划。张伯伦对爱尔兰的关注相对较少，这让我们很容易认为，他之所以压制爱尔兰的地方自治，主要是因为格拉德斯通主张自治。用保守党伦道夫·丘吉尔的话来说，统一党的核心理念就是，地方自治将“在大英帝国的心脏上插上一把尖刀”。但事实上，爱尔兰自治推迟到1914年，倒是在爱尔兰的心脏上插上了一把尖刀，因为统一党对爱尔兰自治的反对在阿尔斯特激发了武装抵抗。

在大不列颠内部建立“大英帝国”的主张，并未因此而失去魅力。这部分关乎迎合选民狭隘的个人经济利益诉求。对张伯伦这位前工业家来说，帝国首先意味着出口市场和工作岗位。索尔兹伯里在一定程度上也预见到了这点，1889年在对莱姆豪斯的听众演讲时，他曾让他们“想象一下，如果没有了大英帝国，伦敦会变得怎样……没有了众多人民，没有了工作，没有了工业生活，陷入穷困和衰退”。但是，张伯伦进一步阐述了帝国的经济意义。他在1896年告诉伯明翰的工商会：

> 外交部和殖民部主要致力于寻找新市场，守住旧市场。战争部和海军部的要务则是随时准备捍卫这些市场，并保卫我们的商业……因此，认为商业

关乎所有政治利益中最重要的利益也不为过，而在拓展贸易并为之奠定牢固基础方面，做得最多的政府，也是应该得到最广大人民支持的政府。

对张伯伦来说，显然“我们大多数人都依赖于……与殖民地臣民的商品贸易”。因此，他们都算是帝国主义者。

大英帝国是否给英国的选民们带来了经济实惠呢？这点并无明显例证。他们大多数人并不能享受投资海外的收益。他们的存款（如果有的话）往往通过储蓄银行和其他金融中介机构，投资在英国政府的国债上。同时，帝国的国防成本虽然并不是很高，但主要还是由英国本土的纳税人，而非英国白人殖民地的纳税人来承担。事实上，有人认为，当时大英帝国最主要的受益人是移民到自治领的那些英国臣民——正如我们所见，他们的人数众多。1900~1914 年间，大约有 250 万英国人移居大英帝国，其中 3/4 去了加拿大、澳大利亚和新西兰。在大多数情况下，移民者大大提高了收入，减少了税负。

但是，帝国主义的概念还是深得人心。对许多人来说，它足以令人激动，这就够了。

总的说来，在维多利亚女王的统治时代共发生了 72 次独立的英国军事运动——平均一年发生一次所谓的“不列颠统治下的和平”运动。与 20 世纪时的战争不同，这些冲突涉及的人往往相对较少。平均说来，在维多利亚统治时期，英国武装军队的人数占总人数的 0.8%，而且兵源往往集中于凯尔特边缘地带或者城市的底层阶级。但那些远离帝国前线，除了外出猎鸟外从未听到过一声子弹的呼啸的人，却对战场上的英雄故事有着无穷的兴趣。作为茶余饭后的谈资——纯粹为了获得心理上的满足感——再怎么强调大英帝国的重要性也不为过。

媒体总是起到推波助澜的作用。G · A · 亨蒂先后在威斯敏斯特学校和康维尔及凯厄斯学院接受过教育，曾去过克里米亚和玛格达拉等战区，写出了无数小说，比如《仅凭勇气》和《为了名义还是名利》。亨蒂说到底还是一位御用的历史小说家，他最具帝国主义倾向的作品就是那些受相对近代的战役启发而创作的小说，如《与克莱夫在印度》（1884 年）、《与布勒在纳塔耳》（1901 年），以及《与基奇纳在苏丹》（1903 年）。这些书极其畅销：据说 20 世纪 50 年代，亨蒂的小说总销量达 2 500 万册。大英帝国不仅激发了作家的写作灵感，也启发了诗人思如泉涌的灵感。从天才诗人丁尼生到稍逊一筹的阿尔弗雷德 · 奥斯丁和W · E · 亨利，这是一个“文绉绉”的时代，每两个人中可能就有一个蹩脚的诗人，绞尽脑汁地寻找与“Victoria”，而不是“Gloria”（荣耀）押韵的词。

同样的，描绘大英帝国的图画也无处不在，从恢宏的新博物馆中展出的布尔特女士笔下浪漫的战场，到宣传日常消费品的帝国广告画。皮尔斯香皂就是一个典型例子，其生产商尤其偏好这种帝国主题的广告词：

卸去白人重负的第一步，
就是从教导他们清洁的美德开始。
皮尔斯香皂，
是照亮地球上黑暗角落的重要力量，
随着文明的进步，在所有国家的文化中，
它占据着最高的地位——这就是最理想的洗漱肥皂。

广告中还对公众宣称，这种绝佳产品也是“英国克敌制胜的秘方”，它标志着“文明的诞生”。其他许多产品也采取了类似的基调。帕金森的糖衣药丸被称为“英国所拥有的一项伟大财产”。罗伯茨伯爵在布尔战争期间，从金佰利到布隆方丹的路线俨然拼出来“Bovril”一词（意为保卫尔牛肉汁）。“我们将使用‘氯’（漂白），”1914 年之前的一则广告提过，“就是黑鬼也能够漂成白人。”

帝国当然也为音乐创作提供了素材，并往往被视为推动维多利亚时代盛行的“沙文主义”的要素。“沙文主义”一词本身就是抒情诗人G · W · 亨特生造的，他的歌“沙文主义者”就在 1877~1978 年的远东危机期间由音乐家G · H · 麦克德莫特演奏过。其中有无数乐章都是以英勇的“英国兵”为主题的，我们来看一下其中一个典型的章节：

无论他是在印度的礁石上搁浅，
还是在苏丹流尽了鲜血，

他坚持挥动我们的旗帜，直到咽下最后一口气，

他是一个真正的士兵，一个男人。

这种娱乐方式与当时帝国所乐于展示的东西之间有着密切的联系，本指望具有国际性和教育意义的活动（阿尔伯特王公在1851年举办的万国工业博览会就是其中的典范）到19世纪80年代，已经更多地附着了帝国主义和娱乐色彩。尤其是伊姆雷·基拉非所组织的展览盛会——“印度帝国”(1895年)、“大英帝国”(1899年)，以及“帝国主义国际”（1909年）——无不旨在用异国风情激发公众的狂热，从而达到赚钱的目的：1899年的展览上，祖鲁族武士就着实引起了不小的轰动。帝国宛如一个大型马戏团。

但是，英国本土的大众主要还是通过一些主流媒体获悉大英帝国的情况。也许，没有人比阿尔弗雷德·哈姆斯沃思，以及后来的（从1905年起）诺思克里夫勋爵更懂得如何满足公众对曲折离奇故事的偏好。哈姆斯沃思出生于都柏林，在先锋刊物《伦敦插图新闻周刊》中磨炼了文笔，并通过在报刊市场上引入插图杂志风格而发了财。图片、头号标题、赠品派送、故事连载，这些元素使得《晚报》、《每日邮报》和《每日镜报》等报纸先后脱颖而出，牢牢地吸引了一个新的阅读阶层：中低民众阶层。诺思克里夫很快地发现了报纸的需求价格弹性，因此，在1908年收购《泰晤士报》后，他便大幅削减了报纸价格。但其报纸畅销的主要原因还是他对选题内容的把握。在布尔战争期间，《每日邮报》的销售份数首先突破100万份，这绝非偶然。当被问到推动报纸销量的主要因素时，他手下的一位编辑答道：

第一个答案就是“战争”。战争不仅提供了新闻素材，也激发了人们看新闻的需求。人们对战争，以及所有与战争有关的事情深深着迷……以至于报纸必须在醒目位置告知有“重大战役”的新闻，这才能卖得好。

而诺思克里夫的另一位雇员则将“公众对帝国问题的浓厚兴趣”视为“报刊热销的一个重要，但此前几乎无人注意的因素。”“如果吉卜林被称为英国文学界

的帝国之声，”他补充道：“那么我们（《每日邮报》）完全可以被称为伦敦新闻界的帝国之声。”诺思克里夫自己的解释则更简单：“英国人要有一个英雄来热爱，也要有一个敌人来憎恶。”

早期，诺思克里夫的报纸就以“政治右倾”而闻名，但它也有可能从“左倾”角度推广帝国概念。威廉·托马斯·斯特德曾从格拉德斯通的狂热信徒约翰·莫利手中继承了《佩尔–摩尔公报》，后来又创立了《评论中的评论》，他将自己描述为一个“遵循十诫和常识的帝国主义者”。斯特德是一个兴趣广泛的人，他是 1899 年海牙和会的支持者，也是欧洲共同货币的支持者，他反对“白人奴隶贸易”（指的是维多利亚时期的妓女行业），但是，他的指导性理念是“世界的进步”有赖于大英帝国的作为。在斯特德等人的眼中，大英帝国的利益超越了党派政治的利益。

它同样也超越时代：因为帝国主义文学最热心的读者就是学生。他们一代代人就是读着《英国男孩周报》长大的，这份杂志是 1879 年由圣教书会创刊的。与姊妹刊物《英国女孩周报》一道，两份杂志的发行量超过 50 万份。它们不断地用异国的殖民地前线那些离奇的故事来吸引年轻的读者们。但对有些人来说，这些杂志的目的还不够清晰，因此，1900 年 10 月《大英帝国的男孩们》诞生了，旨在更加系统地用诸如“如何更强壮”、“帝国英雄”和“幼狮在哪里受训：澳大利亚和那里的学校”等文章来教化这些年轻的读者。这份杂志可以说在文章的基调和核心理念上都是最具代表性的：

> 当地人的问题在……澳大利亚……从未被激化……原住民被驱逐，并很快灭绝……澳大利亚的学校并不是一半白人一半黑人，在澳大利亚学校的食堂里，也看不到被戏称为“棋盘”的黑白布局，而过去的牛津大学和剑桥大学至少有一所学院出现过这样的情况。

同期杂志上还刊登了一篇名为“帝国俱乐部”组织的男生竞赛的告示，该组织承诺：

每年在考试中获得最高分的两名男生……将获得在西部农庄免费旅游的奖励。

他们的奖励包括免费工具、免费行程，以及在加拿大西北部的一个指定农庄免费住宿。

深受欢迎的帝国主义英雄原型，以及这一概念的许多消费者本身并不是普通民众，他们都是在英国的高级公学中接受教育的精英分子。这些学校每年可容纳2万名学生就读，这个人数占1901年15~19岁男孩总人数的1%。但是，在公共学校体系之外的男孩们同样也很认同那些探险故事。这可能是因为，正如许多畅销书作者也明确地阐述过的，能让公共学校的学生为了帝国利益作出英雄之举的，并非他们在课堂上学到的东西，而是他们在狩猎场或者运动场上学到的东西。

从这个角度看，19世纪90年代的大英帝国简直就像一个庞大的运动场。狩猎仍然是上流阶层最喜爱的运动，但现在已经演变成对猎物的歼灭战了，从苏格兰的沼泽地到印度的丛林，人们捕获猎物的数量空前增加。只要举一个例子就行了。1906年，印度总督（明托勋爵）及其随从的狩猎战利品包括3 999只沙鸡、2 827只野禽、50头熊、14只野猪、两头老虎、1只黑豹和1只土狼。狩猎也可以被商业化，在某些殖民地，它已经演变成为一种带武器的旅游活动。对德拉米尔勋爵来说，吸引富有的旅游者到东非旅游，无疑是让有名的蒙巴萨岛–乌干达铁路赚钱的唯一方式。

但是，为大英帝国的梦想实现作出最大贡献的还是团队比赛。英式足球是绅士们爱看的大众运动，它无疑是这个国家最成功的娱乐出口运动。但是，玩“英式足球”的人始终鱼龙混杂，它吸引的人从政治动机可疑的劳动阶层到最可疑的德国人，事实上，它吸引了所有人，除了美国人。[①]但是，如果说还有什么运动切实地涵盖了新的“大英帝国”精神的话，那就是英式橄榄球了。它可以说是一项大众爱看的绅士活动。作为一个运动量极大的运动，英式橄榄球很快就在从开

① 现在美国人所说的“足球”，可以说与英式足球和橄榄球都有共同的渊源。曾经有段时间，美国的大学似乎有望采纳英国足球协会的规则，但在19世纪70年代，它们又制定了一套糅合了足球和橄榄球规则的方案，19世纪80年代，它们采取的规则（比如向前传球和阻截球等）已经与英式足球和橄榄球截然不同了。

普敦到堪培拉的大英帝国白人中盛行起来。早在 1905 年，新西兰“全黑队”首次在大英帝国巡回比赛，除了威尔士队（它几乎一场就击败了他们），他们几乎打败了所有的主场队。要不是非洲禁止毛利球员入境，他们一定能横扫其他所有的白人殖民地球队。

但是，能够超越此类种族歧视的运动还应该说是板球。它那种微妙而拖沓的节奏、防守所需的团队精神，以及投球手和击球手在各自的区域线内所展示出的英雄主义，使得这项运动不仅推广到了白人殖民者的聚居地，而且传播到了印度次大陆，以及英属加勒比海沿岸。早在 18 世纪初叶，大英帝国内部就出现板球运动了，但是到了 19 世纪末叶，这项运动才推广开来，成为一项经典的帝国运动。1873~1874 年，英国板球巨星W · G · 格雷斯率领一支由业余球员和专业球员组成的板球队到澳大利亚巡回比赛，轻松赢得了三天 15 场球赛。但是 1877 年 3 月，一支职业板球队再次来到澳大利亚墨尔本参赛（这次比赛通常被视为第一场国际比赛）时，结果却让澳大利亚人赢了 45 轮。更大的惨败还在后头呢，1882 年，澳大利亚球队到伦敦著名的奥弗尔板球场比赛，大获全胜，以至于《运动时报》刊登了一条当时轰动全国的讣告：“沉痛悼念英国板球队，它于 1882 年 8 月 29 日在奥弗尔板球场去世，众多悲伤的亲朋好友对此深表哀痛。它的尸体不久将被火化，骨灰将葬于澳大利亚。”

在接下来的多年里，英国板球队接连输给殖民地球队，但这无意中却加强了大英帝国各地区之间的联系。诸如帝国板球大会等机构也为营造西利笔下或者张伯伦口中的所谓“帝国集体认同感”作出了重要贡献。帝国板球大会第一次会议是在 1909 年举行的，主旨是统一运动规则。

也许帝国主义运动场上最典型的人物就是罗伯特 · 史蒂芬森 · 史密夫 · 贝登堡—他的朋友们都叫他“史蒂夫”。贝登堡原本在切特豪斯学校担任第一球队（英式足球）的队长，出色的运动成就推动了他的迅速成长，后来他成为一名军人，先后在印度、阿富汗和非洲服役。我们看到，正是他将那个时代最显著的烙印与板球联系到了一起。也正是他最终将帝国精神融入他所创建的童子军运动中。童子军又是一个极其成功的娱乐出口，旨在将球场上的团队精神普及到生活的方方面面：

> 我们都是英国人，尽己本分并帮助邻居是我们每个人的责任。我们要保持强大、团结，这样我们的整个建筑，也就是说我们的伟大帝国，将不用担心因墙上的砖块朽烂而垮塌……你们应该将“国家第一，个人第二”作为自己的座右铭。

这实际上意味着什么？从贝登堡母校的阵亡者名单上就能看出。切特豪斯学校回廊的墙上挂满了许多战争纪念碑，从阿富汗到乌姆杜尔曼战役，有的几乎快被人遗忘了，上面刻着几百名切特豪斯年轻学生的名字，他们“积极、努力、坚持到底”，[①]并为此付出了自己的生命。

但是，这项伟大的帝国运动的另一面是什么呢？如果正如张伯伦和米尔纳所认为的，英国是一个伟大的民族，拥有统治世界的神授权力，按照这个逻辑推论，它的对手无疑就是天生低劣的民族。这难道不是科学本身的自然结论吗？在这个问题上，科学日益被视为最终的权威。

1863 年，詹姆斯 · 亨特博士在纽卡斯尔参加英国科学进步协会的会议时宣称，“黑人”是人类的另一个种系，介于猿人与“欧洲人”之间，这让他的听众们震惊不已。亨特的观点是，“黑人臣服于欧洲人之后，将向人类进一步进化”，但是，他也遗憾地总结说：“欧洲的文明并不适合黑人的需求或者他们的个性”。据与会目击者温伍德 · 瑞德（曾去非洲旅行过）所说，当时亨特的演讲引起了恶劣反响，观众席上不少人朝他发出嘘声。可是，仅仅一代人之后，这些观点就成为人们心中根深蒂固的共识了。达尔文的理论可能在其中起了推波助澜的作用，这位 19 世纪的伪科学家根据外形特征将人类分为不同的种族，并根据体貌特征以及性格特征的不同，将不同种族按等级排序。盎格鲁 – 撒克逊人无疑是最高贵的种族，非洲人则排在末位。《颅相学决定论》的作者乔治 · 库布也是一个很有代表性的人物，表现在两个方面：在描述种族差异时，他对其他种族极尽批判之能事，而在解释这种差异时，又采用了欺骗性的理由：

---

① 这是亨利 · 纽博尔特写的诗歌“生命之光”（1897 年）中的一句话，这首诗是将学校板球比赛当做一场军事战争来写的经典篇章。纽博尔特是克里夫顿学院的毕业生。

> 当我们观察全球各个地区的差异时（库布写道），我们不禁因居住在各地区的不同种族的人类在成就上的显著区别感到惊奇……纵观非洲历史，如果非洲还有所谓历史的话……它无时无刻不展现出一种道德和智慧的缺失……“黑人很容易兴奋，很容易受外界情绪的感染……对黑人来说，只要没有痛苦和饥饿，他们便会心满意足。哪怕是劳作休息的短暂时间，他也会唱歌，或者抓起一把琴开始演奏，或者跳舞。”

库布认为，黑人之所以落后，原因就在于“黑人颅骨”的特殊形状：“主导尊重、疑问和希望的器官……过大。而最大的缺陷在于主导良心、谨慎、理想和反思的器官。”这种观点在当时很有影响力。这种根深蒂固的“种族本能”观点成为19世纪末叶、20世纪初叶的文学作品的主要素材。比如科尼莉亚·索拉布吉就写过一位受过教育的印度女医生的故事，在一次异教徒仪式中，她心甘情愿（也无法回避）地接受了火刑的考验；玛丽·安妮·巴克女士也写过她的祖鲁族保姆在回到她的家乡后，如何又回归了野人般生活的故事；W·萨默塞特·莫姆的《水塘》，则描写了一个无助的阿伯丁商人一心想西化他那带一半萨摩亚血统的新娘，结果却徒劳无功的故事。

颅相学不过是当时用以将白人殖民地中早已盛传的有关种族差异的观点合法化的一系列伪科学之一。更加具有欺骗性，逻辑也看似更严密的则是万金油式的科学“优生学”。这个概念最早是数学家弗朗西斯·高尔顿在他的书《遗传的天才》（1869年）中提出的，他认为“人的自然能力来自于遗传”；“任何两个不同种类的动物，如果在其他所有条件都相同的环境下长大，智力更高的那个动物最终还是会在生活的斗争中获胜”；如果以16分制测算不同种族的智力，“黑人”要比英国人低2分。高尔顿还用集锦影像来区别罪犯及其他堕落人士，以此证明其理论的有效性。但是，最终更为系统地发展这个理论的还是卡尔·皮尔森—另一位剑桥大学毕业的数学家。他在1911年成为伦敦大学第一位高尔顿优生学教席教授。皮尔森是一位出色的数学家，他相信，自己的统计方法（他称为“寿命测定法”）可以显示出人种退化将会对大英帝国造成多大的威胁。他认为，问题在于，英国本土日益改进的福利和医疗卫生设施干扰了自然选择的过程，延长了基因低劣之人的寿命，从而让“不适者的基因遗传给下一代”。“每个人都有生存的权力，但这并不意味着每个人都有繁衍后代的权力，”他在《达尔文主义，医学进步与出身》（1912年）中说道：“在我们放松了自然选择的严格标准，让越来越多的弱者和不适者生存时，我们同时必须提高父母亲们的道德和身体素质标准。”

还有一种干涉繁衍选择的方法，那就是战争。对皮尔森，以及其他许多社会达尔文主义者来说，生活就意味着奋斗，而战争不仅仅是一场游戏，而是一种自然选择。正如他所说：“国家的进步取决于种族的适应能力，而这种适应能力的最佳测试就是战争。一旦战争停止，那么人类也将停止进步，因为没有办法再淘汰低劣的人种了。”

毋庸置疑，这让和平主义听上去倒像邪恶的信条了。幸运的是，随着大英帝国的不断扩张，针对所谓低劣人种的小冲突也从未间断过。英国人可以一边用马克西姆重机枪屠杀这些种族，一边心满意足地认为自己为人类的进步作出了贡献。

还有一个奇怪之处值得关注。如果社会达尔文主义者担心人种低劣的阶层繁衍速度过快，他们对那些似乎处于人种进化最高阶段的人士的繁衍情况却很少提及。由于智商最高的古代雅典人几乎没有幸存者，那么最高贵的人种无疑就在英国军官阶层中了，他们一方面血统纯正，另一方面也因为经常出生入死，经受了自然选择的考验。那一时期的小说中也充斥着这类人物：比如亨利·赖德·哈格德的小说《她》中的主人翁利奥·万西，就是一位英俊勇敢，机灵但不滑头的小伙子，他“21岁，体格强健，就好像年轻的阿波罗的雕像”；又比如阿瑟·科南·多伊尔的《失落的世界》中的主人翁约翰·罗克斯顿勋爵，他有一双“奇怪、闪亮、无情的眼睛—眼珠是冷冷的浅蓝色调，仿佛结冰的湖面”。

> 他还有高挺的鼻梁，憔悴而深陷的脸颊，深红的头发，头顶的头发较为稀疏，嘴唇上长着刚硬的胡须，突起的下巴上也留着一小撮桀骜不驯的胡子……他就是英国绅士的代表，专注、谨慎、开明，热爱狗和马。他的皮肤因风吹日晒而呈现棕红色。他的眉毛浓密高耸，给那双原本就冰冷的眼睛平

添了一种不怒自威的感觉，他那坚毅而布满皱纹的额头进一步强化了这种感觉。他看上去高高瘦瘦，身体却非常结实——确实，我们往往发现，英国很少有人能像他那样承受这样的持续运动。

这样的人显然是存在的。但是，他们中相当大一部分人对繁衍他们所代表的优秀种族的后代根本不感兴趣，或者非常勉强，原因很简单，因为他们大多是同性恋者。

在这里，我们必须仔细区分一般的同性恋者和真正的同性恋者。实际上，前者只不过是因为在全是男性的环境中长大和生活，因此倾向于这种同性恋文化，与女性交往有困难。罗德斯、贝登堡和基奇纳（我们下文还会提到）都属于这一类人，而赫克托·麦克唐纳则属于后一类人。

正如罗德斯与他的私人秘书内维尔·皮克林一样，贝登堡与“男孩”肯尼斯·麦克劳伦之间的亲密关系也几乎不涉及身体接触。基奇纳与他的助手奥斯瓦尔德·菲兹杰拉德（后者陪伴他生活了9年）也一样。这几个人在众人眼里极具阳刚之气，私下里行为却如女人一般。比如，基奇纳就和他的姐妹米利耶一样喜爱精美的纺织品，喜欢花艺和瓷器，甚至在沙漠中打仗时也会花时间写信给她讨论内部装修的事情。不过这些行为，加上酒吧中一些恶意的闲言碎语，还不足以给他贴上“同性恋”的标签。这三个人都显示出了超乎常人的自我压制的明显症状——在21世纪初叶人们的眼里，这还是一种不可理解的现象，但却是维多利亚时代辉煌成就中的一个不可忽略的元素。基奇纳的保姆（显然对弗洛伊德理论一无所知）很早就觉察到了，并告诫说：“赫伯特太过压抑自己，我怕他会因此遭受很大痛苦。”她这么说是因为发现基奇纳明明受了伤却极力向母亲隐瞒。内德·塞西尔也注意到了这个问题，因为他发现基奇纳“厌恶任何形式脱衣服的行为，即使是合乎道德的，或者在意念中的。”

麦克唐纳则是另外一种情况。他是罗斯郡一个佃农的儿子，他的不同之处在于，他是从底层一路青云直上的。早年，他在戈登高地当一名普通的二等兵，后来晋升为骑士头衔的少将。从一开始就凭借骁勇善战脱颖而出。同时，他也是一个无情的人，这从几方面可以看出。他当二等兵的时候就结婚了，还有一个孩子。但是他一直隐瞒此事，婚后看望妻子的次数不超过 4 次。而在海外，他也因他的同性恋倾向臭名昭著，最后，在锡兰的火车车厢内，他与 4 个男孩鬼混时被当场抓住。维多利亚统治末期的英国人越来越一本正经，而禁止同性性行为的法律也更加严苛了，不过大英帝国却给了同性恋者无穷的猎艳机会。肯尼斯 · 西林是另一个例子。在 26 岁离开英国时，他只有 3 名性伙伴，但是到了印度后，这个圈子就扩大了很多。他还将他的无数次性经历写成了诗歌。

帝国鼎盛

1898 年 9 月 2 日所发生的事件反映出，维多利亚时代统治末期的帝国主义达到了鼎盛时期，同时，这也是将统治世界视为种族特权的思想最盛行的时期。那天，乌姆杜尔曼战役在沙漠部落的一支军队与世界历史上最强大帝国的一支强大军队之间爆发了。与早年在南非和西非由私人赞助的战役不同，这是一场官方战役。仅仅一场仗就消灭了 1 万名帝国的敌人，虽然敌方明显占据人数优势。就像在纽博尔特的“生命之光”中所写的那样，沙漠的沙子都被“染红”了。乌姆杜尔曼战役显示了帝国屠杀最极端的时期。

英国人又一次从战略和经济的综合考虑出发，拓展他们的疆域。入侵苏丹部分也是为了对其他帝国的野心作出反应，尤其是对法国，后者早就对尼罗河上游地域虎视眈眈了。对战争感兴趣的还有罗斯柴尔德等城市银行家，他们此前就已经在临近的埃及作了大量投资。但是，英国的大众并不这么看。对这一话题甚感兴趣的《佩尔－摩尔公报》的读者就认为，征服苏丹纯粹是为了报复。

从 19 世纪 80 年代初开始，苏丹就是大规模宗教革命的中心。一位很有威望的圣人自称马赫迪（即“众人期盼的向导”，伊斯兰 12 头领中的最后一位），并召集了一支庞大的苦行僧军队，他们剃了头，穿上了简单的盔甲，准备为严明的伊斯兰瓦哈比教派而战。这位马赫迪得到了沙漠部落的支持，公开挑战英属埃及的统治权。1883 年，他的军队竟敢把威廉 · 希克斯上校（一位英国退休军官）率领的 1 万人的埃及军队杀得片甲不留。在 W · T · 斯特德的带领下，媒体发起了一场义愤激昂的声讨，之后，英国方面决定派出查尔斯·乔治·戈登将军前去镇压。19世纪70年代，此人曾在喀土穆待过6年，担任埃及总督在“热带地区”的总督。虽然是参加过克里米亚战争，获过勋章的老兵，也曾在1863~1864年间作为总司令率领驻中国的军队镇压了太平天国的叛乱，但是，英国政界人士往往视其为一个半疯的老头，当然这也并非没有道理。戈登禁欲到了受虐狂的地步，虔诚到了狂热的地步，他将自己视为上帝的工具，正如他对他热爱的姐妹所说：

每个人都被委派不同的任务，每个人都被赋予一个既定的目标；有的人被安排在耶稣右手边的位置，有的人则在左边……血肉之躯都很难接受这样的判决：“你死了，这个世界跟你无关了。”任何人都很难接受这样一个事实，你被这个世界抛弃了，你无法再感知快乐、忧伤和舒适，因为你只是一具尸体。这就需要我们认识什么叫做复活。

另一次，他又告诉她：“我很早以前就死了，我早就准备好停止书写生命的篇章了。”在被委以驱逐喀土穆的埃及军队的重任后，戈登独自出发了，希望出其不意地攻占这座城市。他在1884年2月18日到达埃及，并决定“把马赫迪打个稀烂”，不料后来他自己却陷入了包围，遭到了围攻，并且——在其抵达埃及近1年后——被砍得粉身碎骨。

在喀土穆孤军奋战时，戈登就在他的日记中吐露了他对伦敦政府弃他于不顾的怀疑。包围圈久攻不破，他想象外交大臣格兰维尔抱怨说：

怎么啦！他显然说，他只能坚持6个月吗？那就是从3月（开始扳手指头）到8月！为什么他要放弃！还能做什么？他们将号叫着要做一次远征……这可不是说笑话，这个可恶的马赫迪！为什么不更好地把守他的路？还能做什么……马赫迪是做什么的，我可弄不明白。他为什么不把他所有的枪都架到河上，堵住所有的路？什么？“我们不得不去喀土穆？”为什么？这得花上百万英镑呢？多不划算的生意！

受责骂更多的是埃及的英国代表和总领事埃韦林·巴林爵士。他从一开始就反对派戈登执行这一任务。戈登虽然是妄想狂，但有一点判断是对的。格拉德斯通对下令占领埃及心有不安，因此无意参与占领苏丹的战争。他多次回避了救援戈登部队的建议，支吾搪塞了几个月之后才授权派遣加尼特·沃尔斯利爵士的远征军前去救援。但是，援军还是迟来了3天。此时，《佩尔－摩尔公报》的读者们也已经产生了与戈登一样的怀疑。戈登牺牲的消息传到伦敦后引发了民众抗议。女王亲自致信戈登的姐妹：

> 你亲爱的、崇高的、英勇的兄弟，他是那么热忱而勇敢地效忠于他的国家和女王，他的自我牺牲精神为天下人所共知。未能将他营救出来，让我痛心不已。虽然，我一再坚持和要求那些派他远征的人及时地支援他，但是他们的承诺却落空了——这让我有一种无以表达的悲痛。事实上，我已经因此病倒……请你向你的其他姐妹以及兄长表达我真切的同情，我也深刻地感到，你们兄弟惨烈但英勇的牺牲让整个英国为之扼腕痛惜。

现在，人们不再骂格拉德斯通是“老不死的”了，改骂他为“杀死戈登的唯一凶手”。但是，要为戈登报仇，那就要等到漫长的13年之后。

1898年入侵苏丹的盎格鲁－埃及军队，是由赫伯特·霍雷肖·基奇纳将军率领的。在那张普鲁士军人无情而冷酷的面孔背后，基奇纳是一位复杂矛盾，有时甚至是带着女人气的人。他并不缺乏幽默，由于天生就近视，因此他的枪法极其糟糕，于是他给他的三条猎狗取名为“呼”、“脱靶”、“该死的”。他曾在埃及与戈登短暂会面，作为一名年轻的士兵和自觉的基督徒，他被后者那种极端的克己和自制精神所深深感染。为戈登报仇的决心唤起了他心中的勇气，曾在沃尔斯利早年的侵略军中担任过低级军官的基奇纳，现在成了埃及军队的指挥官，他对这个地区非常熟悉。当他率领远征军向南穿越沙漠时，他的心中只有一个念头：加倍偿还欠戈登的，或者让杀死戈登的人加倍偿还。马赫迪可能早就死了，可是父债子偿，现在轮到哈里发来偿还这笔血债了。

就在尼罗河畔的喀土穆，两个文明发生了冲突：一方是久居沙漠的宗教激进主义者；另一方是训练有素的英国基督教战士，加上他们的埃及和苏丹雇用军。

从这两军部署的方式也可以看出他们的不同。伊斯兰僧兵们气势恢弘，5.3 万人部署在广阔的平原上，在黑色、绿色和白色旗帜的统领下排成各路纵队，绵延有 8 公里。而基奇纳的军队只有 2 万人，肩并肩地排成方阵，一直排到尼罗河边上。在英军阵营里，有一个人正仔细地观察着一切。他就是 23 岁的温斯顿 · 丘吉尔，他是哈罗学院的老校友，也是军队的一个军官，他原本是要去印度的，但临时以《晨报》记者的身份进入基奇纳的远征军，军衔相当于现在的上尉。破晓之后，他第一次见到了敌军：

我突然意识到，所有这帮人骚动起来，以极快的速度推进。他们的埃米尔骑着马在军阵前来回疾驰。侦察兵和巡逻兵散布在第一线。随后，他们欢呼起来。他们距山坡有 1.6 公里远，凭借地势掩藏着自己。我们在河边的军队都能听到他们的欢呼声，虽然听得并不真切。对我们来说，看着山坡上黑压压的军队咆哮而来，就像暴风雨前夕的风起云涌、波浪滔天……一块接一块的岩石和沙土被淹没在了滚滚人潮之中。进攻的时候到了。

伊斯兰士兵们的勇气让丘吉尔深感震惊，这完全依托于一种燃烧的宗教激情：他听到他们不停地唱："la llaha illa llah wa Muhammad rasul Allah"（安拉只有一个，穆罕默德就是安拉的使者）。当然，对他们的敌方来说，这场仗也不是没有一点风险。当天晚些时候，多亏了赫克托 · 麦克唐纳违背总司令的命令，迅速采取行动，才扭转了英军伤亡更为惨重的局面。最终，丘吉尔略带讽刺地挖苦道，伊斯兰士兵们找不到一丝机会攻破"机枪扫射的火力网，正是世界文明国度的努力才让这张巨大的火力网臻至完美"。英国人有马克西姆重机枪、马提尼-亨利来复枪、日光反射信号机，以及英军背后停泊在河上的炮舰。伊斯兰士兵们当然也有几挺马克西姆重机枪，但是，他们大多数人还是依靠老式的步枪、长矛和刀剑。丘吉尔生动地描述了最后不可避免的结果：

马克西姆重机枪的灼热让他们几乎脱水，有些人不得不从卡梅伦高地人常用的水壶中喝些水才能让自己振作一些，继续酣战。打空的弹夹叮叮当当地落到地上，在每个士兵的身后堆成一个不断膨胀的小山包。而在平原的另一边，子弹在撕裂着肉体，皮开肉绽、骨裂浆迸、鲜血四溅；勇猛的士兵在呼啸的枪林弹雨、硝烟弥漫中挣扎前进——痛苦、绝望、死亡……冲锋在前的伊斯兰士兵们成片倒下，尸横遍野。而后面的人则犹豫不决、踌躇不前。

而这些仅仅发生在5小时之内。

有人估计，伊斯兰士兵的伤亡率高达95%；至少有1/5的人战死。而盎格鲁-埃及军队只有不到400人伤亡。基奇纳在战后巡视战场时挖苦道，敌人简直被打得“一败涂地”。但他并未就此满足，紧接着，他下令摧毁马赫迪的坟墓，用丘吉尔的话来说，“把马赫迪的头颅放在一个煤油罐上，就好像是一座奖杯”。随后，他集合军乐队，上演了一场户外音乐会，并矫揉造作地流了些眼泪。音乐会上演奏的曲目浓缩了维多利亚时代的各种情绪：

《天佑女王》。

《总督颂》。

《死亡进行曲》，节选自《索尔》。

《汉德尔进行曲》，节选自《西皮奥》（“勇士悲歌”）（由英国皇家近卫步兵第一团的士兵演奏）。

《挽歌》（由卡梅伦和西佛斯高地的管乐队演奏）。

《遵从我》（由苏丹第十一军的军乐队演奏）。

私下里，丘吉尔对如此亵渎马赫迪遗体的做法非常反感，也对这种“不人道地屠杀伤者”的做法（他认为基奇纳对此也负有责任）深表痛惜。英军的炮火将勇猛的伊斯兰士兵们直接打成了“炮灰”，平原上尸横遍野，这让丘吉尔极度震惊。可是，考虑到大众的偏好，他还是负责地宣布，乌姆杜尔曼战役“是用科学武器对抗野蛮民族的一次标志性胜利”。15年后，在马里亚纳群岛消灭了日本海军的航空舰队后，美国人也同样傲慢地将其戏称为“射火鸡”的游戏。

乌姆杜尔曼战役似乎再次验证了一个颠扑不破的真理，那就是，谁胆敢挑战英国人，谁就将受到严厉制裁。当然，从中还可以得出另一个教训。当天密切关注这一战役的还有一个人——德国陆军武官马约尔·冯·蒂德曼，他认真观察了英国马克西姆重机枪的杀伤力。当时曾有观察家认为，伊斯兰士兵3/4的伤亡都是这种机枪造成的。对蒂德曼来说，真正的教训显而易见：打败英军的唯一途径就是要有能与之匹敌的武器。

德国人很快意识到了，马克西姆重机枪是战争胜利的关键。威廉二世早在1888年就观摩过这种枪的演示，并言简意赅地评论道："这才是真正的枪，其他都不配叫枪。"1892年，在罗斯柴尔德勋爵的协调下，柏林的机床及武器制造商路德维希－勒韦获得了为德国市场制造马克西姆重机枪的授权。受乌姆杜尔曼战役的影响，德国立即决定将德国军队中的轻步兵编入四人一组的马克西姆重机枪队。到1908年，马克西姆重机枪已经成为德国步兵团的标准配备了。

到1898年年底，南非只剩下一个部落还在抵抗大英帝国的强大势力。他们为了逃避英国在开普敦的影响，已经向北跋涉了几百公里；1881年，为了维护自己的独立，他们曾在马任加山与英军激战过一次，并重创英军。他们也是非洲唯一的一支白人部落：布尔族人，他们是早期荷兰在开普敦的殖民者的后裔，主要从事农业。

对罗德斯、张伯伦和米尔纳来说，布尔族人坚持独立的决心是不可容忍的。与以往一样，英国人还是从战略和经济角度来考虑这个问题。虽然苏伊士运河在英国与亚洲的贸易活动中起到了日益重要的作用，但开普敦仍然是一个"对英国来说至关重要"的军事基地（张伯伦语），原因很简单，因为在大规模的欧洲战争中，运河是很容易被封锁的。在殖民大臣的眼里，开普敦是"整个英国殖民体系的基石"。同时，当时两个布尔共和国中的一个恰好位于世界最大的金矿之上，这恐怕也并非巧合。到1990年，兰德公司的产金量已达世界黄金供给量的1/4，赚取的收入更是超过1.14亿英镑，大部分赚的是英国人的钱。德兰士瓦省曾是一个贫瘠的地方，现在突然成为南非的经济中心。但是，布尔人认为不应该与成百上千的英国移民分享权力，这些外国人蜂拥而入正是为了攫取黄金。同时，布尔人也不赞同英国人对待开普敦殖民地黑人的开明政策（多少要更开明些）。在他们的总统保尔·克鲁格看来，严格恪守加尔文教派生活方式的布尔人与英国人的统治格格不入。而在英国人看来，这个非洲部落与其他所有部落都那么不同。不同之处倒不在于他们都是白人，而在于他们武装精良。

我们很难否认，实际上是张伯伦和米尔纳煽动了布尔战争，因为他们以为布尔族人在英国的威慑下，一定会很快放弃独立的主张。他们要求，外来移民在德兰士瓦定居5年以上就应该被授予选举权——张伯伦虚伪地将此称为“兰德自治”。但是，这个政策只是一个幌子。当时，布尔人正在争取获得经由葡属德拉瓜湾延伸至海的一条铁路线的归属权，有了这条铁路线，布尔人向开普敦运送人员和黄金时，就将不再依赖英国的铁路线了。可是，英国人不遗余力地阻止布尔人的这项行动，其政策的真正矛头由此可见一斑。英国人不惜一切代价，甚至不惜发动战争，也要让布尔人放弃独立。

张伯伦对胜利非常自信：他不是已经从维多利亚、新南威尔士、昆士兰、加拿大、西非和马来群岛获得了军事援助的承诺吗？爱尔兰的议员约翰 · 狄龙就曾尖刻地评论道，这是“大英帝国对3万名农民”的战争。但是，布尔人有充裕的时间准备战斗。早在1895年，当罗德斯的亲信利安德 · 斯塔尔 · 詹姆森博士率兵“奇袭”德兰士瓦的计划失败后，决战在即的局势就已经很明朗了。2年后，米尔纳被任命为南非的高级专员，这又传递出了一个明确的信号，因为米尔纳坚定地认为，南非不能容忍“两种极端冲突的社会和政治体系”同时存在。布尔人当然识时务地储备了最先进的武器：马克西姆重机枪，德国埃森克虏伯公司生产的最先进的大炮，以及大量最先进的毛瑟枪，2 000码开外也能准确命中目标。这些人的生活方式让他们成了神枪手，现在他们又获得了良好的装备。另外，他们对当地的地形显然也要比英国的“红脖子”们（非洲人对英国人的戏称，英国兵被太阳晒过后常常肤色会变红）要熟悉。到1899年圣诞前夕，布尔人已经蚕食了英国在非洲的很多占领区。看起来，这次轮到“火鸡”们反攻了。而且，没有一次战役比斯皮恩山战役更能显示他们精准的枪法了。

雷德弗斯 · 布勒爵士将军——很快就被戏称为“倒退爵士”——被派往英属纳塔尔省的蕾蒂斯密斯小镇，解救被围困在那里的1.2万英军。布勒则下令让中将查尔斯 · 沃伦爵士在斯皮恩山附近突破布尔人的防线。1900年1月24日，沃伦命令一支由兰开斯特人和外侨组成的军队在夜幕和浓雾的掩护下偷偷爬上陡峭而怪石嶙峋的山坡。他们只遇到了一小股放哨的敌人，而且后者很快逃跑了。似乎英国人不费一枪一弹就攻下了布尔人的这个山头。在清晨的浓雾中，英国人草草地挖了一些壕沟，自信地认为他们可以轻易拿下这场战役。但是，沃伦被当地复杂的地形迷惑了，完全不知道英军所处的位置恰好完全暴露在布尔人隐藏在密林里的大炮和来复枪的火力网中。事实上，英国人根本没有爬到斯皮恩山的制高点。当浓雾散尽后，杀戮就开始了。而这次，被杀得一败涂地的是英国人。

这次战役又是丘吉尔作为随军记者亲眼目睹的一次战役。这次战役的惨烈和悲壮与 17 个月之前的乌姆杜尔曼战役形成了无比鲜明的对比。当布尔战役中，子弹如雨点般“以每分钟 7~8 颗的速度”倾斜而下时，他只能惊恐地看着“成片的伤者不断地滚落下来。山脚下的救护马车越来越多，山顶上也死伤无数、血肉横飞、尸横遍野，俨然一个血腥的屠宰场。”丘吉尔在写给朋友的一封信中承认道：“斯皮恩山的场面是我所见过的最恐怖和血腥的场面了。”丘吉尔虽然亲眼目睹了这一战役，但他并未上战场沐浴枪林弹雨，有人则比他看得更真切。一名战争幸存者描述道，他眼见自己的战友被战火焚烧，或者被炸成两段，或者炸飞了脑袋；他自己也失去了左腿。对英国本土的报刊读者来说，他们在读到这样恐怖的细节时，简直不相信新闻的真实度。大英帝国好像吃了一记闷棍，这记闷棍是这 3 万名荷兰农民的回击。

玛弗肯战略要地

布尔战役之于大英帝国，就好像越南战争之于美国一样，是挥之不去的痛，原因有二：其一是其高昂的生命代价和资金成本——此次战役有 4.5 万人牺牲①，花费了 25 万英镑；其二是它导致英国本土舆论两极对立。当然，英国以前在非洲也不是没有遭遇过失败，不只是对布尔人，1879 年在与祖鲁族军队对战时也大败而归。但是，如此大规模的惨败对英国来说还是第一次。而且最后，英国人是否

① 我们应该注意，英军 2/3 的伤亡是由于伤寒、痢疾以及其他疾病，而非敌军的打击造成的。

实现了最初的目标从很大程度上来说，还是个未知数。对媒体中的沙文主义者来说，最大的难题在于如何将这个明显的败仗粉饰成帝国的又一次胜利。

玛弗肯是一个非常肮脏破旧的小镇；在这里，你都能嗅到西北部喀拉哈里沙漠的味道。100 年前，这里更是荒凉：只有一个火车站、一座医院、一个共济会议事厅、一座监狱、一座图书馆、一个法院、几个街区住宅，以及渣打银行的一个分支机构。总而言之，这只是一个普通而破败的帝国边区村落。当地唯一一座超过一层的楼房就是圣心修道院。在今天看来，此地完全没有争夺的必要。但是在 1899 年，玛弗肯却是一个战略要地。它是边境小镇，是开普敦殖民地与德兰士瓦交界的最后一个城镇。詹姆森袭击布尔人的部队当初就是从这里出发的。甚至在布尔战争开始之前，那里还驻扎着一支非正规军，打算对布尔人的领地展开另一次更大规模的袭击。但该计划还没有来得及实施，这支军队就发现自己被包围了。英国人开始担心，一旦玛弗肯沦陷，那么住在开普敦的许多布尔人将会与他们在德兰士瓦和奥兰治自由邦的同胞们联起手来，反抗英国。

玛弗肯反包围战在英国被描述为此次战役最光荣的篇章，是公共学校运动场上团队精神最终发扬光大的时刻。事实上，英国媒体将此次反围攻视为一场大规模的帝国游戏，是英国与德兰士瓦之间一场为期 7 个月的国际锦标赛。幸运的是，这次英国人派出了一个理想的队长：天主教加尔都西会老教士，现任陆军上校，统领贝专纳第一军团的“史蒂夫”贝登堡。

对贝登堡来说，这场反包围战就好比一场板球赛。他甚至在致一位布尔指挥官的信中以极其轻快的口吻提到：“……我们刚刚打完一局，抵挡了克隆涅、斯尼吉曼和博塔将军 200 天的进攻，而且仍然没有出局……我们玩得很开心。”这才是人们热切盼望的战争英雄——至少是战斗新闻中的英雄，他的直觉告诉他，该如何“玩转这场游戏”。对贝登堡周围的人来说，贝登堡最引人注意的地方不是他那坚毅的上嘴唇，而是他随时表现出的孩子气，以及他的“胆量”（这是贝登堡最喜欢用的词了）。每个礼拜日，他都会在舞会后组织一场真正的板球赛。乔治 · 泰伊是加入玛弗肯守卫军的一位文职人员，他认为贝登堡“肯定会完胜，而布尔人则胜利机会‘渺茫’”。此人是一位天才的模拟笑剧演员，制作了舞台喜剧来激励士气，还开玩笑地为“玛弗肯独立共和国”发行了邮票，用贝登堡的头像取代女王的头像。即使是《英国男孩周报》也想不出这个主意。

围攻玛弗肯的布尔人军队有着人数上的优势，也配备了更为先进的武器，但玛弗肯还是被坚守了217天。防守驻军有两架能发射7磅炮弹的大炮，以及一门老式加农炮，打出的炮弹弹道“简直就像抛出的板球”（还能像什么呢？）。而敌军克隆涅将军则有9门野战炮，以及一门能发射94磅炮弹的克鲁索制“长脚汤姆”（或者按学童的口吻被戏称为“老吱嘎”）。驻扎在该镇的新闻记者发回的报道，尤其是萨拉·维尔森女士为《每日邮报》撰写的稿件，吊足了读者们的胃口，让他们处于一种痛苦的焦灼状态。贝登堡能坚持住吗？布尔的最快投球手会不会让这个板球健将招架不住？当1900年5月17日玛弗肯终于解围时，伦敦街头举行了疯狂的庆祝活动（“狂欢庆祝”）——用反帝国主义者维尔弗雷德·斯科恩·布伦特的话来说，就好像“他们打败了拿破仑”。贝登堡被晋升为一支新部队（南非警察部队）的司令，他立即热情十足地投入部队制服的设计中。

但是，为了保住这一城镇付出了多大的代价呢？当然，有7 000名布尔人在战争开始阶段就被派遣到其他地方，否则的话，他们会给这里带来更大的伤亡。尽管这样，从伤亡人数来看，这可绝非一场板球赛。最早的700人防守部队中，有一半人不是战死就是受伤，或者被俘。报纸上没有报道的是，防守玛弗肯的主力主要是黑人，虽然这通常被称为一场“白人战役”。贝登堡不仅招募了700名黑人（虽然他后来对外声称的数据比这减少至少了1/2），还将他们驱逐出镇上白人区的战壕和庇护所。他还不时地克扣他们的口粮，以确保白人士兵的食品供应充足。虽然黑人和白人士兵的战亡人数都超过了350人，但是，饿死的黑人数量是这一数字的两倍。米尔纳就曾讽刺道：“你只有彻底牺牲‘黑鬼’，才能让游戏变得容易。”

英国民众看到了标志性的胜利，打油诗人们纷纷赋诗应和：

看啊！从她手里夺过权杖，
让她弯下膝盖！

她的陆地不再有仆人守卫，
她的海域不再有装甲船护卫！

奥斯丁，《致军队》

因此直面他们的世界，指着他们，让他们局促不安，
让他们气急败坏；
如果他们胆敢挑衅，那么，以上帝的名义，
打，英国，击中他们的要害！

亨利，《为了英国》

但这只是一场呈现在印刷媒体上的胜利。正如基奇纳敏锐地注意到，贝登堡“不过表面风光，实质不值一文”一样，对玛弗肯解围战，他也同样嗤之以鼻。

到1900年夏天，战争形势似乎出现了逆转。在领导力更强的驻印军队老将罗伯茨勋爵的统领下，英国军队攻下了蕾蒂斯密斯小镇，继而推进到布尔人的领地，攻陷了布隆方丹（奥兰治自由邦的首府）和比勒陀利亚（德兰士瓦的首府）。志在必得的罗伯茨意气风发地穿过布隆方丹的街道，入住总统府。在一楼宽敞的舞厅里，他的官员们开始翩翩起舞。

这原本是一场庆功舞会。但是，失去了首府的布尔人却执著地拒绝投降。他们改变战术，开始打游击战。基奇纳抱怨道：“这些布尔人不像苏丹人那样会站出来公平地决一胜负，他们总是打一阵就骑着他们的小马驹一溜烟地跑掉了。”哪怕他们端着上了膛的英国马克西姆重机枪真正打一仗也好啊！一筹莫展的罗伯茨因此看准了布尔人的软肋，采取了一个残酷的新战略。

以前，英国人一旦发现哪些农庄藏匿狙击手或者为游击队提供食物和情报，就会摧毁这些农庄。但这些都是零星的行为。现在，英军被授权大规模地烧毁布尔人的家园。最后，总共烧毁了3万座民宅。这留下的唯一问题就是，如何处置布尔游击队员的妻子儿女。布尔游击队在赶赴南非草原与他们的突击队会合时，把他们的妻小都留在了家里，现在，千余人都已失去了家园。从理论上说，为了保护所爱的人，布尔人很快就将在烧光政策下被迫束手就擒。但在此之前，看管

这些妇女、儿童成了英国人的负担。是应该把他们作为囚犯，还是难民对待？罗伯茨最初认为，“养活敌军的亲属不仅给我们造成了沉重的负担，还会鼓励敌军延长对我们的抵抗”。不过，虽然他声称，布尔军人“不投降就别想见到他们的亲属”，但他的想法并不实际。在几番讨论后，这些将军们拿出了一个方案。他们将这些布尔人赶入了营地——确切地说，是进入集中营。

这并非历史上第一个集中营——1896 年，西班牙军队曾在古巴使用过类似的策略——但是，这却是历史上第一个遗臭万年的集中营。总共有 27 927 名布尔人（大多是孩子）在英国集中营中死亡。这个数字占整个布尔人口的 14.5%，而且他们的死因主要是因营养不良和卫生条件差。在集中营中死亡的成年布尔人的人数也超过了战亡人数。另一个集中营中还关押了 115 700 名黑人，其中 14 000 人（80% 是儿童）死亡。

与此同时，布隆方丹的总统府中一派歌舞升平。最后，在连续演奏了几个月的《快乐戈登舞曲》和《剥柳树叶舞曲》后，舞厅的地板都磨薄了。为了避免官员们的妻子有什么闪失，显然得更换这些旧地板了。令勤杂人员高兴的是，他们为换下来的旧地板找到了新用途。那就是将它们卖给布尔妇女，为她们的孩子做棺材用，一块地板的价格是 1 先令 6 便士。

烧光政策和集中营的结合确实削弱了布尔人的战斗意愿。但是，直到 1900 年 11 月，继任罗伯茨职位的基奇纳在整个国家布满了致命的铁丝网和碉堡后，才将布尔人逼迫到了谈判桌旁。即使这样，最后的结果也并非宣告无条件地投降。当然，签订《弗里尼欣条约》（1902 年 5 月 31 日）后，两个布尔共和国都失去了独立主权，成为大英帝国的一部分。但是，这也意味着大英帝国必须负责重建他们所毁坏的一切。同时，条约将黑人和有色人种选举权的问题留待自治政府成立后再议，由此剥夺了南非大多数人口整整三代人的公民权。最重要的是，和平的降临并未阻止布尔人利用他们有限的权力。1910 年，条约签订的 8 年后，自治的南非联邦成立，布尔总指挥官路易斯 · 布塔担任总理，其他多名战斗英雄进入内阁。3 年内，政府通过一项《本国土地法案》，实际上将南非黑人的土地所有权限制在该国最贫瘠的 1/10 的土地内。实际上，布尔人的统治区不仅包括他们原来的领土，还包括了英属纳塔尔和开普敦。而且，他们还在南非拉开了种族隔离的序幕。米尔纳曾希望这里有“2/5 的布尔人和 3/5 的英国人—和平、进步和团结就有了保证”。但是，移民南非的英国人显然还不够多，这一愿景怕是难以实现。

在很多情况下，布尔战争在英国造成的影响甚至比在南非更为深远。正是对战争行径的厌恶，导致英国政治在 20 世纪出现了果决的“左倾”迹象，这对大英帝国的未来产生了无可估量的影响。

布隆方丹的郊外竖立着一块肃穆而威严的纪念碑，纪念在集中营中死去的布尔妇女和儿童。而葬在奥兰治自由邦战时总统旁边的，则是一位康沃尔牧师的女儿，名叫艾米莉 · 霍布豪斯，是 20 世纪首批反战积极分子之一。1900 年，霍布豪斯听说有“可怜的（布尔）妇女被赶得东躲西藏，走投无路”，因此，决定去南非帮助他们。她建立了一个南非妇女儿童拯救基金，“为妇女和儿童——无论他们是布尔人、英国人还是其他国家的人——提供食品、衣服、住所，并拯救他们，因为他们的财产已被摧毁，他们逃离了家园，或者因为战争……遭遇了其他痛苦”。1900 年 12 月，她到开普敦不久就得到了米尔纳的允许，探访集中营，不过基奇纳只准许她探访布隆方丹的集中营，当时那里关押了 1 800 人。恶劣的住宿和卫生条件（肥皂被军队视为“奢侈品”）让她感到极为震惊。她不顾基奇纳的阻挠，坚持探访了瓦尔斯蓬特、阿利瓦尔北、斯普林方顿、金伯利、奥兰治河，以及玛弗肯的集中营。每个地方的情况都大同小异。而且当她回到布隆方丹时，发现情况进一步恶化了。

为了让政府停止羁押妇女儿童，霍布豪斯返回英国，但是她却发现，战争部对此多少有点漠不关心。政府好不容易才勉强同意指派一个妇女委员会，由米莉森特 · 福西特领导，来调查霍布豪斯的起诉，而且还有意将霍布豪斯排除在该委员会之外。怒不可遏的霍布豪斯执意返回南非，但是他们甚至不允许她前往港口。现在，她所拥有的唯一武器就是公共舆论了。

1901 年，集中营的条件日益恶化。10 月，共有 1 000 名被羁押者死亡，死亡率超过 1/3。倒不是军事部门有意实行种族灭绝政策，而是他们缺乏远见和能力，才导致了如此灾难性的后果。福西特委员会也并非像霍布豪斯所担心的那样形同虚设，事实上，他们拿出了一份非常震撼的报告，并促成了集中营医疗条件的迅速改善。虽然张伯伦拒绝公开谴责战争部，但是，他也对霍布豪斯所揭示的真相深感震惊，并很快将集中营移交南非民政部门处理。随后，集中营的条件迅速改善，死亡率从1901年10月的34%下降到1902年2月的7%，到5月只有2%了。

事实上，米尔纳多少还是有所悔悟的。他承认，建立集中营是“做了一件坏事，就我来说，我感觉，我们为自己所做的和所未做的事承受了铺天盖地的谴责，而这些谴责也并非毫无依据”。但是，无论悔悟有多真诚，也无法减轻这场灾难。霍布豪斯对集中营真相的揭露激起了对政府的各种抨击。在议会中，自由党人抓住了机会。这至少是一个猛烈抨击掌控英国政权近20年的保守党和张伯伦派联盟的良机。早在1901年6月，自由党领袖亨利·坎贝尔–班纳曼就谴责了对抗布尔人的“野蛮手段”。该党激进派代表人物戴维·劳合·乔治就在上议院中宣布：

> 要吞并一个骄傲的民族……除非是让他们灭亡，不幸的是，看来我们做的就是这样的事——烧毁家园，让妇女、儿童无家可归……随后的野蛮手段必将辱没我们国家的名誉。

确实是这样。

批评家声称，帝国主义不仅仅是邪恶的。在激进派眼里，帝国主义还是一种盗窃：它用的是英国纳税人的钱，靠的是英国士兵冲锋陷阵，但是，受益的却只是罗德斯和罗斯柴尔德之流的一小部分百万富翁。这就是J·A·霍布森在他于1902年出版的那本极具影响力的名著《帝国主义：一项研究》中所抨击的。“一切伟大的政治行动，”霍布森说道：“必须得到这个金融精英小团体的支持和实际的帮助”：

> 作为投机家或者金融交易者，他们组成了……帝国主义经济最重要的一个元素……利润丰厚的业务……的每一个条件……都让他们站在了帝国主义的一边……我们看到的并非一场让这些人一无所获的战争……或者其他公众灾难；他们是哈耳皮埃（希腊神话中的鹰身女妖），从每一次突如其来的公

共信贷危机中攫取利润……机构的财富，他们运营的规模以及他们遍布世界的组织，都使他们成为经济政策的主要决定者。在帝国主义的贸易中，他们显然享有最大的利益，同时，他们也有许多手段将他们的意愿强加给国家政策……金融就是……帝国引擎的控制器，决定着能量的导向，也决定了事情的成败。

亨利·诺埃尔·布雷斯福特在他的《钢铁与黄金之战：武装和平论》（写于1910年，但直到1914年才出版）中，进一步深化了霍布森的论点。“在古希腊的英雄时代，”布雷斯福特写道：“千百艘战船出海远征只为了海伦的红颜。在如今的黄金年代，他们更多是为了精明的希伯来金融家，为了维护罗斯柴尔德勋爵及其他债券持有者的利益。埃及首先被占领，接着又被并入了英国……最极端的案例可能就是我们自己的南非战争。布尔战争的起因就是确保德兰士瓦的金矿被资本家牢牢地抓在手上，这难道不是显而易见的吗？再说罗德斯，用激进派议员亨利·拉布谢尔的话来说，罗德斯不就是一个“拙劣的帝国建造者，一个粗俗的帝国鼓吹者吗？打着爱国的幌子，实质上却不过是一群狡猾的希伯来金融家的傀儡头领，为的不过是从后者手里分一杯羹”。

就像现在的阴谋论将一切战争解释为石油储备控制权的争夺一样，激进的帝国主义批评家也有把问题过于简单化的毛病。（霍布森和布雷斯福特很少知道，在金佰利包围战期间，罗德斯背负了多少债务。）另外，与其他一些将邪恶势力的源头归结到某些金融机构的现代理论一样，一些反帝国主义主张中也夹杂了不少反犹太人的情绪。但是，布雷斯福特的话并非毫无道理，他认为，现在的情况是“颠倒了国家为之生存的目标，导致用我们所有人的钱堆砌起来的权力和威望，结果却被少数私人冒险家利用起来为自己赚取利润”。“我们都参与帝国的贸易，”他写道：“表面上被当做帝国不可缺少的资产，但实际上，利润却完全进入了私人的口袋。”这在很大程度上，就是当时的事实。

英国在海外大量投资的大部分收益流入了一小部分精英的手中，精英的人数最多不超过几十万。这群精英的核心就是罗斯柴尔德银行，它在伦敦、巴黎和维也纳的所有资金汇总起来有 4 100 万英镑，使其成为迄今为止世界上最大的金融机构。该公司的大部分资产都投资于政府债券，其中殖民地经济体（比如埃及和南非）的债券占了相当高的比例。英国势力向这些经济体的延伸也为罗斯柴尔德家族带来了新的业务，这一点是毫无疑问的。举一个例子就可以证明，1885~1893 年间，罗斯柴尔德家族在伦敦、巴黎和法兰克福的银行联手发行了四种主要的埃及债券，价值近 5 000 万英镑。更引人注意的是，罗斯柴尔德家族与当时的政治领袖之间保持着密切联系。迪斯雷利、伦道夫 · 丘吉尔和罗斯伯里伯爵等人在社会和金融等很多领域都与他们息息相关。罗斯伯里伯爵与他们的关系不同寻常。此人曾在格拉德斯通当政时期担任外交大臣，1894 年接任格拉德斯通，当上英国首相。1878 年，他与罗斯柴尔德勋爵的表妹汉娜结为夫妻。

在其整个仕途中，罗斯伯里与罗斯柴尔德家族的男性成员之间始终保持着定期沟通，这种交往也揭示出维多利亚统治末期大英帝国金钱和权力之间的密切联系。比如，1878 年 11 月，费迪南德 · 罗斯柴尔德向罗斯伯里建议说："如果你有几千英镑（9 000~10 000 英镑）闲钱的话，你可以投资新的……埃及债券，我们银行下周就会发行该债券。"当戈登在喀土穆牺牲的死讯传来，罗斯伯里加入政府时，罗斯柴尔德勋爵在给他的信中传递了明确的信息："你明确的判断和爱国的忠诚将帮助政府，并拯救这个国家。我希望你注意，向尼罗河增派大量援军。苏丹战役必须打一个漂亮的胜仗，切勿出现纰漏。"就在罗斯伯里进入政府后的两周之内，他至少在 4 个不同场合会见罗斯柴尔德家族的成员，包括两次晚餐会。1885 年 8 月，在格拉德斯通提出辞呈并再次暂时离职 2 个月后，罗斯伯里认购了罗斯柴尔德家族伦敦银行发行的新的埃及债券，价值达 5 万英镑。当罗斯伯里当上外交大臣时，罗斯柴尔德勋爵的兄弟阿尔弗雷德向他保证，"从所有方面，甚至最遥远的地方，我们所听到的消息都是对外交部任命的新的大臣表示极为满意。"

虽然我们还很难找到结论性的证据，说明罗斯柴尔德家族从罗斯伯里在任期间实行的政策中实际受益多少，但是我们知道，至少有一次，在一项重要的外交决定公布之前，毫无疑问是罗斯伯里事先通知他们的。那是 1893 年 1 月，他派雷金纳德 · 布雷特去新亭的罗斯柴尔德银行禀告，政府有意增强埃及驻军的兵力。

“我在那里看到了纳蒂（罗斯柴尔德勋爵）和阿尔弗雷德，”布雷特汇报道。

> 并告诉他们，您对他们将手头掌握的所有消息告诉您表示万分感谢，因此希望他们先于报纸知道（增兵的消息）。纳蒂要我转告您，他愿意随时向您提供您所需要的所有消息和任何援助。

罗斯伯里也并非唯一一个不能将私利和公共利益完全分开的政治家。事实上，格拉德斯通本人也是占领埃及的主要受益人之一。1875 年年末，也许就在他的政敌迪斯雷利购买苏伊士运河的股票之前，他以仅仅每股 38 英镑[①]的价格买入了 1871 年发行，以埃及贡金为担保的奥斯曼债券，购买价值达 4.5 万英镑。到 1878 年，他又进一步购买了 5 000 英镑债券，一年后，追加购买了 1854 年发行的奥斯曼债券，价值达 1.5 万英镑，该债券也是以埃及贡金为担保的。到 1882 年，这些债券占到格拉德斯通投资组合的 1/3。即使在军事占领埃及之前，这也是很好的投资：1882 年夏，1871 年债券的价格从每股 38 英镑上升到了每股 57 英镑。英国占领埃及给这位首相带来了更多的利润：到 1882 年 12 月，1871 年债券的价格已经飙升到了 82 英镑，到 1891 年更是涨到了 97 英镑——仅以他 1875 年的投资来算，他的资本回报率也超过了 130%。难怪格拉德斯通有一次曾将土耳其的国家破产描述为“所有政治犯罪中最为恶劣的”。自 1883 年之后的近 25 年里，英国在埃及的代理和总领事都是巴林家族的一位成员，该家族是仅次于罗斯柴尔德家族的金融巨鳄，难道，这也纯属巧合吗？

对政府战争行径的厌恶，对战争高昂成本的日益忧虑，以及在谁是受益者这个问题上模糊的怀疑，所有这些情绪交织在了一起，结果产生了一场政治变动。政府现在的领袖是索尔伯里兹的外甥阿瑟 · 鲍尔弗，此人虽然才华横溢，却行事草率。他的政府在什么才是最佳的战争融资方式上产生了严重分歧。张伯伦抓住这一机会，主张恢复征收贸易保护性关税，后来这被证明是致命的错误。这一主张的目的是让大英帝国变成一个关税联盟，任何英国领土之外的商品进口都要求

---

① 19 世纪的债券价格是以它们占名义价值的百分比报价的。这些债券就是以埃及向土耳其每年进贡的“贡金”为担保发行的土耳其债券。

被征收普通税：张伯伦这一计划的关键词就是“帝国特惠关税”计划。该政策甚至还在布尔战争期间试行过，当时除了加拿大，大英帝国其他地区都对外国进口的小麦和玉米暂时征收小额关税。这也是另一个实现大英帝国蓝图的努力。但是，对大多数英国选民来说，这看上去更像是在恢复以前的《玉米法》，可能导致食品价格的上涨。自由党反对帝国主义（现在这个词已经被广泛视为贬义词）的运动在1906年1月达到最高潮，出现了英国历史上最令人震撼的选举结果，自由党以243票的绝对优势成为执政党。张伯伦“人民阵线”的愿景似乎在英国国民的政治理念面前瓦解了，这种理念的基础就是古老的岛国思想：便宜的面包加上道德正义感。

但是，如果自由党指望他们能够向选民支付反帝国的和平收益，那么他们很快就会失望，因为帝国的安全现在显然遭受了新的威胁。这个威胁并不是来自大英帝国各地那些愤懑的臣民——虽然有一段时期，爱尔兰上空暴风雨的阴霾已经积聚得相当厚重了——而是来自北海对岸的另一个帝国对手。这个威胁甚至连爱好和平的自由党也无法忽略。具有讽刺意味的是，这个威胁来自于被塞西尔·罗德斯和约瑟夫·张伯伦（更别提卡尔·皮尔森）视为与英语民族同样高贵的民族：德国人。

1907年，外交部官员埃尔·克劳（出生于德国莱比锡）起草了一份“英国与法、德关系现状备忘录”。其中传递了一个令人吃惊的信息，即德国人试图“在世界舞台上扮演更大、更具主导性的角色，而不甘于扮演当前权力分配架构下的现有角色”，这可能导致他“削减任何对手的权力，通过拓展其领地提升他自己的（权力），阻止其他国家间的合作，并最终分裂大英帝国，取代后者的地位”。

19世纪80年代，当法国和俄国仍然是英国的主要帝国主义竞争对手时，英国的政策是联合德国。但是到了20世纪初叶，似乎德国就成为英国最大的威胁。克劳的依据并不难找。当时，德国经济已经超越了英国。1870年，德国人口达到3 900万人，而英国的人口是3 100万人。1913年，两国人数分别为6 500万人和4 600万人。1870年，英国的国内生产总值比德国高出40%。但到1913年，德国的国内生产总值反过来比英国高出6%，也就是说，德国的人均国内生产总值的平均年增长率要高于英国人均国内平均年生产总值增长率1%。1880年，英国在世界生产总值中的占比是23%，德国只有8%。但到了1913年，它们的占比分别为14%和13%。同时，由于德国海军上将蒂尔皮茨提出了建立北海战舰队的计划，1898年通过了《海军法》，之后德国海军迅速成长为英国皇家海军最危险的对手。1880年，英国与德国战舰的吨位比是7∶1，1914年，却只有2∶1了。最重要的是，德国陆军有124个师，而英国陆军只有10个师，而且德国的每个步兵团都配备MG08式马克西姆重机枪。英国加上驻印度7个师也难以消弭它和德国军队之间的巨大差距。至于人力，战争期间英国可以动员733 500人参战，而德国可以动员450万人参战。

保守党和工党都声称有办法解决德国的问题，即征召足以与德军相抗衡的兵力，并征收德国式赋税以分担战争成本。但是，自由党新政府从原则上否定了这两项建议。他们只保留了前任政府的两条政策：建设与德国海军匹敌的海军力量，如果有可能，超越后者，以及保持与法国的亲善关系。

1904年，英国与法国在一系列殖民地事务上达成了“友好协约”。最后，法国承认了英国对埃及的占领，而英国也对法国在摩洛哥的统治采取了放任态度。英国让出了它在西非的一些领地，而法国也放弃了它在纽芬兰岛附近海域遗留的捕鱼权。事后来看，虽然英法联盟确有益处，但更明智的做法是与德国达成这种联盟——实际上，1899年，张伯伦自己也曾动过这个念头。确实，英国和德国似乎在很多地区都有海外合作的潜力，可以在亚洲、太平洋、拉美和中东国家相互合作。事实上，英国和德国的银行在金融方面已经有了密切合作，它们共同投资了从中国的长江流域到莫桑比克德拉瓜湾的铁路。正如丘吉尔后来所说的：“我们并非阻碍德国殖民地扩张的敌人。”德国总理自己也在1913年1月说道：“殖民扩张的未来取决于我们与英国的合作。”

从战略层面来说，英国在海外的劲敌仍然是法国及其盟友俄国；而英国之所以要解决边缘地区的一些旧的遗留问题，目的是腾出资源应对德国在欧洲大陆对自己日益严峻的威胁。外交部外交大臣助理弗朗西斯·贝尔蒂在1901年11月声称，反对英德结盟的最好理由是，如果两国真的缔结盟约，那么“我们将永远无法与法国和俄国和平相处，前者是我们在欧洲及世界许多地方的邻居，而后者的边境与我们接壤，在亚洲大部分地区也几乎与我们接壤。”这也是英国在 1905 年，后来又在 1911 年支持法国抵抗德国占领摩洛哥的原因，虽然事实上，德国却是有理的一方。

但是，自由党中的亲法派很快将殖民战略理解成了军事联盟，这就带来了严重的危害。由于对引发欧洲大战的可能性未作好充分的军事准备，英国外交大臣爱德华 · 格雷爵士对法国所作出的“大陆义务”承诺就充满了不确定性和危险性。这份承诺也许能够阻止德军参战，但如果它不能，应该如何？英国仍然必须履行格雷对法国的承诺，如果如此，将会产生什么后果？英国在海军方面继续对德军保持优势，在这场军备战争中，自由党并未示弱。在 1911 年 10 月调任海军部后，丘吉尔甚至增加了赌注，旨在维持“高出 60%的新标准……不但与德国相比，也与整个世界相比”。“三国协约的军事力量已经压倒了三国联盟”，他在 1913 年 10 月高兴地告诉格雷，次月，他又蛮横地质问道：“为什么有人认为我们无法抵挡德军呢？只要比较一下两军可以参战的舰队实力，就可以放心了。”表面看来，确实如此。在战争前夕，英国有 47 艘大型军舰（战列舰以及作战巡洋舰），而德军只有 29 艘，在几乎所有其他类型的船只上，英军都占据了数量优势。比较一下两军的总火力，就更加凸显出它们之间的差距了。但是，蒂尔皮茨本来就没想打造比英国更庞大的舰队，他的舰队只要能确保一点：“即使它的对手有世界上最强大的海军，胆敢来侵扰它，也有可能陷入世界霸主地位不保的困境。”蒂尔皮茨曾在 1899 年向德国皇帝解释说，只要德国海军规模保持在英国海军规模的 2/3~3/4，就足以“使英国在海上势力的角逐中向陛下作出足够的让步，使得陛下能够实行伟大的海外扩张政策”。1914 年之前，这种情况差不多要实现了。此时，德国已经在建造技术上更为先进的战舰了。

海军优势是否能够影响一场欧洲大陆之战的结果，还很难说；在英国的海上封锁给予德国经济以致命打击之前，德国军队说不定早就攻入法国好几个月了。甚至连英国的帝国防务委员会也意识到，在战争中真正能够帮助法国的只有陆军。但是，由于没有征召新兵，正如我们已经看到的，英国陆军的规模已经远远不如德军，这就是问题的关键。政治家们也许会声辩，只要派出几个师的士兵就能让德法决出胜负。但是，无论在伦敦、巴黎还是柏林，士兵们都知道，这是一个谎言。自由党可以采取的可靠策略有两个，一是承诺保卫法国，同时征兵；二是采取中立政策，不必征兵。但结果，他们却采取了一个折中策略，承诺保卫法国，但却不征兵。1914 年，基奇纳尖刻地嘲讽道："没人可以说我的内阁的同僚们不够勇敢。他们在没有军队的情况下都敢于向世界最强大的军事强国宣战。"

1905 年出版了一本书，书名很有趣，叫做《帝国的衰亡》。作者本打算 2005 年在东京出版这本书，书中构想了一个未来的世界格局：印度处于俄国的统治之下，南非受德国统治，埃及受土耳其统治，加拿大受美国统治，澳大利亚受日本统治。这是在第一次世界大战爆发前的十几年中，第一本真正展望未来地狱般前景的小说。随着时间的推移，加之诺思克利夫勋爵的鼓励——《每日邮报》开始长篇累牍地连载此类故事——越来越多的作者开始描写德国军事力量对大英帝国的威胁可能酿成的恶果。

比如黑登 · 希尔的《人类的间谍》(1899 年)、厄斯金 · 奇尔德斯的《沙漠之谜》(1903 年)，以及 L · 詹姆斯的《策马扬鞭的男孩》(1903 年)、E · 菲利普斯 · 奥本海姆的《历史创造者》(1905 年)、威廉 · 勒克蒂的《1910 年的侵略》、威廉 · 伍德的《我们中的敌人》(1906 年)、A · D · 道森的《信息》(1907 年)、勒克蒂的《皇帝的间谍》(1909 年)、柯蒂兹上尉的《当英国沉睡了》(1909 年)。所有这些书的假设前提都是德国有一套侵略英国，或者推翻大英帝国的邪恶计划。这种恐惧的传播速度与《英国男孩周报》读者群的扩大速度一样。1909 年，奥尔德堡寄宿学校的校刊很诙谐地设想了 1930 年的教育方式，他们预测，那时英国只是"远眺日耳曼西海岸的一个小岛国"。甚至连萨基（赫克托 · 休 · 芒罗的笔名）也尝试写作这一题材，出版《威廉何时来：关于英国落入霍亨索伦王室统治之下的故事》(1913 年)。

帝国主义的狂妄——绝对权威所支撑的自大——注定被对大英帝国衰退，甚至突然陨落的强烈担忧所取代。罗德斯已经去世，张伯伦也时日无多。瓜分非洲，用马克西姆重机枪对付马塔贝莱人的那些辉煌岁月突然已恍若隔世。现在瓜分欧洲才是当务之急，才是决定帝国命运的关键。贝登堡的反应则是模仿早期的少年军建立了童子军。童子军活动可以说是所有动员帝国少年的活动中最为成功的。童子军们配备了一些奇特的殖民地生存工具，满口讲着吉卜林式语言。可以说，童子军活动给了一代代无聊的城市居民一个简化过的、净化过的殖民地前沿的生活景象。虽然这样的活动很不错，也很有趣——事实上，它的吸引力很快就传播到了帝国之外——但是，贝登堡在其畅销书《童子军手册》（1908 年）中，明确地阐述了建立童子军的政治目的：

> 总是有议会成员试图缩小陆军或者海军的规模，以便节约成本。这一举措完全是为了迎合英国的选民，好让他们自己及其所属的党派能够当政。这些人就是所谓的“政客”，他们并不考虑国家的利益，其中很多人对殖民地知之甚少，也并不关心。如果以前就是这种人当道的话，我们现在大概人人都能说法语了；而如果未来由他们当道，那么我们以后可能得说德语或者日语了，因为我们将被他们征服。

可是，童子军毕竟与普鲁士军总参谋部不能同日而语。P · G · 沃德豪斯就在《突袭！克拉伦斯如何拯救英国》（1909 年）中一针见血地指出了这点。这篇小说写的是一位爱读《每日邮报》的少年童子军在报纸上发现了一条英国被侵略的新闻——德国、俄国、瑞士、摩纳哥、摩洛哥和“疯狂的毛拉”都纷纷进犯英国——但这条新闻被夹在板球比赛分数和早期一些比赛结果的报道之间，只有很小的篇幅。

国际金融资本主义的领袖——在伦敦、巴黎和维也纳盘踞的罗斯柴尔德家族，在汉堡和柏林扎根的沃伯格家族——坚持认为，经济的未来取决于英德两国的合作而非对抗。英国主导论者也坚信，世界的未来将把握在盎格鲁-撒克逊民族的手中。可是，盎格鲁和撒克逊之间的那个连接符好像太宽了，足以阻止莱茵河及奥得河之间的那个新帝国与大不列颠保持稳定的关系。就像 1900 年后的许多商品一样，大英帝国强劲的对手也是“德国制造”的。

EMPIRE
HOW BRITAIN MADE
THE MODERN WORLD

第六章

帝国的衰落

科尔玛·冯·德·戈尔茨，陆军元帅，1915年

如果我们这次被打败，也许我们下一次会有好运。对我来说，当前的战争显然只是为一段漫长的历史发展拉开了序幕，而这段历史最后则将以英国世界霸权的陨落而告终……因为有色人种将对欧洲殖民帝国主义发起轰轰烈烈的革命。

乔治·奥威尔，《射杀大象》

走到哪里，我都会看到一张张黄皮肤的年轻人的脸上露出对我不屑和嘲弄的表情，其结果是，即使我待在一个远离他们的安全地域，那种受辱感也会不断地纠缠着我，深深地刺痛我的神经……这让人疑惑，也让人不安。因为当时我已经坚信，帝国主义是邪恶的，越早丢下我的工作摆脱它越好。从理论上说——当然，我也只是暗地里这么想——我完全支持缅甸人，而彻底反对他们的敌人——英国人。至于我所做的工作，我对它的憎恶程度也许是我自己都无法解释清楚的……但是我没法形成一个完整的设想……我甚至都不知道大英帝国已经奄奄一息，我更不知道，比起即将取代它的更为年轻的帝国来说，它已经不知道好上多少倍了。

在维多利亚时代的最后10年，一个籍籍无名的公共学校学生对大英帝国在未来一个世纪里的命运作出了预言：

> 我可以看到，如今和平的世界上空笼罩着巨变的阴霾；激烈的巨变、可怕的挣扎；一场你无法想象的战争；还有，我告诉你，伦敦将陷入危机。伦敦将受到攻击，而我将在伦敦保卫战中起到重要的作用……我所看到的比你们任何人都远，我能看见未来。这个国家将屈服于一次可怕的侵略……但是，我告诉你，我将指挥伦敦的防守，将伦敦和大英帝国拯救于水火之中。

温斯顿·丘吉尔在对哈罗公学的同学米兰德·埃文斯说这话的时候只有17岁。这些话惊人的精确，丘吉尔确实拯救了伦敦，也拯救了英国。但是最后，即使是他也无法拯救整个大英帝国。

不过就在区区几十年间——一个普通人的正常寿命——大英帝国就土崩瓦解了。当丘吉尔在1892年说出那番预言时，大英帝国的疆域还未拓展到它的鼎盛时期；到1965年丘吉尔去世时，大英帝国最重要的地盘已经全部丧失了。为什么？以前我们一直用“反殖民地化”的理论来解释，将大英帝国的瓦解归功于（或者归咎于）殖民地内部的民族主义运动，从爱尔兰的新芬党到印度的国大党。大英帝国的灭亡被描绘为“自由战士”的胜利。从都柏林到德里，自由战士们帮助他们的人民摆脱了殖民地统治的枷锁，这种说法其实很有误导性。在整个20世纪，英国统治主要的威胁——或者说，最可能成为大英帝国统治之外的另一个选择——并非殖民地的民族独立运动，而是其他帝国。

这些帝国对待其臣民的态度，远比英国严酷。甚至在第一次世界大战前夕，比利时在名义上“独立”的刚果所实行的统治也完全是滥用人权的代名词。它的“国际协会”的橡胶庄园和铁路都是依靠奴隶修建和运营的，而利润则直接进入了利奥波德二世的口袋。在这种赤裸裸的掠夺下，死于谋杀、饥饿、疾病和生产力下降的人预计达1 000万人，是该国当时人口的1/2。约瑟夫·康拉德在他的《黑暗的心》中对那种“恐怖”的描述毫不夸张。实际上，是两个英国人披露了刚果的状况，一位是英国领事罗杰·凯斯门特，另一位是职位卑微的利物浦文员埃德蒙·莫雷尔，后者看到大量的橡胶从比利时运出，但是除了枪支外，从未看到有货物进口。据莫雷尔所说，他掀起的反对比利时政权的运动是“基于四大原则提出的控诉：一是对世界人民的同情，二是出于英国人的荣誉感，三是英国在非洲的帝国责任感，四是国际贸易权与当地的经济及个人自由息息相关、相互依存”。虽然在18世纪，大英帝国对待牙买加的非洲奴隶的态度比这好不了多少。但是，我们应该拿20世纪的大英帝国与同时代的其他帝国相比。在这方面，大英帝国与其他帝国（不仅仅是比利时）统治的差距，甚至在第一次世界大战之前就清晰地显现出来。

德国的讽刺画报《痴儿》就在1904年刊登了一幅漫画，对比了不同殖民地政权的特征，轻松地调侃了这个话题。在德国殖民地，连长颈鹿和鳄鱼都被训练走正步。在法国殖民地，民族之间的关系密切到了不正常的地步。在刚果，当地人干脆被放到火堆上直接烤，之后被国王利奥波德二世吃掉。而英国殖民地，漫画内容则要比其他殖民地复杂得多。在那里，当地人一边被一个商人灌酒，一边被一个士兵放到滚压机下，直至被压榨出最后一个便士，一边又被传教士逼迫着接受布道。实际上，这些殖民地之间的差别比漫画所展现的更为重大且深远。法国人在刚果法属地区的表现并不比比利时更好：人口死亡率也相当高。在阿尔及利亚、新喀里多尼亚以及印度尼西亚，殖民者实行大规模的土地征用政策，这对高卢人所称的普遍公民权显然是一种嘲讽，德国的海外统治也并不自由。当赫雷罗族人在1904年企图抵抗德国殖民者的蚕食时，中将洛塔尔·冯·特罗塔发布了一个声明，宣布“枪杀每一个赫雷罗族人，无论他手里是否握着来复枪，是否牵着牛。”虽然他后来收回了他的“种族灭绝命令”，但是，赫雷罗族的人口还是从1903年的8万人锐减到1906年的2万人。为此，特罗塔被授予功勋勋章—德国最高军事荣誉勋章。1907年，东非的马及马及起义也被同样残酷地镇压了。

这样的比较不应该仅限于西欧国家。我们也可以看到，日本在韩国的殖民统治—从1905年起，韩国成为日本的保护国，1910年，东京直接对韩国实行殖民统治，这显然是反自由的。当成千上万的韩国人走上街头，支持李光洙的《独立宣言》（后来这被称为“三一运动”）时，日本政府进行了残酷的镇压。逾6 000人被杀，1.4万人受伤，5万人被判入狱。我们也应该记住俄国对波兰（波兰就像是中欧的爱尔兰）的统治、对高加索地区（最远到达黑海的巴统和里海的阿斯塔拉）的统治、对土耳其斯坦和土库曼等中亚各省的统治，以及对远东的统治（新建的跨西伯利亚铁路使得沙皇的铁腕伸到了符拉迪沃斯托克）。事实上，俄国对西伯利亚大草原的殖民统治与同时期在美洲平原上发生的殖民统治有很多相似之处。不过，也有不同之处。俄国人在欧洲殖民地上推行“沙俄化”的激进政策；在英国人讨论爱尔兰自治统治的时候，俄国人却对波兰人实行着高压政策。在中亚，反俄国统治的抵抗运动遭到了残酷的镇压；1916年，撒马尔罕和七河的穆斯林叛乱也遭到了血腥镇压，有上万名叛乱者被打死。

但所有这些与俄国、日本、德国及意大利这几大帝国在20世纪三四十年代的行径比起来，可算是“小巫见大巫”了。到1940年丘吉尔就任英国首相时，看起来最有可能替代英国霸主地位的就是裕仁天皇的大东亚共荣圈、希特勒的千年帝国，以及墨索里尼的新罗马帝国了。正是与所有这些帝国对手对抗的昂贵成本，最终拖垮了大英帝国。换句话说，大英帝国之所以分崩离析，并非因为它对它的海外臣民长达几个世纪的压迫，而是因为它拿起武器与更为强势的帝国对抗了几年。它这样做是对的，尽管成本很高。这也就是为什么最终继承了英国全球霸主地位的（虽然也许并不情愿）并非英国东部的那几个邪恶帝国，而是英国以前经营得最成功的殖民地。

世界大战

1914 年，温斯顿 · 丘吉尔成为海军部部长，统帅世界上最庞大的海军。这位勇敢而自负的记者凭借他对乌姆杜尔曼战役的胜利描述和对布尔战役的嘲讽名噪一时，并在 1901 年进入英国议会。在保守党阵营中短暂逗留后，他投向了自由党阵营，并很快在该阵营中脱颖而出。

没有人比丘吉尔更深切地感受到德国对大英帝国世界霸主地位所带来的威胁了，也没有人比他更坚决地维护英国的海军优势，不论德国建造多少新的战舰。但是，正如我们所见，到 1914 年他开始自信起来：在他看来，“海军竞赛……不再会是”与德国发生“冲突的起因”，因为“显然我们是不可能被打败的”。在殖民地的问题上，英德似乎也作出相互妥协，甚至有合作的可能。直到 1911 年，英军决策者们还在认为，一旦发生欧洲战争，任何英国远征军都能够被派往中亚；换句话说，他们想当然地认为，在这样一场战争中，敌军肯定是俄国。然而，1914 年夏，另一个帝国的危机——奥匈帝国波黑省的危机——却将英德两大帝国迅速拉入了灾难冲突之中。

正如其他许多政治家一样，丘吉尔也倾向于用一种自然现象来解释这场战争：

> 那时候，国家就是庞大的武装组织……它们就像行星一样，不能够相互接近……否则就会产生剧烈的磁共振。如果它们相互走得过近，就会迸发出火花，超过一定程度，它们便会脱离原本的轨道……相互靠近，直至发生猛烈的碰撞。

事实上，第一次世界大战爆发的原因是交战双方的政治家和军事领袖们计算失误。德国人认为（也并非毫无道理），俄国人在军事上已经赶超了自己，因此，他们冒险在这个战略差距扩大之前先发制人。而奥地利则没有看到，攻占塞尔维亚虽然有利于他们抵抗巴尔干恐怖主义的斗争，但是，却会将他们卷入一场遍及整个欧洲大陆的战火之中。俄国人也像德国人一样，高估了他们的军事实力；他们还固执地无视一个事实，即他们的政治体制在经历了1905年对日战争的惨败后，很可能会在另一场战争的压力下崩溃。只有法国和比利时没有选择的机会，德国侵略了它们，人们只能拿起武器反抗。

英国也作出了错误的选择。当时英国政府声称，进行干涉是法定义务，因为德国违背了1839年所有列强共同签订的条约，其中宣布比利时为永久中立国家。实际上，对英国来说，比利时只不过是一个恰当的借口。自由党人希望参战的原因有二：其一，他们害怕德国战胜法国，他们把德国皇帝想象成了拿破仑，盘踞欧洲大陆并威胁着海峡沿岸。这种担忧可能是杞人忧天，不过也可能不是；但如果不是，那么自由党就应该作好阻击德军的准备，可是他们却没有，而保守党要求征兵的主张也是对的。其二，从国内政治而非大战略的角度来考虑的。自从1906年赢得大选后，自由党人就看到他们的选民支持率在逐步下降。到1914年，赫伯特·阿斯奎斯政府几乎到了崩溃的边缘。由于通过外交斡旋阻止欧洲战争的行动失败，他和他的内阁成员本应该全体辞职。但是，他们害怕民意反对，更害怕保守党当政，因此，他们参战的部分原因是为了将保守党拒之门外。

一提起第一次世界大战，我们的脑中便会浮现出索姆河的“枪林弹雨”以及帕斯尚尔战役的“泥泞地狱”。由于第一次世界大战始于萨拉热窝，终于凡尔赛，因此，我们仍倾向于认为第一次世界大战主要是一场欧洲的冲突。毫无疑问，德国发动战争的核心目标仍“以欧洲为中心”：主要是为了击败俄国。德国军队横扫比利时，进入法国北部的行动，也不过是以此目的而采取的手段，旨在消灭，或者至少是重击沙皇俄国的主要盟军，以保护德国的后方。如果进一步分析，我们会看到，第一次世界大战事实上是一场真正的世界大战，在地理规模上与一个世纪之前结束的18世纪英法战争类似。

是德国人首次将这场战争称为“世界大战”的，英国人倾向于称为“欧洲战争”，或者后来所说的“大战”。德国人意识到，他们在欧洲有两条作战防线非常脆弱，因此，他们通过打击英国在印度的统治，寻求将冲突扩大到全球，从而分散英国在欧洲的资源。因此，这场新的帝国战争的真正支点不在佛兰德斯，而是进入印度的门户：中东。

约翰 · 巴肯的战争惊悚小说《绿斗篷》显然是一则牵强附会的故事，讲述的是德国人密谋通过发动一场伊斯兰圣战推翻大英帝国。乍一看，这个故事好像是巴肯最富想象力的故事之一：

"干热的风吹拂着东部，点点星火就可能在被烤干的草原上燃起熊熊烈火。那风向印度边界吹去了。你觉得那风从哪儿来的？……你能解释吗，汉内？"

……"看来伊斯兰教对事情的影响力要超出我们的预料。"我说道。

"说得对……他们在准备圣战。现在的问题是，他们会怎么发动这场战争？"

"我要知道我早就被绞死了，"我说道："但是，我确信不是由一群头戴钢盔的壮实的德国军官发动的……"

"同意……但是，假如他们获得了一些极其神圣的支持——一些神圣的东西……比如托梦励志，让最偏远地区的穆斯林农民们梦到天堂？那么会发生什么，我的朋友？"

"那么，那里的地狱之门就会很快被打开。"

"地狱是会蔓延的。要知道，波斯之外就是印度了。"

汉内的朋友桑迪 · 阿巴斯诺特发现，"德国人只要愿意，随时都会吞并法国和俄国，但是它的首要目标是把整个中东收入囊中，这样它就能成为实际上掌控着世界上一半疆土的征服者了"。这种论调听上去实在是荒谬；随后上场的两个愚蠢可笑的德国恶棍——虐待狂冯 · 施图姆和荡妇冯 · 艾内姆——进一步强化了这种喜剧效果。可是，巴肯的情节描写完全取材于真实的信息和报道（恰好他有收集这些信息的便利）。后来的研究也发现，德国确实打算支持伊斯兰教反对大英帝国的圣战。

土耳其是德国全球战略的中心，不仅仅因为它的首都伊斯坦布尔（旧时称君士坦丁堡）跨越了博斯普鲁斯海峡—这条狭窄的水道将地中海与黑海分隔开来，也将欧洲与亚洲分隔开来。在争夺海上霸权的时代，这里是世界上最具战略意义的要塞，不仅仅因为黑海海峡是俄国重要的贸易之路。在战争时期，一旦土耳其翻脸，那么它不仅会威胁到俄国的物资供给，也会威胁到英国与其附属国印度之间的联系。就是因为这些原因，德国在1914年前的这几年一直在千方百计地拉拢土耳其成为自己的盟友。德国皇帝威廉二世分别在1889年和1898年两度拜访君士坦丁堡。从1888年起，德意志银行就在柏林－巴格达铁路的融资中发挥主导作用。德国人还向土耳其提供军事技术和信息。1883~1896年期间，德国元帅高尔马·冯·德格尔茨就替苏丹革新了他的土耳其军队。另一位德国人奥托·冯·桑德斯则在1913年被任命为该军队的总检察长。

1914年7月30日，在土耳其最终决定与德国并肩作战之前，德国皇帝就已经肆无忌惮地谋划下一步的行动了：

> 我们在土耳其、在印度的领事和代理人……必须煽动整个伊斯兰世界猛烈反抗这个人人憎恶、谎话连篇、不知廉耻的“看门狗”。如果我们会流血而死的话，那也至少得使英国失去印度。

1914年11月，土耳其苏丹，逊尼派穆斯林的精神领袖，在德国的煽动下按时宣布向英国及其盟国发起圣战。由于世界上2.7亿名的穆斯林教徒中，约有近1/2的教徒处于英国、法国或俄国的统治之下，因此，德国的这个战略可以说是一步妙棋。正如德国所希望的那样，英国将人力和物资从美索不达米亚（今天的伊拉克）和达达尼尔海峡的西线调派部分过来，以应对土耳其的骚乱。

德国总参谋部在参战时并未将英国放在眼里。比起德国庞大的军队，英国派往法国的远征军确实正如德国皇帝所说的，小得“可怜”。1910年就担任军事行动主任的亨利·维尔森也坦率承认，6个师的兵力比德国的兵力“少了1/2”。但是，德国不仅仅是与英国军队对抗，它要对付的是统治着1/4地球的“大英帝国”。德国宣布世界大战之后，英国的反应就是前所未有地大规模动员它的帝国军队。

1914年8月12日，英军在陆地上对德开出第一枪，目标是德国在多哥兰卡米纳的无线基站，此举颇具象征意义。很快，战争蔓延到德国在非洲的所有殖民地（多哥兰、喀麦隆、西南非和东非）。事实上，为了确保资源供给，“整个”非洲都被卷入第一次世界大战，虽然我们常常会忘记这一点。由于缺乏四处延伸的路线和可靠的负重动物，要解决物资运输就只有一个办法：人力。卷入第一次世界大战的非洲人的人数超过200万，他们的任务几乎都是运送物资、武器和伤员，虽然他们远离佛兰德斯，但是，这些被人遗忘的后备军所承受的痛苦丝毫不亚于奋战在欧洲前线的军队。这些非洲人不仅仅要在口粮不足的情况下超负荷工作，而且，由于远离家乡，他们就和他们的白人主人一样，对陌生土地上的许多疾病没有抵抗力。被征做挑夫的非洲人中有1/5的人死亡，许多人死于疟疾，这种疾病肆虐在所有热带的殖民地军队。在东非，有3 156名英国士兵殉职，其中死于敌军行动的占不到这些人数的1/3。但如果把黑人军队和挑夫们算在内，死亡人数达1万人。

白人为其在非洲统治作辩护的一个惯用理由就是为了传播文明，让非洲人受益。但是，这场战争却是对这种理由的一个绝佳讽刺。“我们身后留下了被毁坏的土地、被劫掠的仓库，以及接踵而至的饥饿。”路德维希·德佩写道，他在德国的东非军队中担任医生。“我们不再是文化的传播者；我们所走过的道路上布满了死亡和被洗劫一空的村寨，这情景和30年前的战争一样，我们和敌军的所到之处只留下满目疮痍。”

维护英国海上霸权的关键，看来就是皇家海军了。但是，它在战争中的表现确实令人失望。它无法击败德国在北海的舰队；在日德兰半岛近海展开的一场大规模的水上战舰遭遇战中，它也写下了军事史上的一大败笔。这部分原因在于技术的落后。虽然在开战之前，丘吉尔已经用烧油的战舰替换了烧煤的战舰，但是，英国还是在舰载炮的射击精准程度上落后于德国，这不仅仅是因为海军部拒绝使用被称为Argo Clock的射程调整系统，它在计算射击数据时会把船只的晃动幅度考虑在内。德国人还在无线通信方面占据优势，虽然他们常常用“明码”，或者极易破解的密码发报。最初，英国皇家海军仍然用纳尔逊时代的旗语来沟通，虽说远处的敌军不可能看清，但是对旗语的目标接收者来说，也很不方便。

但是，英国海军还是对德国在巴尔干半岛之外的海上贸易起了很大的干扰作用。就在大战爆发后几个月内，英国海军就无情地痛击了德国的商船；1915年

3 月的枢密院令颁布后，即使是中立的船只，只要被怀疑为德国运送物资，英国人都有权登船搜查，一旦查出禁运物品就会全部没收。虽然这些战术在海外引起了不满，但是德国人的无限制潜艇战激起了更多人的愤怒，尤其是英国皇家邮轮——卢西塔尼亚号——在没有得到任何警告的情况下被击沉，船上还载有 100 多名美国乘客。确实，以 1917 年春的那段时间来看，无限制潜艇战似乎确实将对英国的粮食进口造成致命打击——就以 4 月份离开英国港口的运输船为例，四艘中就有一艘被击沉。但是，重新启用尼尔森时代海军部所熟悉的护航系统后，海战的天平又开始向英国一方倾斜了。

更让人惊叹的是大英帝国的陆军实力。第一次世界大战征召的英国军队中，有 1/3 的士兵都是从殖民地召集的。贡献最大的都是最偏远的殖民地。比如，新西兰就向海外派遣了 1 万名男人和女人（担任护士），占该国人口总量的 1/10。就在大战爆发时，生于苏格兰的澳大利亚工党领袖安德鲁 · 费舍就发誓“为保卫我们的祖国拼尽最后一个人，最后一分钱”。早期的志愿者热潮确实是轰轰烈烈的，值得注意的是，澳大利亚的志愿者中有很大一部分是在英国出生的（加拿大的志愿者，也是同样的情况），而且，征兵活动后来在两次民意表决中都遭到了否决。墨尔本的J · D · 彭斯就捕捉到了这些第一代移民心中光荣的忠诚感：

> 英国的军号在海的那边吹响，
> 召唤我们回眸历史，召唤我直面现在。
> 号声把我从梦中惊醒，在破晓的清晨，
> 英国的军号，我怎能袖手旁观？

虽然一开始，英国指挥官们并不愿意依靠殖民地的军队作战，但是，这些军队的战斗力很快就令他们刮目相看。澳大利亚军队尤其骁勇善战，不久便与苏格兰高地团相提并论了：“掘墓者”与“穿裙子的魔鬼”一样，都让敌军闻风丧胆。

也许，成立于 1916 年的帝国骆驼军团可以看做帝国各地区团结作战的典范。虽然澳大利亚人和新西兰人的人数在该军团中占到 3/4，但是，这里也有中国香港人和新加坡人，还有些志愿者则来自罗得西亚的骑警队、南非采矿者（曾在布尔战争中抵抗过英国人)、加拿大落基山脉的果园种植者，以及昆士兰采珍珠的劳工。

还有，我们千万不要错误地认为，应征入伍的人都来自白人自治领。第一次世界大战爆发时，后来成为印度最知名的政治和精神领袖的甘地就告诉他的同胞：“我们首先是大英帝国的英国公民。作为一名英国人，战争从目前来看是一项为了人类尊严与文明的福祉及荣耀而战的正义事业……我们的责任很清楚，就是尽全力支持英国人，奋战到底，直至耗尽我们的所有财产和生命。”几千名印度人都抱有与甘地同样的情感。1914 年秋，英国驻法国的军队中有 1/3 的士兵来自印度；第一次世界大战结束前夕，约有超过 100 万的印度人曾在海外服过军役，几乎相当于 4 个白人自治领参军人数的总和。“这是一场奇怪的战争，”西格纳勒 · 卡塔尔 · 辛格在西线给他兄弟的信中写道：“在陆上、在空中、在海上，到处都陷入了战争。它被称为帝王之战确实没错。它是智慧之人的杰作。”正如我们所见，印度人并非被强征入伍的，他们实际上都是志愿者，热情的志愿者。正如卡塔尔 · 辛格所解释的：

> 我们再也不会有机会召集如此多的来自不同的种族和国家，不同的祖先和父母，不同村庄的兄弟姐妹们，那么热切地向政府表达忠心了……我们再也没有机会看到如此激烈的战斗了……我们有了最好的食品和衣服，不存在短缺的问题。汽车载着供给一直开到战壕……我们一边行军一边唱歌，全然不顾我们即将赴死。

并非只有看着霍勒斯和穆尔的书长大的公学学生才笃信：“为祖国牺牲，愉快而又光荣”。当然，伊拉克的一些穆斯林士兵因拒绝与其他伊斯兰教徒作战而发动了三次兵变（这进一步证明了《绿斗篷》的素材是有依据的）。但是，在一片赤胆忠心和英勇无畏的潮流中，这些只是偶尔的例外。

只有当受到不公正的待遇后，殖民地军队才开始质疑大英帝国对它们要求的合理性。比如，英国的西印度军团对总是被派去执行运送弹药这种危险，但又不体面的任务非常反感。显然，英国军官对他们也很不尊重；正如一位特立尼达中士在1918年所抱怨的："我们既没有被当做基督徒对待，也未被当做英国公民对待，我们只不过是西印度的'黑鬼'，没有任何人对我们感兴趣，或者关心一下我们。我们非但没有感觉被教会和大英帝国拉拢，反倒感觉被驱逐了。"但是，类似的抱怨声几乎在每一个英国远征军中出现。英国远征军就好比一家跨国企业，它们与德国的哈普斯堡皇家军队和俄国军队不同，虽然存在深刻的民族差异，领导者也常常不尽如人意，但是它们多少还算稳定。

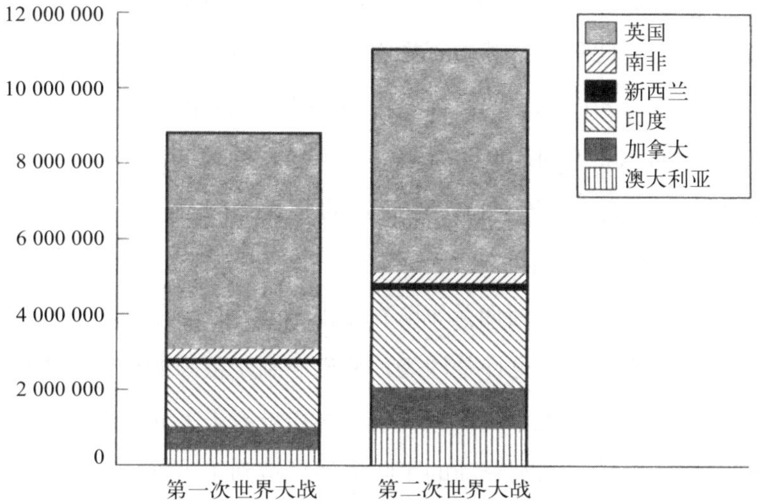

在两次世界大战中被大英帝国动员参军的总人数。

澳大利亚人和新西兰人常常被认为（尤其是被他们的后裔认为），在第一次世界大战中向英国提供了最善战的士兵。加利波利战役是他们面临的第一次严峻考验。

加利波利战役是由两次战役组成的：一次是从海上攻打达达尼尔海峡的土耳其人的防线，另一次是选择在加利波利半岛登陆作战。如果两路配合进行，那么这场战役或许会取得胜利。负责海上攻击的不是别人，正是丘吉尔，他自信地认为，只要"两三天猛烈攻击"就能攻下土耳其在海峡沿岸设置的据点。在他漫长的政治生涯中，这已经不是他第一次寻找捷径来赢得欧洲战争的胜利了，也不是他第一次发现，敌人的"软肋"原来比预期强硬得多。事实上，达达尼尔海峡几平快被攻破了。1914 年 11 月 3 日和 1915 年 1 月 19 日，土耳其的堡垒两次受到协约国炮击的严重摧毁。在第二次进攻中，一支海军队伍甚至已经成功登陆。但是，后来他们却无谓地延迟了进一步的攻击，随后灾难发生了，3 月 18 日，由于在扫雷过程中失误，三艘军舰沉没。

基奇纳随后决定由陆军来完成任务。5 周之后，英军采取了两栖作战的策略，这次作战行动颇似第二次世界大战中的诺曼底登陆实战演习，129 000 人的军队登陆半岛周边的海滩。澳大利亚和新西兰军团（简称澳新军团）只是这支庞大的协议国军队的一部分，此外还有英国正规军、没有实战经验的英国地方自卫军、廓尔喀士兵，甚至来自塞内加尔的法国殖民地军队。他们的计划很简单：在沿海建立桥头堡，然后向东北方向 160 公里外的君士坦丁堡挺进。丘吉尔（一直很喜欢赌博）私下里承认，这是一个他从来没玩过的“最大的赌局”。这场赌局最后以牺牲 25 万协约国军人的代价告终。

4 月 25 日，澳大利亚和新西兰军队在半岛西部月牙形的海滩（后来这里由此得名：澳新湾）涉水上岸。也许是因为，他们遇到了很强的风浪，因此，在北部 1.6 公里的地方下船了。但是，土耳其人——其中就有未来的总统穆斯塔法 · 基马尔——很快赶到了现场，刚刚登陆的军队立即就遭到了来复枪和榴霰弹的猛烈攻击。仅第一天就有 500 名澳新军团的士兵丧生，2 500 名士兵受伤。虽然有证据表明，有些人遭遇炮火攻击后乱了阵脚，但真正的问题还在于地形：澳新湾被一圈淡褐色的石头围出了一道天然的屏障，下面只有一些低矮的灌木可作掩护。海滩上的士兵很容易成为土耳其狙击手的枪靶。今天爬上山顶，你还能看见那里的战壕：澳新军团迅速在被太阳炙烤的地球上消失，而土耳其人则在仔细地准备向德军汇报战绩。

澳大利亚步兵团中有两兄弟，来自安嫩代尔（悉尼的郊县）的阿莱克斯 · 魏格特和山姆 · 魏格特。他们是一位事业成功的犹太制衣商的儿子。这位制衣商曾因俄国对波兰的迫害被迫背井离乡，来到大英帝国开始新生活。两兄弟中的哥哥阿莱克斯，在这场战役开始后一周内就战亡了，但是，山姆挺过了第一场大屠杀。他的日记也许并非什么伟大的战争文献，但却生动地记录了澳新湾战争的激烈：

近在咫尺的敌军、榴霰弹的致命打击，以及在战斗前线的枪林弹雨下生命的转瞬即逝。

4 月 25 日（周日）

清晨 5 点，到达加利波利半岛，我们的战舰开始向敌军猛烈开火。从正午 12 点与土耳其人正面交锋，直到周一破晓。手肘被榴霰弹炸伤。我们的战友伤亡惨重。

4 月 26 日（周一）

……整天与敌军交战。他们的枪炮给我们带来致命打击。我们的军队损失大半。

4 月 30 日（周五）

……整天都在猛烈交火。榴霰弹仍不断飞来，炸死了海滩上的许多战友。一名印度人被榴霰弹击中，脑袋都炸飞了。

5 月 5 日（周三）

早上 7 点开始交火，一直打到下午 1 点。与敌军酣战，我一个人就打了近 250 发子弹。敌军用榴霰弹给我们造成了重大损失，我差一点儿被一块弹片击中。一整天都看到榴霰弹漫天乱飞。土耳其人占据了很好的射击位置。凌晨 2 点进入战壕。一直打个不休。战壕外的尸体已经开始腐烂发臭了。

5 月 17 日（周一）

敌军保持猛烈攻势，射击目标非常精准。我的搭档在睡觉时被射中了心脏……弹片在我们战壕外面爆炸，黑尔上校被炸死，或者说被炸得奄奄一息。

5 月 18 日（周二）

土耳其人让我们吃尽苦头。炮弹在地面上掀起大量尘土，景象极其可怕，我旁边的人被炸得粉身碎骨。对方发了 50 枚炮弹，严重打击了我军的士气。许多人吓破了胆。战壕被炸得一塌糊涂。修补战壕用了一夜。

5月29日（周日）

敌军从凌晨3点开始猛烈轰炸。他们的近距离平射导致我们的战壕损坏严重。一枚炸弹突然在我面前爆炸，虽然我没受伤，但还是被吓愣了好几分钟。我的来复枪也被炸坏。此后一直后怕，无法集中精力。

6月1日（周二）

大炮密集轰炸。机械师们炸毁了一部分敌军战壕……晚上迫击炮起到了强有力的摧毁作用。兰斯·科波拉尔被任命负责一个分队，我感到非常骄傲。

6月2日（周三）

无意中听到劳埃德中尉说，我可以成为一名优秀的士官，因为我很勇敢。敌军的枪炮依然密集。

这些是山姆·魏格特的最后几则日记。3天后，他被击中腹部。被转移后的几个小时，他便在医务船上去世了。

虽然在8月份曾试图突围，但是澳新军团根本无法突破土耳其人在高地上设立的牢固防线。协约国军队在其他地区的战况也差不多。如果海军舰炮无法摧毁土耳其的机枪和大炮，那么前线步兵的冲锋无异于送死。当供给和卫生状况恶化时，西线很快也显而易见地陷入了同样的僵局——运气欠佳的英国总司令伊恩·汉密尔顿爵士称其为“可怕的堑壕战”。在尖锐的谴责和推托责任的反驳中，丘吉尔请求再给自己一次机会。5月21日，他致信阿斯奎思：“让我去君士坦丁堡吧，成败在天，但是千万不要让我失去这个机会。”阿斯奎思生硬地回答道：“你必须接受这个事实，你不能再留在海军部了。”在被授予封地兰喀斯特后，丘吉尔似乎就这样被打发掉了，他的政治生涯似乎也就此画上句号。他的夫人克莱门蒂娜也以为，他“在君士坦丁堡的事情上可能将永远无法释怀”，甚至一度可能“忧郁而死”。

人们对加利波利战役的记忆就是，勇敢的“掘墓者”在迂腐无能的军官们的指挥下纷纷牺牲。这只是一种讽刺，但并非没有道理。真正的问题是大英帝国先向被他们视为无能的东方专制主义进行挑衅，最终却宣告失败。土耳其向其德国盟友学了不少，尤其是他们很快学会了堑壕战的技术。加之“年轻土耳其人”的民族主义和伊斯兰的狂热混合在一起，让他们士气高涨。哈桑·埃特海姆是凯末尔第19师第57团的士兵。1915年4月17日，他写信给母亲：

> 真主，所有这些英勇的战士所热切要求的，就是将您的声名介绍给法国人和英国人。请接受我们光荣的请求，帮我们把刺刀磨得更锋利吧，好叫我们摧毁更多的敌人。您已经消灭了很多敌人了，再消灭更多的吧。祈祷后，我站了起来。我感觉没有人会比我更幸运或者更幸福了。
>
> 如果真主希望敌军将展开登陆作战，而我们将赶赴前线。那样，婚礼（烈士与安拉的团聚）就将开始了，不是吗？

就像印度军队在伊拉克发动暴乱一样，土耳其军队在加利波利的激情也不由得让人感觉德国人的圣战策略也许奏效了。

企图攻打土耳其军队的各条战线全面溃败。虽然印度军队一开始拿下了巴士拉，并沿底格里斯河推进到了巴格达，但后来，查尔斯·汤申德将军率领的9 000名士兵（其中2/3是印度人）在库特阿玛拉被包围了5个月，印度军队进犯美索不达米亚的行动最终受挫。虽然几次发兵援救，但汤申德还是被迫投降。不过，在大溃败前夕，英国人很快就实行了新的中东战略。这与德国人策动的伊斯兰反大英帝国圣战可以说是异曲同工。确切地说，这一战略就是煽动旅居沙漠的阿拉伯部落在麦加沙里夫侯赛因·伊本·阿里的领导下，起义反抗土耳其人的统治。最赞同这项新战略的是一位间谍，此前曾是牛津大学的历史学家，此人极其古怪—他同时还是一位考古学家、语言学家、熟练的地图绘制专家，也是直觉敏感的游击队员，另外他也是一名受虐狂和同性恋者，一心想出名，可机会来了却又放弃了。他就是T·E·劳伦斯，是一位爱尔兰男爵与其保姆的私生子；一位张扬的东方主义者，喜爱一身阿拉伯人装扮。他也从不掩饰（还是他在幻想？），他在德拉短暂入狱期间，曾被土耳其看守强奸。他与阿拉伯人的密切关系非常有价值。

劳伦斯的目标就是从内部击破日耳曼帝国，策略则是煽动阿拉伯民族主义者，使其演变为一支新的、有效的力量，他相信，这支力量一定能够摧毁德国策动的圣战。几个世纪以来，土耳其对阿拉伯沙漠地区的统治一直受到该地区日耳曼部落的反感和零星的挑衅。操着阿拉伯语言，穿着阿拉伯服装的劳伦斯就是要将这种不满朝着有利于英国的方向推进。他从1916年7月开始担任侯赛因的儿子费萨尔的联络官。劳伦斯极力反对在汉志地区部署英国军队，理由是，必须让阿拉伯人感觉，他们是在为自己的自由而战，而不是让英国人代替土耳其人来统治他们。他曾写道，他的野心是：

> 让阿拉伯成为我们第一个棕色人种自治领，而不是我们的最后一个棕色人种殖民地。如果你试图驱逐他们，他们就会奋起反抗，他们就像犹太人一样顽强；但是，如果你表面上与他们团结一致，不用武力就可以领导他们。美索不达米亚的未来前景无限，如果它能衷心顺服我们，我们就可以用它来撼动整个中东。

这项战略确实奏效了。在劳伦斯的支持下，阿拉伯人沿汉志铁路从麦地那到亚喀巴向土耳其聚居点发起了极其有效的游击战。到1917年秋，当埃德蒙·艾伦比将军的军队从西奈山行进到耶路撒冷时，游击队也层层突破了土耳其人在叙利亚的防线。12月9日，当艾伦比徒步穿过古老的迦法门（“还可能去哪里呢，既然主以前就从此处走过？”）进入圣城时，他以恰当的谦卑姿态，邀请劳伦斯同行。这是一个崇高的时刻，在长达3年的军事失利后，终于获得了一场还算成功的胜利，而且所有漂亮的花絮都有了，骑兵的冲锋、落荒而逃的敌军，以及勇猛地冲在最前线的一位年轻英雄。对所有那些有浪漫情怀的人来说，耶路撒冷落入基督徒手中的事实让人想起了十字军东征——即使在军官圈子中流传的故事是，最早接受该城投降事实的是一名伦敦厨师，他很早就起来寻找早餐用的鸡蛋了。①

到1918年夏末，显然德国皇帝在全球的战略已遭挫败。到最后，与其说《绿斗篷》不过是一本小说，倒不如说，德国人的战略太不现实。比如，派遣5万人

① 据说，有人递给他城市的钥匙后，他说道：“我并不想要这个城市，我只想要找点做早餐的鸡蛋！”

的土耳其军队来动员一个奥地利军官（他恰好是哈利奇教区教长的兄弟）领导下的库班哥萨克人，或者人种学者利奥·弗罗贝纽斯希望战胜阿比西尼亚皇帝利杰·亚苏的疯狂之举，“世界大战”的策略根本就不可行。德国人需要的是像劳伦斯那样有能力渗透非欧洲文化之中的“变色龙”。但是，要出现这样一个人，得有几个世纪的东方情缘。德国在海外的蹩脚战术中，最典型的就是他们对阿富汗埃米尔的远征。远征军中的15位成员怀揣着维多利亚时期的世界版图，装扮成旅游团穿过君士坦丁堡。难怪反英国人的圣战只不过暂时拖延了土耳其的瓦解，也难怪阿拉伯民族主义运动被证明是一支更强大的力量。

第一次世界大战是一场真正的全球大战，但战争的结局却是在西欧决定的。奥地利人如愿以偿地赢得了对塞尔维亚的战争，德国人也如愿以偿地赢得了对俄国的战争，顺便打败了罗马尼亚。而另一方面，英国和法国也成功地击败了奥斯曼帝国，更别提保加利亚了。甚至连意大利人，最终也战胜了奥地利。这些战争中，没有一场是具有决定性意义的。最终结束第一次世界大战的战役，是在佛兰德斯。1918年春，德国人在那里进行了最后一次殊死搏斗，但是，当进攻一次次被击退时，战败看来已不可避免，原本一直高昂的德军士气最终开始衰退。同时，英国远征军在进行了4年艰苦卓绝的陆上战役后，终于开始扭转颓势。当西线不再吃紧时，步兵、骑兵和空军终于能紧密配合了。1918年5月和6月，英军俘虏了3 000名德军。7~9月，德军被俘虏人数猛升到9万。9月29日，德国最高指挥部由于担心全面溃败，因而要求休战，把投降谈判的苦差事丢给了迄今为止最无能的德国国会议员。

也许部分是因为这个原因，许多德国人根本不明白为什么他们会战败。他们在德国人内部寻找罪魁祸首，相互指责（无能的军阀或者“十一月罪人”，取决于各人的立场）。但是现实是，德国人战败的原因源于外部而非内部—德国并非一个世界强国，却企图掀起一场全球性的冲突。试想英德两大帝国在资源上的巨大差异，你会觉得，唯一让人不解的是，大英帝国竟然费了那么长时间才能赢得战争。

在美国总统伍德罗·威尔逊的倡导下，各国重点讨论了基于自主权和集体安全的国际新秩序。但是，当所有的提案都起草完毕、签字通过后，它看上去却好像是新瓶装旧酒，完全是胜利者的瓜分盛宴。正如历史学家H·A·L·费舍所说，这项和平协议将“赤裸裸地占领”笼罩在了“道德面纱”之下。

虽然劳伦斯在战时给予了阿拉伯人自治的承诺，但是和平会议上所达成的协议则规定，伊拉克、外约旦和巴勒斯坦将成为英国的受托管国（不过是殖民地的委婉表达），而法国人则成为叙利亚和黎巴嫩的托管国。德国的前殖民地多哥兰、喀麦隆和东非则归入了英国在非洲的占领地。另外，西南非归入了南非，西萨摩亚群岛分给了新西兰、新几内亚北部，加上卑斯麦的爱琴海及其岛屿，以及所罗门群岛北部，则分给了澳大利亚。磷酸盐丰富的瑙鲁岛则被两个澳大利亚自治领和英国瓜分了。这样，就连殖民地也有了下属殖民地。总的说来，大英帝国的领土又增加了468平方公里，人口也新增了1 300万。外交部大臣阿瑟·鲍尔弗沾沾自喜地提到，世界地图的“红色区域更多了”。英国的印度事务大臣爱德华·蒙塔古则冷冷地评论道，他更愿意听到反对英国吞并整个世界的主张。1年后，就好像要印证这一主张一样，殖民部大臣利奥·埃默里宣布英国对整个南极洲拥有所有权。

通过与土耳其结盟，德国曾让中东成为战争的威胁。和平会议的结果则将中东交到了英国手中。至于早在第一次世界大战之前，就已经直接或者间接地处于英国势力范围内的国家，比如亚丁、埃及、苏丹、塞浦路斯、北索马里兰、一些休战国，以及马斯喀特、阿曼、科威特和卡塔尔等，它们甚至连“宣布保护国”这一官方程序（如一位官员所说）都没有进行，就被划归为英国的受托管国了。另外，由于英国在英国-波斯石油公司（后来的英国石油公司）中是大股东，因此，英国对波斯巴拉维王朝的影响力逐渐增强。正如1922年一份海军部备忘录中所说：“从战略角度来说，英国控制产油区是关键所在。”虽然此时，中东的石油产量只占世界石油产量的5%，但在英国的帝国建设过程中，永远是将未来愿景放在脑中的。

瓜分领土似乎还不够。1914年，德国曾是英国最主要的海上竞争对手。而第一次世界大战、休战，以及后来他们之间的和平条约却彻底削弱了德国的海军力量。英国人大肆抢夺德国人的海军舰队和商船。虽然德国人在斯卡珀湾凿毁了大量军舰，以免落入敌手，但是，英国人还是凭借夺来的舰队获得了惊人的海军优势。仅算上无畏舰及其换代型号，英国的大型军舰就有42艘，而世界其他国家加起来不过44艘。排名第二的美国也只有16艘大型军舰。

众所周知，《凡尔赛条约》中规定，德国不但要赔偿战争损失，还要赔偿各种战时养老金和军属津贴，这就是为什么后来会出台巨额的赔偿条款。但我们很少知道，这在很大程度上是由于澳大利亚总理威廉·M·休斯的坚持——因为英国后来又打算找法国算账了——休斯担心，如果赔偿条款的界定过于狭窄，那么他的国家将一无所获。休斯是一个夸夸其谈的威尔士人，20岁出头时移民澳大利亚。他在《凡尔赛条约》中加入了悉尼滨海的归属界定（他曾在那里作为商会的组织者，迈出了政治生涯的第一步）。他宣称，虽然领导德国犯罪的是德国皇帝，但德国国民不仅心甘情愿，而且忠心耿耿地追随着他，所有阶层和所有地区都犯下了罪行。他们沉迷于野兽般的冲动之中，一心希望征服世界——年轻的德国贵族、商人、工人，无不希望从中分一杯羹。德国是挑起战争的罪魁祸首，它必须因它的罪行受到重罚。

也许，最能生动地反映出第一次世界大战后战胜国情绪的就是西格斯蒙德·格茨那幅壮观的讽喻画“大不列颠的和平胜利”（这是受外交部之托绘制的，1921年完成）。在画中，大不列颠头带罗马圆帽盔，身穿红袍，一身盛装，左边站着4位轮廓鲜明、体格强健的美少年，代表4个白人自治领，右边则站着几位异国盟友：法国、美国和希腊（他们奇怪的共和制政府就曾经源于这个国家）。战败敌军的子孙则臣服在大不列颠的脚下，洗心革面。这些伟大的白人诸神的膝盖下，还画了一个几乎看不清楚的黑人男孩，提着一篮水果——应该是代表非洲对战争胜利的贡献。

可是，对大不列颠的和平胜利，我们似乎还存在一些错觉。当然，大英帝国的疆域此时已经前所未有的广袤了。但是，它的战争成本也是史无前例的高昂，与之对比，这些新占领地的经济价值简直不值一提，如果要提，也只能说是入不敷出了。所有参战国中，没有一个国家在这场战争上付出的成本比英国高——英国的战争开支总计近100亿英镑。即使对一个国土面积有260万平方公里的国家来说，这个开支也很不合理，尤其是，这些地区的治理成本往往要高于收入。以伊拉克为例，1921 年，管理伊拉克的成本是 2 300 万英镑，比整个英国的健康医疗总预算还高。

1914 年之前，在大多数人看来，大英帝国的收益总额高于成本。但是战后，成本总额却突然不可避免地高出了收益。

集体质疑

20 世纪的大部分时间里，温布利体育馆里的一对混凝土塔是英国足球史上最重要的建筑标志，这里是年度足协杯总决赛的举行地。但最初，它却是作为英国帝国主义的象征而建的。

1924 年 4 月 23 日，国王乔治五世为“大英帝国展览会”揭幕。这次热闹的盛会是为了庆祝大英帝国在全球的成就，是为了让世人确信，大英帝国不仅有着辉煌的过去，也有着光明的未来，尤其是经济前景。官方指南对展会的目的表述得非常清楚，这是：

> 为了在大英帝国原材料的发展和使用中，找到财富的新来源。为了促进大英帝国内部的贸易，并为自治领及英国本土的产品开辟新的世界市场。为了增进大英帝国内部各民族相互之间的了解，并向英国人民展示建立新的自治领、殖民地和附属国的无限可能。
>
> 为了庆祝这一盛会，单调的郊区街道被拉迪亚德·吉卜林以德雷克等帝国主义英雄的名字重新命名。但是，这一展会的基调却是由场馆自身定的。该场馆是由混凝土建成的，本身看上去就像是一个大胆的现代化宣言。展会开幕式同时也是皇家广播电台的首播仪式。

从一定程度上说，展会取得了巨大成功。逾 2 700 万人涌入了面积达 8 100 公亩的场地；实际上，这个展会非常受欢迎，因此在 1925 年又召开了一次。仅在大英帝国诞辰日就有 9 万人涌入场馆参加感恩仪式——虽然，人数上还比不过 1 年前观看西汉姆联队的球星博尔顿 · 万德斯比赛的观众数（127 000 名），但也算人数众多了。展会上还有一尊完全用加拿大黄油制作的威尔士亲王的骑马雕像，让参观者惊叹不已。参观者们还可以看到在场馆里精彩重演的祖鲁战争。他们也可以坐着那辆“永不停息的火车”从展会上的一个展馆到另一个展馆，这辆小火车的名字可以说寄托了英国对未来的希望。无论参观者走到哪里，他们看到的都是大英帝国持续的生命力——最重要的是经济生命力——的有形见证。

颇具讽刺意味的是，虽然政府补贴了220万英镑，但是，展会的损失却超过了150万英镑，而1914年前的展会往往都是赢利的，这形成了鲜明对比。事实上，有人也从中看出了大英帝国展览会和大英帝国本身发展呈现出极其相似的起伏，令人叹息。但是，更让人担忧的可能是，展会成了整个国家的笑话。P · G · 沃德豪斯在《星期日晚报》上刊登了一个故事，里面的虚拟主人公叫伯蒂 · 伍斯特，他与朋友比菲参观了温布利体育馆的展会。由于此前后者与一个女孩的交往陷入僵局，他们为此心事重重，所以，很快对这些珍贵但无趣的展品失去了兴趣：

> 当我们蹒跚地走出黄金海岸，走向机械馆时，不由自主朝着西印度展区里的一个风格明快的“耕种者酒吧”走去……我从未到过西印度，但是我有理由相信，在生活中的一些基础元素上，他们远比欧洲文明先进。吧台后面站着一个我乐意看到的面善的家伙，看到我们进来，他似乎已经猜出我们的要求。我们的胳膊还未碰到吧台，他就跳起来，奔前奔后，每奔走一个来回就取出一瓶新酒。显然，一个耕作者从不把喝一杯酒叫做喝酒，除非里面至少兑入7种酒。注意，我并没有说他的这种行为是不正确的。
>
> 吧台后面的人告诉我们，这种酒叫绿甜酒；如果我能够结婚并生子，那么肯定会给他起名格林 · 斯威佐 · 伍斯特，以纪念他的父亲在温布利获得新生。

《磁铁》一书中的比利 · 宾特则是另一位参观者，还有诺埃尔 · 考沃德（“我带你来这里是为了瞻仰大英帝国的奇迹，可是你到这里却只顾玩碰碰车”）。H · M · 贝特曼在《庞曲》画报中的卡通人物见面就直接问：“在温布利获得新生了吗？”

在20世纪20年代之前，英国人最擅长举行这种帝国展会——把帝国当做一回事。这本身就是大英帝国力量的一个源泉。许多人之所以会作出英雄行为，只是因为他们认为，这是一个身居要职的白人应该做的。20世纪20年代，乔治·奥威尔在缅甸担任副督察，他发现，自己必须射杀一头捣蛋的大象，“只是为了避免让自己看上去像个笨蛋”：

> 我并不是很在意自己的皮肤，倒是在意背后警惕着我的黄色脸庞。那时，在人群的注视下，我一般不会害怕，但如果只有我一个人，我可能会害怕。可是，一个白人在“当地人”面前是不应该害怕的；因此，总的来说，他不会害怕。我脑中的唯一想法是，如果出了什么差错，这2 000名缅甸人会追逐我、抓住我，把我踩在脚下，把我撕得粉碎，就像当初的印度人一样。如果发生这种事，很可能他们中的一些人会大笑。但这种事从来没有发生。

奥威尔当时的名字叫埃里克·布莱尔。他在孟加拉出生，是鸦片部一位文员的儿子，曾在伊顿公学接受教育，一向忠于职守。但现在，甚至他也觉得一本正经地扮演世界警察的角色，确实太不容易了。

并非奥威尔一个人有如此的想法。在整个大英帝国，一代人的观点在悄悄地发生着转变。莱奥纳多·沃尔夫（小说家弗吉尼亚·沃尔夫的丈夫）在1904年加入锡兰的文员机构，并被派去管理方圆几千平方公里的一个内陆地区。但他在第一次世界大战之前就辞职了，因为他相信“一种文明和生活模式之下的人们试图强行统治另一种完全不同的文明和生活模式，这太荒谬了”。他认为，一名殖民地行政官员能做的最多的事应该是：

> 阻止人们相互杀戮或者掠夺，阻止焚烧房屋，或者防止霍乱、疟疾和天花的传播，如果一个人在3天里能够有一晚上的睡眠，那已经相当满足了……在那里……有些事注定会缓慢但不可避免地发生，而你——你无计可施，只能在4 800公里之外观望。

年轻的时候，弗朗西斯·杨哈斯本曾穿越戈壁沙漠，也曾目睹过“詹姆森突袭”，1904 年，他带领第一支英国远征军进入拉萨。但是到 1923 年，他却接受了自由之爱的观念，并自称“希望的追随者”；4 年后，他写了一本书：《外星生命：有关在某些恒星的行星上存在比我们更高级的生命形式》。今天，我们只知道厄斯金 · 奇尔德斯的恐怖小说《沙岸之谜》曾经因惟妙惟肖的描写引起了人们的恐慌。但是我们可能不知道，他还是位参加过布尔战争的老兵，1914 年打过德国人，也加入了爱尔兰自愿军，1921 年他作为爱尔兰代表的秘书出席和平谈判，最后，他在爱尔兰内战中与极端共和主义者并肩作战，对抗一支火枪队。

哈里 · 圣约翰 · 布里杰 · 菲尔比的故事尤为离奇。菲尔比是锡兰一位咖啡种植园主的儿子，也是《英国男孩周报》所塑造的帝国主义英雄之一。他是威斯敏斯特的皇家学者，是剑桥大学三一学院第一名的优等生，也是印度文员机构中的一名要员。第一次世界大战期间及战后，菲尔比在中东地区的壮举恐怕只有劳伦斯可以与之相媲美。但战后，他竭力在后奥斯曼时代的阿拉伯支持伊本 · 沙特竞选最高统领，这就与官方意见起了冲突，后者支持的是劳伦斯提名的侯赛因国王。1922 年，菲尔比在政府正打算辞退他时提交了辞呈。到 1930 年，他皈依伊斯兰教，并为伊本 · 沙特的事业呕心沥血，此时，伊本 · 沙特已经驱逐了侯赛因。菲尔比的叛逆行为中最令英国人生气的是，1933 年，他成功促成了沙特阿拉伯和标准石油公司之间的关键交易，这导致后来美国在阿拉伯油田获得了比英国更大的优势。据他的儿子——苏联间谍基姆 · 菲尔比后来回忆，受父亲影响，甚至还不到 10 岁，他就成为一个“不信上帝的小反对派”。对大英帝国失去忠诚的同时，对上帝的信仰往往也消失了。

甚至在沙漠中煽动阿拉伯人反抗土耳其的英雄劳伦斯也出问题了。在美国洛厄尔 · 托马斯将他的故事改编成电影《与艾伦比在巴勒斯坦》（1919 年 8 月在考文特花园首映）后，劳伦斯成了名人。此后，劳伦斯却逃离了公众视线，先是去了牛津大学万灵学院，后来又去了阿克斯布里奇的皇家空军基地（这次就更不为人所知了）。在那里，他使用假名罗斯。被空军解雇后，他又以肖的名字应征坦克军团。使用这个名字是为了纪念他的新的、也最不讨人喜欢的导师，特立独行的剧作家萧伯纳。为了躲避删节版小说《智慧的七柱》出版后所引起的轰动，劳伦斯再次加入英国皇家空军，并被派驻卡拉奇，最后他在多西特退休。1935年，他在一场普通的摩托车车祸中丧生。

如果说，这样的英雄对大英帝国的统治也会有怀疑，那么，那些对大英帝国没有亲身体验的人就更别提忠诚了。E·M·福斯特只在1912年受命担任代瓦斯王公的专职大臣时，在印度进行过短期旅行。但是，他却根据这段经历写下了《印度之旅》（1924年），这也许是最有影响力的一本控诉在印度的英国侨民的文学作品。书中那些自以为是的年轻人常说的话是："我们不是为了作出讨人喜欢的表现才来印度的。"而穿着体面的年轻女士则抱怨"总是要面对舞台的灯光"。萨默塞特·莫姆是另一个例子，虽然他对印度的了解仅来自于他在那里的旅游，但他却很高兴地看到大英帝国霸权的前沿出现了裂缝，正如《机会之门》中的情节一样，在其中一幕，一个懦弱的天真之举是使一个男人毁了前程，又失去了夫人。关键问题在于："所以，你意识到……你已经让政府淹没在了奚落中……（而且）让你自己沦为整个殖民地的笑柄"。另一位到印度旅游的文学青年伊夫琳·沃用他的书《黑人的危害》（1932年），给非洲的英国人造成了更大的损害：他嘲笑他们，从大胆鲁莽的探险家巴兹尔·西尔到接受过牛津教育的皇帝赛特。在《每日快报》（这份报纸对殖民地事务的参与引发了创办《独家新闻》的灵感）上，J·B·莫顿的"码头流浪汉"专栏描写了一系列更可笑的帝国主义特征："大白卡斯泰尔斯"，亚布拉的居民。不过，也许没有比戴维·洛笔下的卡通人物布林普上校更能体现大英帝国声名狼藉的新形象了。布林普是一个典型的保守而落伍的殖民地陆军上校——肥胖、秃顶、脾气暴躁、不可信赖——他代表了两次世界大战之间这一代人所轻视的大英帝国的一切。洛后来深刻剖析了他创作的这个角色：

> 布林普对民主可没有什么热情。他对普通人民以及他们的抱怨非常不耐烦。他处理社会动乱的方法就是减少教育，以便让人们看不懂经济衰退。他是一个极端孤立主义者，不喜欢外国人（包括犹太人、爱尔兰人、苏格兰人、威尔士人，以及来自殖民地和自治领的人们）；主张暴力、拥护战争。对国际

联盟或者国际反战力量来说，他一无是处。尤其是，他反对任何对世界资源的经济重组，唯恐改变现状。

但是不知不觉地，即使是最顽固的帝国主义者，也在慢慢蜕变成反对帝国扩张的“英帝国主义者”。

关于这场对大英帝国的集体怀疑，最奇怪的一点是，那些传统的帝国主义精英反倒最容易产生这种情绪。大英帝国在大众心目中仍还维持正面形象，这很大程度上归功于新近出现并很快流行起来的大众传媒：电影。大英帝国——许多电影院起名为“帝国电影院”——就是天然的票房素材。这里有现成的情节，有异国的背景，再加上一点点想象，就可以编制出一段浪漫的情缘。无须奇怪，英国的电影制片人制作了许多以帝国臣民为题材的电影，比如《鼓》(1938 年）和《四根羽毛》(1939 年)。后者的影响力尤为深远，甚至《纽约时报》也称之为“一曲帝国主义交响乐”。更令人称奇的是，对帝国主义题材的热衷在 20 世纪 30 年代的好莱坞表现得尤为明显，仅仅 4 年就拍出许多部作品，不仅包括经典电影《抗敌英雄》(1935 年)，还包括《印度的克莱夫》(1935 年)、《太阳永不落》、《古庙战笳声》与《斯坦利和利文斯顿》(都拍摄于 1939 年）等。但是，事实上这是平民眼中的帝国。仅仅 1 年后，约翰 · 巴肯就沮丧地写道：“今天，这个词（大英帝国）被可悲地玷污了……它成了丑陋的波状钢屋顶和新建的村镇的代名词，或者更糟糕的，成了无情的种族傲慢的代名词……构建起理想主义和诗歌世界的词句，如今却因被用于蹩脚的诗词和饭后打油诗而丧失了原有的魅力。”

日益严重的大英帝国信心危机的根源在于，英国为了在第一次世界大战中战胜德国付出了巨大成本，几乎超出它的极限。仅英伦诸岛的死亡人数就约为 75 万，也就是说，在 15~50 岁的成年男子中，16 个人中就有一人死亡。经济成本就更难计算了。约翰 · 梅纳德 · 凯恩斯在 1919 年就深情地回顾了“人类经济进步史上的那段辉煌篇章……这一篇章在 1914 年 8 月告一段落”：

对于……中层和上流社会来说……生活以较低的成本和最少的麻烦提供了便利、享受和娱乐，而在以前，这是最富裕的阶层和最强大的君王才享有的特权。伦敦居民可以一边在床上喝早茶，一边通过电话购买整个世界的各种产品，想买多少就买多少，只要他认为合适，而且完全有理由希望他订购的货物能够很快送到他的门口；同时，他也可以通过同样的方式，将他的财富投资于世界任何角落的自然资源和新企业中，并分享未来的果实和优势，一点儿不费力，也不费事。

但现在，随着大英帝国的衰落，要恢复战前全球化的基础看来极其困难。甚至在战前，大英帝国就开始采取初步举措，削减劳动力在全球范围内的自由流动，之后，控制进一步加强，到20世纪30年代，流向美国的新移民潮几乎中断。战前，英国在世界范围内的关税一直处于不断上升的态势，但是，征收这些关税的目的都是为了增加收入；到了20世纪二三十年代，在实现经济自给自足的主张下，阻碍自由贸易的壁垒高高地竖立了起来。

在第一次世界大战所引起的经济变化中，最大的变化在于国际资本市场。从表面上看，国际资本市场在20世纪20年代就恢复了正常。金本位制普遍恢复，战时对资本流动的管制也逐渐放松。英国重新担负起了世界银行的角色，不过，现在美国在海外的投资也和英国不相上下。但是，这个曾经运转正常的巨大机器现在却发生了故障，卡住了。原因之一是战争带来的新的巨额债务：不仅仅是德国要进行战争赔偿，作为胜利方的协约国之间也存在着错综复杂的债务关系。另一个原因是，由于德国和法国的央行未能存储足够的黄金，因此放弃了金本位制这一“游戏规则”。主要问题是，经济政策——曾经根据收支平衡，纸币可以兑换成黄金等经典自由经济原则进行预测的——现在却要受制于民主政治的压力。投资者不再确信已经负债累累的政府还有意愿削减开支、提高税收；他们也不确定，在黄金外流的情况下，利率是不是会被提高，以维持可兑换的黄金储备，尽管这样做会导致国内货币紧缩。

英国虽然是第一次全球化浪潮中最大的、唯一的受益者，但最后却未必能获益多少。20世纪20年代，这个多年久经考验的世界警察似乎失灵了。参战的高昂成本导致国家债务增长到原来的10倍。仅仅债务利息就占据20世纪20年代中期，中央政府开支总额的近1/2。预算应该与支出平衡（理想情况下，最好有盈余）的假设意味着，公共财政的支配者不再是纳税人，而应该是债券持有者。以现在高估的1914年汇率水平回归金本位制的决定导致英国维持了10多年的通货紧缩政策。第一次世界大战期间以及战后工会力量的增强不仅激化了行业冲突—最典型的例子就是1926年大罢工—而且意味着工资削减幅度滞后于价格降幅。实际工资的增长导致了失业率的上升：在1932年1月大萧条的谷底，近300万人（占所有纳入保险工人的总数的近1/4）失业。

不过值得注意的是，虽然英国的大萧条非常严重，但是，比起大萧条对美国和德国的影响来说，美国的情况还是非常温和的。这与凯恩斯对经济理论的革命毫无关系：虽然凯恩斯的《通论》(1936年）强调了政府需求的管理——换句话说，就是使用预算赤字刺激衰退的经济——但是，他的理论是很久以后才实行的。实际上，最后促进复苏的是对大英帝国经济进行的重新界定。英国之所以按照旧的利率水平回归金本位制，部分原因是担心一旦英镑贬值，各自治领将转而使用美元。1931年，事实证明，英镑可以贬值，而各自治领也将紧随其后欣喜若狂地贬值。一夜之间，英镑使用区成为世界最大的固定汇率体系，但是，却不再与黄金挂钩。贸易政策也发生了巨大改变。英国大选之前的两次民意测验，都否决了贸易保护主义。但是，在经济繁荣期不可想象的事情，在大规模的危机中却成了不可缺少的事情。正如约瑟夫·张伯伦所希望的，“帝国特惠关税”（对殖民地产品实行优惠关税，从1932年起实行）促进了帝国内部的贸易。20世纪30年代，英国本土向大英帝国的出口从占英国出口总量的44%上升到了48%，进口英国的产品从占英国本土进口总量的30%上升到了39%。因此，虽然英国与其自治领之间的政治联系因《威斯敏斯特法令》而松散了，但经济联系却日益密切起来。

温布利展会所传递的信息并不会误导人：大英帝国确实很有钱。而且，诸如帝国商品行销局（由利奥·埃默里创立，无意中推广了帝国特惠关税）等机构还在不断地向国内鼓吹这一点。仅在1930年，英国65个不同的城镇先后举办了200场“帝国购物周”。在帝国商品行销局的建议下，国王的御厨精心制定了“帝国圣诞节布丁”的配方：

1 磅无籽葡萄（澳大利亚）

1 磅无籽葡萄干（澳大利亚）

1 磅带籽葡萄干（南非）

6 盎司苹果泥（加拿大）

1 磅面包屑（大不列颠联合王国）

1 磅牛油（新西兰）

6 盎司蜜制果皮条（南非）

8 盎司面粉（英国）

1 英镑红糖（西印度）

4 枚鸡蛋（爱尔兰自治州）

1/2 盎司肉桂末（锡兰）

1/2 盎司丁香末（桑给巴尔岛）

1/2 盎司肉豆蔻末（海峡殖民地）

1 把布丁香料（印度）

1 汤勺白兰地（塞浦路斯）

2 汤勺朗姆酒（牙买加）

1 品脱老啤酒（英格兰）

这些美味原料调配在一起的混合物，传递出了一个明确的信息。如果大英帝国存在，就能做出圣诞节布丁。如果没有大英帝国，那么英国就只有面包屑、面粉和老啤酒了。或者，正如奥威尔所说，没有了大英帝国的英国只是一座“冰冷的、无足轻重的小岛，我们都只能拼命劳作，而且主要靠鲱鱼和土豆为生”。

具有讽刺意味的是，尽管大英帝国的经济地位日益重要，但是，大英帝国的国防在英国政务中的重要性却不可阻挡地下滑了。虽然大英帝国的选民要求履行战时承诺，“修建适合英雄的家”，更别提修建医院和学校了，但英国政客先是忽略了这些要求，随后又干脆把大英帝国的国防事务完全抛到脑后。在 1932 年前的 10 年间，大英帝国的国防预算削减了 1/3，而同期意大利和法国的军事开支分别增长了60%和55%。1919年8月的战时内阁会议采纳了一条规则：

> 为了作出重新估计，我们应该假设大英帝国在未来10年间不会参与任何重要战争，也不会为此目的派出远征军……陆军和空军的主要功能是向印度、埃及、新近托管的地区、所有在英国控制之下（不是自治）的地区派出驻军，以及为国内的文职机构提供必要的支持。

在1932年之前，“十年规定”每年都要进行更新，新的开支计划每年都被推迟。理由很明显：正如从1934年起担任财政大臣的约瑟夫·张伯伦的儿子内维尔承认的：“我们不可能同时考虑对日本和德国作战；我们根本付不起那么高的开支。”作为帝国总参谋长，阿奇博尔德·蒙哥马利–马辛贝德爵士将军在1928~1940年间的“唯一念头就是推迟战争，而不是展望战争”。

1918年，英国通过一场大规模的军事现代化运动赢得了西线的战争。20世纪20年代，所有的教训都以经济的名义被遗忘了。现实显然是，虽然英国取得了第一次世界大战的胜利，也获得了更多的领土，但第一次世界大战却让大英帝国比以前更脆弱了。战争好比一系列新军事技术的温床，孕育出了坦克、潜水艇和战斗机。为了确保战后的未来，大英帝国需要对所有这些先进技术进行投资。但事实上，它什么也没做。英国人为拥有连接直布罗陀到巴林，再到卡拉奇的民航班机而骄傲，但是，在大英帝国的海军防御力量建设方面，它却几乎无所作为。在20世纪20年代的亨登空中表演中，最引人注目的是对“当地人”村庄的模拟轰炸；但这就是英国皇家空军的全部实力了。1927年，R·G·埃杰顿爵士强烈反对用装甲车代替骑兵队的马匹，理由很有趣，因为“马匹通人性”。虽然丘吉尔主张启用坦克和装甲车（或许正因为是他赞同这一主张），骑兵团机械化的决定直到1937年才被采纳。对那些负责装备骑兵团的人来说，似乎设计一种与印度刺猪的短枪类似的武器才更重要。当1939年，英国再次参战时，前线所用的武器大多数都是1905年的型号，种类只有德军的1/2。

但是，政治家们一时还是逃脱了谴责，因为破坏大英帝国稳定的主要威胁似乎来自于内部，而非外部。

1916年复活节，一个周一的中午，1 000名左右的爱尔兰民族主义者在诗人帕特里克·皮尔斯和社会学家詹姆斯·康诺利的领导下，进军都柏林，占领了几处公共建筑，其中最著名的是巨大的邮政总局，在那里，皮尔斯宣布成立独立共和国。经过3天激烈的战斗，英国炮兵严重损毁了都柏林市中心，叛乱者投降，叛乱宣告失败。这其实是一场通敌叛国的行动——叛军的枪支实际上是向德国索要来的——英国人的最初反应也非常无情：几个主谋很快就被处决了。（奄奄一息的康诺利只能用一张椅子支撑着，才能站着接受枪决。）这场战斗的后果是，政府更愿意调集以前的士兵——臭名昭著的爱尔兰王室警吏团——来消灭武装共和主义运动。这场运动现在更像是以新芬党及其军队爱尔兰共和军的名义而发起的一场民众运动。但就像这一时期常常发生的情况一样，英国人不能容忍军事镇压。当爱尔兰王室警吏团在克罗克公园的一场盖尔人足球赛上朝公众开枪时，这一事件在英国激起的反感与在爱尔兰的感觉一样强烈。到1921年，当英国人的伤亡人数接近1 400人时，继续作战的意愿已经消失了，双方仓促地达成和平协议。爱尔兰已经在上一年分裂成了新教主导的北部（6个郡）和天主教主导的南部（剩余26个郡）。劳合·乔治的唯一成就就是让这两个部分都留在大英帝国内部。但是，就在有关效忠王室，还是争取自治领地位的争论之中，南部的"自由州"正大步走在成为独立共和国的道路上（1948年，终于如愿以偿）。

不同政见者的小规模暴动，无情的军事镇压，紧接着是英国人自信心的崩溃，双方角力、重新思考、仓促让步、再次让步，这是两次世界大战之间英国反复出现的一个模式。但爱尔兰成为一个特殊案件：允许英国的第一个殖民地一分为二，这等于向整个大英帝国传递了一个明确信号。

无论是从财力还是人力方面来说，印度对帝国战争的贡献都远大于澳大利亚，虽然我们对此知之甚少。从巴勒斯坦到帕斯尚尔的战场上牺牲的6万名印度士兵的名字，被刻在了新德里印度门巨大的拱门之上。为了回报他们，或许也是为了让他们确信，德国人对印度人的任何劝诱都将既往不咎。蒙塔古曾在1917年发誓，在印度"逐步建立责任政府"。这曾是许多鼓舞人心的号召之一，但是，实现这一誓言的日期却太过模糊——也许非常遥远。对于印度国大党中的激进派以及孟加拉更极端的恐怖组织来说，改革的步伐太慢，简直让人难以容忍。确实，至少印度人现在有了自己的一些代表组织。德里的中央立法议会看上去俨然成为一个小型的上议院，连绿色的皮革座椅都与英国上议院相同。但是，这些代表组织没有实权。政府将战时限制政治自由的政策延长 3 年的决定（这使得它有权在没有搜查证的情况下进行搜查，在没有提起公诉的情况下拘捕嫌疑人，在没有审判的情况下判人入狱）似乎进一步印证了建立责任政府的承诺，不过是一纸空文。但是，印度人注意到了爱尔兰的例子，并得出了显而易见的结论。等待别人授予自己自治权，是无济于事的。

英国人在对付印度的暴力抗议中积累了很多经验。但是，身材瘦小的莫罕达斯·卡拉姆昌德·甘地——他的追随者称其为圣雄，而丘吉尔称其为“煽动叛乱的托钵僧”——则是他们从未碰见过的棘手问题。他是一位在英国接受过培训的律师，一位在布尔战争中建立过功勋的老兵，他最喜爱的诗歌是吉卜林的《如果》，但是，从他消瘦的身材和他的装束来看，他却是一位传统的圣人。为了抗议战时管控政策的延长，甘地号召印度人用“灵魂武装”自己。这是号召人们进行消极的、非暴力抵抗的一种有意识的宗教呼吁。然而，英国人却不相信他。甘地提出联合休业主张的本意是为了用一天的时间在印度范围内实行“自我净化”，但对英国人来说，这花哨的词汇实际就是指代总罢工。他们决定用旁遮普省副总督迈克·欧德怀尔男爵的“第一武装”来对付印度人的“灵魂武装”。

1919 年春，印度人不顾甘地的恳求（虽然常常还要以他的名义），将抗争从消极状态升级到了积极状态。3 月 30 日，当德里铁路的一群印度人准备实行联合休业时，冲突发生了。军队开火后，3 名印度人丧生。但是，最恶劣的冲突是发生在旁遮普省的阿姆利则，那里就有一个人感觉到，事态开始向以前印度兵变的方向发展了，他试图阻止这一苗头，没有获得成功。在阿姆利则和在其他地方一样，人们一开始都很响应甘地的号召。3 月 30 日，有 3 万人集会进行“消极抵抗”。4 月 6 日，又举行了一次联合休业。这一阶段，局势总体还算平和，但由于当地两位民族主义领袖受到了看管和驱逐，紧张氛围已经有所升级。但是，当他们被捕的消息传出后，暴力事件发生了。枪击事件、抢劫银行事件、破坏电话线等事件频频爆发。4 月 11 日，英国教堂的一位名叫马努埃拉 · 舍伍德的传教士被人从自行车上拉下来，并遭到一群暴徒的残酷殴打。在这种情况下，文职政府的权力移交给了军队。当晚，雷克斯 · 戴尔准将抵达并接管政府。

戴尔是位脾气暴躁、身体强壮、吸烟成瘾的人，对付民众暴乱自有一套妙法，也因此小有名气。在参谋学院，就有人形容他“嘴里叼着左轮手枪穿过缅甸防线时，是最开心的”。但现在，他已经 54 岁了，疾病缠身，戎马生涯留下的伤口时常困扰着他。他的脾气非常暴躁，上任伊始，他就明确指示：“不允许任何形式的集会或者游行。一旦集会，格杀勿论。”次日，他又正式宣告禁止“任何会议和集会”。4 月 13 日，2 万名民众聚集在札连瓦拉园抗议这些命令。戴尔毫不迟疑地进行了镇压。他派出了两辆装甲车和 50 人的廓尔喀和俾路支军队到场，部署军队包围人群后，他便立即下令开火。没有任何警告，人群也没有任何机会逃散。因为这 729 公亩的集会地四周都是高高耸立的墙，只有一个狭窄的出口。10 分钟的持续射击之后，379 名示威者被击毙，逾 1 500 人受伤。事后，戴尔下令公开鞭打地位较高的嫌疑犯。任何走到马努埃拉 · 舍伍德被袭地所在街道的印度人都被迫趴在地上爬行。

正如爱尔兰一样，强硬手段一开始还是得到支持的。欧德怀尔就支持戴尔的举措。戴尔的上司们也很快为他在阿根廷找到了新的差事。当地的一些锡克人甚至在金庙的一次仪式上授予他荣誉锡克人的称号，将他比做“nikalseyan sahib”(即约翰 · 尼科尔森，1857 年印度兵变中的传奇英雄)。在英国本土，《晨报》还为戴尔开设了一只慰问基金，共募集资金 2.6 万英镑，捐赠人中还包括拉迪亚德 · 吉卜林。但是很快，自以为是的情绪就开始转变为自责的心态了。当两位受国大党支持的律师成功地将戴尔传唤到法庭，就其镇压行为受审时，戴尔的厄运也就开始了。他恬不知耻地承认，他的目的就是“让整个旁遮普省笼罩在恐怖的阴云之下”，这让他成了千夫所指的罪人。在议会，蒙塔古愤怒地质问那些为戴尔辩护的人：“你们是想通过恐怖主义、种族歧视、附属关系和威吓手段来控制印度吗？”更没想到的是，丘吉尔也谴责戴尔的大屠杀“惨无人道”，是：

> 在大英帝国的现代史上前所未有的、绝无仅有的。这是一起与以往的惨剧完全不同的事件，军队竟然与平民发生了冲突。这是一起特殊的事件，一起惨无人道的事件，一起罕见而邪恶无比的事件。

丘吉尔强调，朝手无寸铁的平民开火“不是英国人的行事风格”，他谴责戴尔这样做会削弱，而不是拯救英国在印度的统治。这简直是“所有景象中最可怕的，文明的力量遭到无情的践踏”。戴尔很快被军队解雇，虽然他从未受到起诉，但是，他的仕途也就此结束了。

印度就好像是放大版的爱尔兰；而阿姆利则好像是印度复活节起义，一方面产生了很多民族主义烈士，一方面也带来了对大英帝国的信心危机。在这两个国家，民族主义者一开始都是以和平的方式呼吁地方自治和大英帝国内部权力的移交，但到最后，它们都是依靠武力让大英帝国妥协。而且，在这两桩事件，英国对待暴力反抗的态度都是分裂的：基层态度强硬，上层态度和缓。如果正如甘地所说，阿姆利则“撼动了”大英帝国的“根基”，那么第一次震动就是3年前从都柏林发出的。确实，印度人学习爱尔兰的经验已经有一阵了。当年轻的贾瓦哈拉尔·努胡走访都柏林时，他发现，新芬党是“一个非常有趣的运动……他们的政策不是祈求怜悯，而是争取权利”。当印度预言家巴尔·甘加达尔·蒂拉克希望民众反抗英国人分裂孟加拉时，他采取了爱尔兰式的联合抵制策略。另外，1918年12月，一位爱尔兰女士安妮·贝赞特被选为国大党主席，她是一位半癫狂的有神论者，她相信她的养子是“世界之师的载体”，并预见到“地方自治”是解决印度问题的答案。

不过，重要的并非民族主义运动带来的震撼本身，而是它们撼动了大英帝国根基这一事实。以往几个世纪里，英国人为了捍卫大英帝国，会毫不迟疑地射杀任何人。但是，在莫兰湾事件后，这一切开始转变。到了阿姆利则大屠杀发生时，曾经在克莱夫、尼科尔森和基奇纳身上展现出来的那种无情的果决，似乎已经完全消失了。

但是，在两次世界大战之间弥漫的所有这些焦虑情绪中，还有一个人继续对大英帝国的未来深信不疑。在他眼中，英国人是“训练精良的民族”，他们“以300年的努力确保自己在世界上称霸两个世纪”。他们已经“学会了做主人的艺术，他们轻轻地挽住缰绳，好让当地人感觉不到约束”。甚至他最喜爱的电影《抗敌英雄》，也是以帝国臣民为主角的。

在《我的奋斗》一书，以及他后来在餐桌上的独白中，阿道夫·希特勒反复表达了他对大英帝国主义的崇拜。他声称，德国人要做的，就是以英国人为榜样。“大不列颠的财富就是靠对3.5亿名印度奴隶的资本主义剥削……而积累起来的。”这就是希特勒最崇拜的：有效地压迫一个“低劣”的民族。而且，德国人显然有条件实施同一个计划。他解释说：“印度之于英国，就好像俄国之于我们。”如果希特勒对英国有什么微词的话，那就是他认为他们过于自责，对属民过于仁慈。

有英国人自责说，他们统治这个国家的方式太过糟糕。为什么？因为印度并不欢迎英国人的统治。但我说，英国人已经把印度治理得够好了，他们的错误就在于希望他们管理的臣民，对他们表示欢迎。

1937年，他曾对英国外交大臣哈利法克斯勋爵解释说，对付印度民族主义的方式很简单：“杀死甘地，如果这还不足以让他们屈服，那么就把国大党的领袖再杀几个；如果还不够，那么再杀200人，依此类推，直至建立稳定的秩序。”

希特勒从不怀疑，大英帝国统治的真正挑战是它的对手，而非当地的民族主义。他在《我的奋斗》中说道：“只有当英国自己的行政机器受制于民族分化……或者受到强势敌人的利剑伤害，它才会失去印度。印度的动乱煽动者永远不可能实现这点……就算英国人向印度归还自由，不消20年，印度还会再次失去自由。”他还恬不知耻地承认，他的帝国主义计划要比大英帝国卑劣得多：

> 如果说印度居民在英国人的统治下生活悲惨的话，那么即使英国人走了，他们的生活也未必更好……如果我们拿下印度，那么印度人显然也不会欢迎我们，而且，他们很快就会怀念他们在英国人统治下的好日子。

但是，希特勒否认自己有任何“攻占”印度的意愿。相反，正如他在《我的奋斗》中所说，“我，作为一个德意志血统的男人，不管在什么情况下，都宁愿看到印度在英国，而非其他国家的统治之下。”他坚称，自己无意摧毁大英帝国，这种行为（正如他在 1941 年 10 月所说）“对德国没有任何好处……而只会让日本、美国，以及其他国家受益。”1940 年 6 月，他还告诉墨索里尼，大英帝国是“维持世界力量制衡的一个重要因素”。

但正是这种亲英思想，让大英帝国面临着也许是最为严重的威胁：一种恶魔诱惑的威胁。1939 年 4 月 28 日，希特勒在德国国会大厦作演讲，这次演讲值得我们在此大段记录：

> 在我的整个政治生涯中，我始终在阐述德国和英国之间达成亲密友谊及合作关系的主张……这种推崇英德友谊及合作的意愿，不仅仅符合我们两个民族因渊源久长而产生的民族情感，也符合我的认识，即对整个人类来说，大英帝国的存在有着重要意义。我从来不怀疑，大英帝国的存在对人类的文化和经济生活产生了无可估量的价值。不管英国采用什么手段获取殖民地（据我所知，他们多数时间用武力，有时往往非常残酷）。但是，我也清楚地知道，其他任何帝国也从未以其他方式崛起，而且最后，能够永垂青史的并非这些方法本身，或者方法的成败，而是这些方式所带来的普遍益处。毫无疑问，盎格鲁－撒克逊人已经在世界上完成了不可估量的殖民工作。对此，我表示由衷敬佩。对我来说，破坏这一劳动果实的行为无论从以前还是现在来看，从整个人类的更高层面来看，都是对人类的一种荒谬的摧毁。

随后，他切入正题：

> 但是，对这种成就的衷心崇敬并不意味着我忘记了保护自己人民的生命。如果盎格鲁－撒克逊人没有认识到，除了英国人的利益之外，还有德国人的利益；如果他们没有认识到，英国人生命的意义和目的就在于维持大英帝国的永存，而德国人生命的意义则是争取自由和德意志帝国的永存，那么我认为，德国和盎格鲁－撒克逊民族之间不可能有永存的友谊。

这份字斟句酌的言论显示出，德国正在尽最后的努力避免与英作战，即以英德共存为前提，与英国达成协议：德国将允许英国维持它的海外帝国，如果后者能够免费帮助希特勒在中欧和东欧建立起一个德意志德国。1940 年 6 月 25 日，希特勒致电戈培尔，具体说明了这项协议该如何实施：

> 元首……认为，如果有可能，必须保全大英帝国。因为，如果它崩塌了，我们无法继承它的基业，反而会使外国或者更不友好的国家占了便宜。但是，如果没有办法保全大英帝国，那么就必须用武力使它臣服。元首同意停战的条件是：英国从欧洲出局，归还殖民地和托管国。偿还在世界大战中，它从我们手里掠夺的东西……

这是希特勒反复提到的观点。1942 年 1 月，他仍然认为，“英国有两种可能：要么放弃欧洲控制东方，要么放弃东方控制欧洲”。

我们知道，战时内阁中有些人已经（或者正在）受到将欧洲大陆拱手让给纳粹德国，以争取“和平”想法的诱惑。哈里法克斯本人就在 5 月 25 日接触过意大利大使，以殖民地行贿（可能是直布罗陀，可能是马耳他），希望墨索里尼不要参战，并且牵头组织一场和平会议。张伯伦私下承认，如果他相信“我们将坦噶尼喀拱手让给德国，就能够换取和平以及一块永久的聚居地的话”，那么他“是不会有一刻犹豫的”。值得我们永远庆幸的是，丘吉尔却看穿了希特勒的鬼话。3 天后，丘吉尔召集整个内阁——不仅仅是满脑子绥靖政策的战时内阁——作了一次演讲。丘吉尔坚称，“我们不要徒劳地幻想，以为现在努力达成和平，就会比通过战争去争取和平有更多好处。德国人会要走我们的战舰——他们称为解散……还有我们的海军基地，以及其他东西。我们将变成一个奴隶国……”这么说很正确，希特勒提出的与大英帝国和平共存的协议完全没有诚意。否则，为什么 1937 年 11 月 5 日在与德国参谋部军官进行那次著名的会议时，他会将“英国”称为一个被“仇恨煽动的对手”？那次会议上，谈到大英帝国时，希特勒换了一副截然不同的口吻，赤裸裸地预言大英帝国不日即将瓦解。这才是希特勒的真实想法：大英帝国“从权力政治的角度看……已经难以为继了”。德国筹建大西洋舰队和非洲殖民帝国的计划，也说明了同样的问题。

然而，丘吉尔反抗的不仅仅是希特勒，在一定程度上说，他也是以卵击石。当然，在德国人尚未拿下法国海军的前提下，英国皇家海军的规模仍比德国大。英国皇家空军与德国空军相比，也有足够的优势，因此有足够大的机会赢得英国保卫战。但是，我们回顾一下历史，从敦刻尔克撤退后，225 000 名英军（还有 120 000 名法军）中最终有 11 000 人牺牲，40 000 人被俘，而且装备辎重几乎悉数丢弃。德军有 10 个装甲师，可英国人却几乎没有坦克。最重要的是，法国被征服了，俄国人站在了希特勒一边，英国根本就是孤军奋战。

是这样吗？1940 年，丘吉尔对英国上议院的慷慨陈词深深地烙在人们的记忆中，因为他曾意气风发地发誓，要战斗“在海滩上……田野里，和大街上”。但真正重要的是，演讲的结论：

> ……我们将永不妥协，即使——虽然我一刻也不愿相信——这座岛，或者这座岛的大部分被攻占，饱受痛苦，我们海外的大英帝国，在英国海军的武装和护卫下，将继续战斗，直到在上帝的保佑下，新的世界羽翼渐丰，站起来拯救和解放曾经的家园。

欧洲失去了。但是，大英帝国保留了下来。这是在未与“那个人”作进一步会谈的情况下实现的。

从主人到奴隶

1937 年 12 月，中国南京遭到了帝国主义武力的蹂躏。遵照“杀光所有俘虏”的明确指令，军队开始屠城。约 260 000~300 000 名平民被杀死，被强奸的中国妇女的人数达 8 万，而战俘们在受尽五花八门的酷刑折磨后，用钩肉的钩子钩住舌头吊起来，用来喂那些凶猛的狗。帝国军队拿战俘进行杀人竞赛；一个军官向另一个军官挑战，看谁第一个杀死 100 名中国战俘。这些受害者有的被刀砍死，有的被刺刀刺死，有的被枪打死，有的被淋上汽油烧死。这种毁灭性的行动让城市沦为一片废墟。“最受苦的是女人，”据 114 师一位老兵回忆：“不管老的少的，都逃不过被强奸的命运。我们曾派出运煤车……到街上和村子里抓来很多妇女。每个人被分配给15~20个士兵轮奸和蹂躏。”“仅仅强奸她们还算是好的，”这位老兵的战友也承认，“但事实上没人那么幸运。我们常常还会砍她们，杀死她们。因为只有死尸是不会讲话的。”他们将这一行动称为“南京大屠杀”，确实不无道理。

这是帝国主义最恶劣的行径，但这是日本帝国主义，不是大英帝国主义。“南京大屠杀”的事件清楚地揭示了，在亚洲即将替代英国统治的霸权国是什么样子。我们常常将大英帝国和日本帝国之间的战争描述为畏首畏尾的老牌帝国和肆无忌惮的新兴帝国之间的冲突——或者夕阳帝国和朝日帝国的冲突。但是，这也是一个有着一些人权意识的帝国，和一个将异域民族视为牲畜的帝国之间的冲突。用田中隆吉少佐（日本在上海秘密组织的负责人）的话来说：“我们对这些生物可以做任何事。”到了20世纪30年代，许多英国人都习惯于将大英帝国视为历史的垃圾。但是，同期日本帝国在亚洲的崛起显示，替代英国统治的政权并不一定更加仁慈。帝国主义也是分级别的，日本帝国对待被征服人民的残酷程度远远超出了英国人。而这次，英国人也进入了被征服者之列。

英国在20世纪20年代在新加坡建造的海军基地，是英国在远东的要塞。用英国总参谋长的话来说：“大不列颠联合王国的安全，以及新加坡的安全是英联邦生存的关键所在。”在两次世界大战之间，英国对新加坡一旦遇袭做出的既定防御战略就是派出舰队。但是，到了1940年，英国国防部意识到，这一策略已经不合时宜了；到1941年年末，在保卫英国、支持苏联，以及控制中东的三重压力之下，甚至丘吉尔也将新加坡防务的重要性级别降低了。因此，面对日本的威胁，新加坡并未作好充足的防御准备。在日军侵略新加坡的前夕，马来西亚驻防的战斗机只有158架，而实际需要量达1 000架；步兵也只有三个半师，而实际上，即使有8个师加两个装甲团也未必够用。更重要的是，新加坡周边没有建立起牢固的筑防（包括地雷阵、碉堡和反坦克障碍），可悲可叹。其结果是，当日本人展开攻击时，他们发现这个看似固若金汤的要塞，竟然不攻自破。当炮弹如雨点般落入这个城市时，人们只有两个选择，要么接受南京屠杀式的恐怖摧残，要么就是可耻地投降。1942年2月15日下午4点，尽管丘吉尔拼命要求战斗“到最后一刻”，但是，新加坡还是挂出了白旗。

总共 130 000 人的军队——包括英国人、澳大利亚人和印度人——向规模只有其 1/2 的日军投降。在大英帝国的历史上，从未发生过类似的事件。实际上，后来他们才发现，日本人经过长途跋涉之后，自己也已经筋疲力尽了，不过发现这点已为时已晚。皇家炮兵杰克 · 乔克是当时的战俘之一，他后来回忆道：“简直难以相信，我们竟然落入了日本人之手。当晚，当我们思考自己未来的命运时，禁不住都想起了南京大屠杀……我们真是前途未卜。”对乔克和他的战友来说，让他们真正不能释怀的是落入亚洲人之手的耻辱。正如我们所见，日本人虽然反西方，可他们对同为黄种人的新加坡人并没有优待。他们的目的纯粹是为了将自己放入曾经属于英国人的特权地位。事实上，他们对待其他亚洲人民的手段更加恶劣，尤其是对中国人，他们对中国人实行了摧毁性的“肃清”政策，或者说“灭绝”政策。但是，没有比日本人对待英国战俘的态度，更能说明日本人在亚洲所建立的“新秩序”的特征了。

日军统帅部视投降为耻辱，也藐视那些放下武器的敌军。杰克 · 乔克曾有一次问一位日本军官，为什么他们会那么无情地对待战俘，后者简单地回答：“我是个军人，成为战俘是一件不可想象的事。”他们不仅公然违反《日内瓦公约》中有关战俘待遇的规定，还肆无忌惮地虐待英国战俘。到 1944 年，英国政府开始怀疑日军出台“羞辱白人战俘的官方政策，目的是为了毁坏他们在当地人眼中的名誉”。他们的猜测是正确的。1942 年，日军在朝鲜的总司令板垣征四郎告诉日本首相东条英机：

> 我们将英国和美国的战俘扣留在朝鲜，目的是让朝鲜人切实地体会到我们帝国的真正实力，同时，这也是一种心理攻势，它将消除相当多的朝鲜人至今在内心深处对欧洲人和美国人的崇拜。

这一原则在亚洲的所有日占区，都得到了贯彻。

英国人曾利用亚洲“苦力”为大英帝国修建铁路。现在，日本人则强迫 6 万名英国人和澳大利亚战俘——包括荷兰战俘和征召的印度劳工——修建穿越缅泰边界山区丛林的铁路，长达400公里。这是世界历史上最具象征意义的一次逆转。从18世纪中期开始，大英帝国就开始骄傲地鼓吹："英国人永远不做奴隶。"但现在，这些修建铁路的战俘确实已成为奴隶。一位英国战俘曾痛苦地看到："日本人看到这些'白人主子'背着箩筐、挑着担在路上艰难行走，而他们却坐着卡车绝尘而去，一定会感到十分滑稽。"

杰克·乔克在战前曾是艺术系的学生，他秘密地，甚至是冒着生命危险地用画笔画下了许多生动的画稿，反映了他和他的战友被虐待的情景。他们常常要忍饥挨饿地工作，哪怕是累得筋疲力尽，甚至得了疟疾、痢疾，以及最可怕的热带溃疡（可以使人的血肉溃烂到骨头），也得不停地工作。

> 我们只能小睡片刻。任何时候我们都可能被赶出我们的棚屋，排队接受点名，或者集中开工作会议，或者挨打；甚至病入膏肓的人也得参加，不管他的病情如何。这种集会有时持续几个小时，甚至一整天，或者一整晚……有时，病重的就这样被折磨死了。

皮埃尔·布尔和戴维·利恩的电影让桂河大桥出了名。但是，实际情况比电影上表现的还要糟糕，而情况最恶劣的还是接近缅甸边界的"死亡铁路"。

澳大利亚外科医生、战俘指挥官爱德华·邓禄普中校在被捕期间，用日记详细记录了集中营对战俘肆无忌惮，甚至是丧心病狂的虐待。邓禄普医生的外号是"倦怠"，部分因为一个双关语（邓禄普－轮胎－拒绝－磨损，磨损在英文中也有倦怠之意），也因为这个高个子男人在与比他矮小得多的日本人说话时，不得不弯下腰给他们面子，以免惹恼了这帮暴躁的人：

> 1943年3月19日……明天要派600人去修铁路……无论是劳动力不足的，还是已丧失劳动力的人都没有鞋穿，不过却都逃不开修路的命运，这几近谋杀。显然，日本佬在这里和新加坡的人力储备其实很丰富，他们的意图就是让人劳作而死，丝毫不考虑生命或者健康的代价。这只能被称做冷酷无情的反人类罪，显然这是有预谋的……

1943 年 3 月 22 日，我快气疯了……愤怒地告诉广出（当班的日本军官），我强烈抗议他强迫病人出工……我跟他说，他要打死我就打死我好了（来复枪已经顶着我的脑袋了）。“你可以打死我，但是我的副官会像我一样强硬，我的人会前仆后继地反抗你的指令，你把他们都打死好了。你再没有干活的人了。不管怎样，我总有一天会把你吊死的，你这个黑心肠的畜生。”

在邓禄普眼里，日本人——或者说他们的俘虏——所建造的这条铁路是“一个惊人的工程”，它“翻山越岭……似乎势不可当，就好像有人在地图上画了一条线一样”。铁路径直穿过一块 73 米长、25 米高的巨石。当年，邓禄普的人每天轮班，日夜兼程，靠爆破、钻探、挖掘，才一点点地打通了道路。虽然雨季开始来临，加之霍乱流行，但他们还是在仅仅 12 周之内就完成了这项工作。夜班时分，闪烁的电石灯照在战俘们憔悴的脸上，一派凄凉恐怖的光景，此地因此得名：地狱火道。从邓禄普的日记中我们就能看出，到底谁是这个地狱里的魔鬼：

1943 年 5 月 17 日……这些日子，我看到我的下属被慢慢折磨得形骸憔悴、没了人形，有的因患了脚气病而身体水肿，有的因得了糙皮病、痢疾或疟疾而骨瘦如柴，有的身上满是令人作呕的伤口，这让我不论何时看到一个日本佬，心底都会油然生出一股仇恨。这群恶心的、可叹的、可恶的军队——与猿猴无异。对我们来说，一个惨痛的教训就是，只要一息尚存，就千万不要向这群禽兽投降。

邓禄普曾因被怀疑藏匿了无线通信设备而两次遭到毒打，并被绑在树上等待刺刀处决。后因暂缓行刑，他才逃过一劫。但是，在邓禄普看来，他的遭遇还不算什么，他手下的一名军士S · R · 阿利亚姆（外号“米奇”）的死才是反映日本人这种莫名残酷的典型例子。

1943 年 6 月 22 日……阿利亚姆军士（患了疟疾）到集中营的日本人那里报到后，被允许送进医院……他从医院里被拖了出来，疟疾已经折磨得他奄奄一息（事实上，在上工的途中他就已经晕过去了），随后，他被工程兵和

> 其他日本人狠狠地打了一顿。他们用拳头打他，用木底鞋踢他的头和脸，不断抓住他的肩膀，重重地把他摔在地上，随后再用脚踢他的肚子、阴囊和肋骨，同时用竹条反复抽打他的头，加之拳打脚踢……这种卑劣和残酷的毒打持续了几个小时……阿利亚姆军士本就忍受着高烧的折磨，现在经毒打，整个脸已经变形了——从脸部到颈部和胸部的组织大面积挫伤，还有多处擦伤和肋骨骨折，他已经几近崩溃……

4天后，阿利亚姆因伤势过重而死。正如邓禄普所说："他是被那些日本虐待狂活活打死的，这比他们一枪打死他，要痛苦得多了。"

据邓禄普中校统计，1943年4月~1944年1月间，死于集中营的盟军俘虏人数达676人——澳大利亚俘虏中有1/10死亡，英国俘虏有2/3死亡。总计有9 000名英军死在了日本人手上，占所有被俘人数的1/4左右。英国军队从未遭受过如此令人发指的虐待。

大英帝国被钉上了十字架，这是它的受难日。此后，它还有机会复活吗？

大英帝国的力量由此被削弱——它的士兵也成了亚洲主子的奴隶——印度的民族主义者站起来推翻英国人桎梏的时机无疑已经成熟了。正如沙布哈斯·昌德龙·鲍斯宣布的，新加坡的沦陷似乎宣布了"大英帝国的末日……以及印度历史新纪元的开始"。

但是，印度发生的事件也揭示了民族主义运动的软弱，以及英国统治的顽固。印度总督在未与国大党领袖进行任何协商的情况下就宣布参战。1942年，印度掀起要求英国"退出印度"的运动，但是，该运动在6周之内就被扼杀了，仅仅因为甘地和运动的其他领袖被捕，政府实行了媒体审查，并派出军队加强了警力。国大党内部出现了分裂，有少数人在鲍斯——后来成为印度的墨索里尼——的怂恿下主张与日本人为伍。甚至他自称为"印度国民军"的部队，也没有多少军事价值。事实证明，能够对印度的英国人形成真正威胁的就是日本在缅甸的几个师；但是，印度军队在英帕尔战役（1944年3~7月）中已经几乎全歼了日军。事后想起来，斯塔福·克里普斯爵士在1942年主动提出的主张——在战后赋予印度完全的自治领地位，或者英国从大英帝国殖民地区中全线撤出——完全是多此一举。克里普斯是位教条的马克思主义者，可能只有百万富翁才会这样，他说道："你只要回顾大英帝国的历史，就会为你身为英国人而羞愧得恨不得钻入地缝。"但是，印度人只要看看日本人在中国、新加坡和泰国的所作所为就能意识到，让日本人替代英国人的选择有多糟糕。甘地也许将克里普斯的主动示好视为"一个岌岌可危的银行开出的过期支票"。但是，有哪个人敢保证，将英国人驱逐出去，而向日本人敞开大门就能改善生活？（正如菲尔丁在《印度之旅》一书中戏言："你们指望谁来替代英国人？难道是日本人吗？）

没有人会低估大英帝国在打败轴心国的过程中所起的作用——这里不仅仅是指自治领里那些我们耳熟能详的英勇将士，还包括普通的、忠诚的印度人、西印度人和非洲人。总计有近百万名澳大利亚人加入军队，还有250多万名印度人(虽然印度人中只有1/10的人赴海外作战)。另外，没有加拿大空军，英国保卫战恐怕得以失败告终。没有加拿大的海军，大西洋战役也一样赢不了。虽然鲍斯极力阻挠，但大多数印度士兵还是忠诚地追随英国参战，除了有时会抱怨一下军饷的不公（英国士兵每月75卢布，印度人每月仅18卢布）。事实上，当有关日本人暴行的故事传开后，印度士兵群情激昂。"我感到有一种责任感在驱使着我，"一位印度士兵在家信中写道："野蛮的日本人的暴行让我义愤填膺。"皇家西非步枪队也经历了他们的光荣时刻，一群日本士兵意外地投降了——因为他们听说"非洲军队会吃掉战场上的尸体，但不吃俘虏……"他们担心，"如果被非洲人吃掉，那么以后他们的魂魄就无法回到祖先灵前了"。即使是自治领中唯一可耻地保持了中立地位的爱尔兰自治州，也有4.3万名志愿者增援帝国军队。总体而言，大英帝国派出的军队人数超过500万，几乎与英国的军队一样多。考虑到1940年英国的绝望境地，我们可以说，这展现出了比第一次世界大战更值得赞叹的帝国力量的团结。1941年，帝国日的宣传口号似乎是对早期纳粹口号的拙劣模仿："一个国王、一面旗帜、一支军队、一个帝国"，但是，这个口号却也不无真实。

不过，仅凭大英帝国自己是无法赢得第二次世界大战胜利的。胜利的关键——以及大英帝国的未来——把握在第一个摆脱英国统治的殖民地手上，这点不无讽刺；这个民族曾经被新西兰早期的一位总理称为“杂种民族”。这意味着——正如一位殖民地老官员早就觉察到的——“胜利的奖励不是让现在永续，而是体面地埋葬旧制度”。

在第一次世界大战中，美国的经济援助以及后来的军事援助起到了重要但并非决定性的作用。可是在第二次世界大战中，它的作用就至关重要了。大战伊始，丘吉尔就寄希望于美国。“如果美国压制自己的声音和武力援助过久，那么，它就什么作用都没有了。”早在 1940 年 5 月 15 日，他就这样告诉罗斯福。无论是在演讲还是在广播中，他三番五次地暗示，最终的拯救还得依靠大西洋另一头的这个国家。1941 年 4 月 27 日，就在美国参战前 7 个月，丘吉尔还在英国广播公司广播电台发表了一番著名的言论，其中引用了诗人亚瑟 · 休 · 克拉夫的诗句，这些诗就是说给美国人听的：

> 黎明的微光，
> 还未照进东边的窗户，
> 朝阳还在缓缓地、缓缓地冉冉升起，
> 但是向西边看，大地已经一片光明。

丘吉尔本人就来自一个英美结合的家庭，因此他坚信，说英语的民族结盟就是胜利的关键——而且，这一胜利无疑会帮助大英帝国恢复以往的辉煌。当他在 12 月 7 日晚听到日军偷袭珍珠港的消息后，他几乎按捺不住自己的兴奋。此前，在与两位美国客人共进晚餐时，他极其无精打采，“有时会把头枕在自己的手上”。但是，在广播里听到这则新闻后，据美国大使约翰 · G · 怀南特回忆，

> 丘吉尔跳了起来向门外跑去，一边大喊：“我们将对日宣战。”……“天哪，”我说：“你不能听到一则广播新闻就宣战。”
>
> 他停下来看着我，露出半严肃半嘲弄的表情，然后平静地说：“我能做些什么吗？”他问这个问题并不是要我告诉他怎么做，而是出于对受袭击国家代表的一种礼节性问候。

我说："我会致电总统，询问事实情况。"他补充道："我也会和他谈谈。"

罗斯福对丘吉尔说的第一句话就是："现在，我们在一条船上了。"

但是，从一开始，英国和美国之间这种所谓的"特殊关系"就有着其特殊的模糊性，主要原因在于，美国人对帝国有着截然不同的理解。对美国人来说，通过自己的奋斗摆脱英国人的压迫，从而获取自由的故事已经在他们心目中根深蒂固，让他们从心底反感殖民统治。另外，他们的建国之父也曾警告过他们，避免卷入这种外交争端之中。迟早所有的人都会像美国人一样，学会自治和民主——如果有必要的话，可能得诉诸战争。1913 年，墨西哥发生了军事政变，让伍德罗 · 威尔逊极为不快，他决定"教南美共和国如何选举出合适的人"。沃特 · 佩奇当时是华盛顿驻伦敦的代表，他记录了与英国外交大臣爱德华 · 格雷伯爵的一次对话，后者问他：

"如果你们不得不介入，那会发生什么情况？"

"让他们投票，并严格执行投票结果。"

"如果他们投票完了，却拒不执行怎么办？"

"我们就介入，让他们再次投票。"

"就这样反反复复地维持 200 年吗？"他问道。

"是的，"我回答："美国将帮助他们 200 年，我们可以不断地派人到那个小地方，直到他们学会投票和自治。"

换句话说，美国不会接管墨西哥——那是英国人的做派。

对大英帝国的未来来说，这种态度意味着什么？ 1942 年 10 月《生活》杂志的编辑们在"致英国人的公开信"中高调地声明："我们很清楚，我们并不是为了大英帝国的团结而战。虽然我们不愿意说得太过直率，但是我们不希望你们心存幻想。如果你们的战略家们还抱着防止大英帝国分崩离析的目的筹划战争，那么他们迟早会发现，他们不过在孤军作战。"

美国总统富兰克林 · 德拉诺 · 罗斯福对此表示同意。"殖民体系就意味着战争。”他在战争期间曾这样告诉他的儿子。“掠夺印度、缅甸、爪哇人的资源；从这些国家中夺取财富，无须作出任何补偿……这样的所作所为不过在积聚战争的隐患，直至战争爆发。”在赶赴卡萨布兰卡会议的途中，他曾在冈比亚短暂停留，期间的所见所闻进一步印证了他在理论上的怀疑。他声称，这是一个“地狱之洞……我看到了此生从未见过的可怕事情”：

> 肮脏、疾病、极高的死亡率……那些人的待遇比牲畜好不了多少。他们与牛住在一起……（据他后来说）英国人向冈比亚……每投入一美元，就要榨取10倍的回报。这简直就是赤裸裸的剥削。

罗斯福对丘吉尔一门心思维护帝国主义的观点深表怀疑。正如这位总统所说：“英国人会将世界上任何地方的土地据为己有，哪怕只是一块石头或一颗沙粒。”“你的血液里有400年的征服欲，”他在1943年告诉丘吉尔，“你根本无法明白，为什么一个国家明明有能力征服一片土地，却并不愿意那么做。”罗斯福希望建立一个新的体系来取代殖民统治，也就是对所有欧洲列强的殖民地实行临时“托管”，为它们的最终独立作铺垫；而这个系统将受制于一个跨越国界，拥有监察权的国际权威组织，并不只有美国总统一个人持有这种反帝主义观点。1942年，美国副国务卿萨姆纳·韦尔斯就宣称：“帝国主义的时代终结了。”温德尔·威尔基——1940年共和党的总统候选人——也曾说过类似的话。

美国人的战争目标就是秉持这种精神制定的；在很多方面，他们对大英帝国的公开敌意比希特勒表达得更严重。1941年8月签订的《大西洋公约》第三条主张“所有人民有权选择统治他们的政府形式”，这其实是西方同盟国参战目的的基础，似乎排除了战后帝国这种形式的存在可能。1943年，美国起草的一份《民族独立宣言》草案似乎表述得更为明显，一位英国官员因此叹道，“它的整个主旨就是期盼大英帝国最终分崩离析”。美国人关注的不仅仅是普遍原则。有一次，罗斯福还逼迫丘吉尔将香港归还中国，作为“善意”的表示。他甚至还鲁莽地提出了印度的问题，丘吉尔终于忍不住爆发了，反驳说应该派一支监察队到美国南部视察一下。“我们已经在这些事务上发布过宣言了，”丘吉尔向英国上议院保证说，英国政府已经致力于“推动英属殖民地自治机构的逐步发展”。“别插手大英帝国”是1944年12月会议纪要的一个简单有力的口号：“大英帝国是不容削弱或者玷污的，否则，只会让国内卖伤感小说的商人或者持各种论调的外国人高兴。”他曾经怂恿美国人参战。但现在，他又愤愤不平地认为，大英帝国被“排挤出局，或者说被排挤到了悬崖的边缘”。他根本就不同意：

> 四五十个国家对大英帝国的存在指手画脚……在我们全力奋战之后……我不认为应该把大英帝国推到被告席上，接受所有人的审判，看看它是否符合标准。

在英国人看来，所谓的“托管关系”不过是一个幌子，掩盖了一个非正式的美国经济帝国的崛起。正如殖民部所说：“美国人早就准备好了让他们的属国在政治上‘独立’，但经济上却只能彻底依附于他们。”奇怪的是，托管模式对夏威夷、关岛、波多黎各，或者维京群岛这些事实上的美国殖民地并无吸引力。而参谋长联席会议为罗斯福制定的一长串大西洋和太平洋沿岸的美国海军基地所在地对托管模式同样不感兴趣。澳大利亚驻华盛顿公使艾伦·瓦特就在1944年1月敏锐地观察到：“有迹象表明，一种帝国主义倾向正在这个国家迅速蔓延。”这正是战争的巨大矛盾，正如被流放的德国犹太经济学家莫里茨·博恩所说：“美国是现代反帝国主义的摇篮，同时也为一个强大帝国的崛起打下了根基。”

与美国的战时结盟就好比一个令人窒息的拥抱，但确有其必要性。没有美国人的钱，英国人早就在战争中一败涂地了。按照第二次世界大战期间的《租借法案》，美国人以赊卖的方式向同盟国军队提供武器，英国赊购武器的价值约为260亿美元，占其战时武器总产量的1/10左右，也是英国能从其自治领和殖民地借到资金的一倍左右。一位美国官员就言简意赅地评论道，美国是“未来的强国”，而英国是“过去的强国”。被派往华盛顿与美国债权人谈判的英国官员就发现，自己沦落到了谦卑的恳求者的地位。但是，英国代表团的领袖人物约翰·梅纳德·凯恩斯并不是一开始就认识到这点的。

凯恩斯是20世纪最伟大的经济学家，对此他心知肚明。在伦敦，所有人——包括丘吉尔——都对这位伟大的智者报以敬畏之心，即使心脏病也丝毫没有影响其才华的发挥（不过不久之后，他便死于心脏病）。但是，当他在华盛顿与美国财政部部长会晤时，却遭到了截然不同的待遇。对美国人来说，凯恩斯就是“对所有问题都知道答案的那些家伙之一”，而凯恩斯也看不惯他们。他不喜欢美国律师惯用术语（用凯恩斯的话来说，总是说“切罗基话”）来蒙蔽他。他也不喜欢那些政客在开会的间隙回他的电话。最重要的是，凯恩斯讨厌美国人处心积虑地利用英国人的财政困境。他曾形象地比喻说，美国一心想“挖出大英帝国的眼珠”。他也不是唯一有这种感觉的人。他的一位同事也曾犀利地评价道：“如果火星来客以为我们是被征服民族的代表，在讨论战败后的经济赔偿，那也是情有可原的。”

这实际上是迅速变化的权力制衡格局所引发的一种典型反应。英国的政治精英们，除少数人外，都很难接受以大英帝国的没落作为战争胜利的代价，这点与大多数社会文化精英们的想法大不同。1942 年 11 月，丘吉尔暴怒地称，他担任英国首相不是“为了负责大英帝国的清算”。甚至工党内政部长赫伯特 · 莫里森也把赋予一些英属殖民地独立的主张比做“把一把钥匙、一个银行账户和一把枪交给一个 10 岁的孩子”。但是，英国自己的银行账户传递出了一个明确的信号：游戏结束了。英国曾经是世界的银行。但现在，它却欠着外国债权人 400 亿美元的债务。帝国的根基是建立在经济基础之上的，而今，这一根基已经被战争的成本蚕食了。同时，在 1945 年工党政府提出要建立福利国家的远大抱负，为实现这一抱负，英国就必须大幅削减它在海外的开支。换句话说，英国“破产”了，而大英帝国只能被整个抵押出去。

如果一家公司破产了，显而易见的解决方案当然就是由债权人接管公司资产。英国欠着美国上百亿美元。那为什么不干脆把大英帝国卖给他们呢？罗斯福曾经开玩笑地说，要从“破产的”主人那里“接管整个大英帝国”。但是，英国人肯将大英帝国卖掉吗？也许更重要的是，美国人愿意买吗？

权力的交接

苏伊士运河军事基地是非常英国化的，该基地的面积有威尔士那么大，到1954年，仍有8万名左右的驻军。坎特拉火车站建有10个厕所：三个是供军官使用的（分别给欧洲人、亚洲人和其他有色人种），另有三个供不同种族的准尉和军士使用，还有三个供不同种族的其他军衔人员使用，最后一个供为数不多的女仆使用。至少，这里保留了老的帝国等级制度。

但是，在美国驻开罗的大使馆，氛围却截然不同。大使杰弗逊·加菲利和他的政治顾问威廉·莱克兰德非常关注1952年在埃及当权的年轻军官们，尤其是他们的首领纳赛尔上校。美国国务卿约翰·福斯特·杜勒斯也是如此。当纳赛尔对英国人施压，要求他们加快从苏伊士撤离的步伐时，他们并未阻止他。1954年10月，英国人至少已经开始同意分批撤出该基地了；到1956年夏，英军全部撤离完毕。但是，当纳赛尔进而着手将苏伊士运河收归国有（英国政府仍然持有迪斯雷利当初买入的大量运河股份）时，英国再也无法容忍了。“这里（埃及）发生的事，”丘吉尔在1953年声称，“将为我们在非洲和中东的统治树立典范。”这句话说得太对了。时任首相的安东尼·伊顿也认为，自己要对付的俨然是中东的希特勒，因此，他决定对纳赛尔的“私有化运动”发起反击。

美国人的态度再明确不过，他们反对英国人插手埃及。他们原本打算撤回他们对新的阿斯旺水坝的经济支持，以此对纳赛尔施加经济压力。但是，一场类似1882年军事侵略的事件让他们改变了主意，因为他们害怕这将把阿拉伯国家推入苏联的阵营。杜勒斯警告道，在埃及或者其他任何地方的单边行动将“把自由世界的联合撕得粉碎”。正如艾森豪威尔总统后来问的：“我们怎么可能支持英国……这么做的话，我们将失去整个阿拉伯世界。”但是，这些警告并未得到关注。1956年11月5日，一支盎格鲁－法国远征军从苏伊士运河登陆，声称他们是和平卫士，任务是阻止一场以色列－埃及战争。

接下来的事情，更彻底地暴露了英国新的软肋。首先，入侵者无法阻止埃及人封锁苏伊士运河，阻挠运油船的通过。接下来，当投资者撤资后，埃及发生了英镑挤兑的情况。事实上，大英帝国就是在英格兰银行手中失去的。当该银行的黄金和美元储备在危机中迅速流出后，哈罗德 · 麦克米伦（当时的财政部部长）只有两条路可走：要么让英镑贬值，要么向美国寻求大规模援助。如果选择前者，他警告道，那么英国将面临一场“灾难，不仅英国人的生活质量会受损，而且……我们所有的对外经济关系也会受到影响”。如果选择后者，那么英国就得听从美国人的指令了。最后，直到伊顿同意无条件撤离埃及，艾森豪威尔才通过国家货币基金组织和进出口银行安排了一项10亿美元的援助计划。

美国人拒绝支持英国人推翻纳赛尔的决定，被证明是一个错误。纳赛尔继续与苏联联系，事实上，艾森豪威尔迅速地发现了问题，他谴责纳赛尔试图“控制这些石油输送渠道，以获取摧毁西方世界的资金和力量”。但是，苏伊士运河事件却向整个大英帝国的民族主义者传递了这么一个信息：争取自由的时候到来了。但是，具体时间是由美国人，而非这些民族主义者选择的。

大英帝国以惊人的速度——有些情况下，甚至是以超常的速度——分崩离析了。一旦英国人下定决心撤出这些海外国家，他们就一心赶着头班船回到家乡，而不管他们的前殖民地会出现何种情况。用工党首相休 · 多尔顿的话来说：“当你身处一个你不再需要的地方，加之你也没有力量镇压那些不需要你的人，那么你唯一能做的就是撤出。”

但是，这样做也有其弊端。当英国人匆忙撤出印度时，身后留下了一片混乱，长达两个世纪的有序统治几乎功亏一篑。原本英国统治者打算在1948年下半年撤出印度，但是，最后一届总督蒙巴顿勋爵秉持着其提前做事的一贯作风，将独立日提前到了1947年8月15日。他对以印度人为主的国大党演讲时，公开对穆斯林联盟表示了反对。考虑到当时有传言说蒙巴顿太太与国大党领袖贾瓦哈拉尔 · 尼赫鲁有染，蒙巴顿对国大党的偏向不禁让人吃惊（或许也没什么值得奇怪的）。另外，蒙巴顿还对被认为是中立的边界委员会成员西里尔拉德克利夫爵士施压（当时受到了W · H · 奥登的无情嘲弄），让其在绘制穿越旁遮普省的边界线时，作出有利于印度的重大调整。结果爆发了种族间的严重骚乱，导致至少20万人，甚至可能有25万人死亡。还有许多人背井离乡：1951年，约700万人成为难民，相当于巴基斯坦总人口的 1/10。

在巴勒斯坦，英国人撤出后也采取了撒手不管的政策，结果在 1949 年留给了世界一个难以解决的问题：新成立的以色列国家、“失去家园”的巴勒斯坦人，以及临近的阿伯拉国家之间究竟应该怎样相处。正是在苏伊士事件之后，多米诺骨牌才一张张地倒下。

战后，许多人迅速为“新的”大英帝国制定了各种不同的设计方案。比如外交部大臣欧内斯特 · 贝文就相信，国内经济的复苏之路始于非洲。正如殖民部的 A · H · 波因顿在 1947 年告诉美国的：

> 我们在非洲的基本目标就是促进大规模社区的建设，通过非洲国家和当地有效的民主政治及经济机构实现自治，共同致力于不断进步和西方价值的实现，并以有效的生产和改良技术为后盾。

当时成立了一个新的殖民地发展公司和一个海外食品公司，并制定了一些听上去无懈可击的计划，比如，在坦噶尼喀种植落花生和在冈比亚生产禽蛋。王室代表周游列国，向任何付得起钱和付不起钱的殖民地政府兜售英国的火车和轮船。他们对西印度殖民地联盟、东非、罗得西亚和尼亚萨兰、马来亚、新加坡，以及沙捞越和婆罗洲都制定了野心勃勃的计划，甚至还有人在讨论重新建立殖民部。原来的大英帝国仍然继续吸引着源源不断的移民：1946~1963 年，离开英国的移民中，有 4/5 的人去了英联邦国家。

如果美国和英国联手，那么帝国复兴或许能更进一步，因为美国人的支持是帝国复兴的必要条件。战后英国第一位首相克莱门特 · 艾德礼显然就认识到了这一必要性。“一个平庸的人自然有自甘平庸的一大堆理由”，丘吉尔曾颇不公平地这样评价艾德礼，但是，在英国的未来这一问题上，艾德礼却是两人中更为现实的一个。艾德礼认识到，远距离空军力量和原子弹等新的军事技术的出现意味着“英联邦和大英帝国不再是一个可以依靠自己的力量进行防御的整体……当年凭借驻防在岛上的一支舰队就能守卫散落在五大洲一连串领土的条件已经不复存在。”他在 1946 年 3 月声称，现在有必要“将英伦诸岛视为以美洲为中心的战略框架向东延伸的部分，而不是将其视为向东觊觎地中海和东方的一个国家”。

实际上，战后美国和英国在许多地方进行了成功合作。在塞浦路斯、亚丁、马来亚、肯尼亚和伊朗，英国人的统治本质上是由美国人支持的。之所以采取这种政策，是因为美国人日益意识到，苏联对美国利益的威胁远胜于大英帝国。“当俄国与我们之间也许不可避免地产生冲突时，”一位美国官员甚至在冷战前就观察道：“关键问题就变成谁是我们的朋友……是在冲突中被我们削弱的，还是被我们加强的？”也许大英帝国主义确实有其存在的必要。因此，美国海军总部和总参谋部战略调查委员会一致同意，英国的军事基地网络将与美国自己的基地形成有效互补。这让贝文感到非常乐观：

> 西欧，包括它们在海外的附属领土，现在肯定得依靠美国的援助……（而）美国也意识到，英国及英联邦……对美国的防御与安全来说至关重要。这已经是……两国之间部分相互依靠，而非彻底相互依附的一个范例。随着时间的流逝（再过 10~20 年），相互依附的元素将会消失，而互利互惠的元素将会增加。

但是，这种情景并未出现。相反，苏伊士运河事件折射出，美国人对大英帝国的敌意根深蒂固，难以磨灭。当美国人投了反对票后，新帝国主义的光鲜门面便轰然倒塌。“想想我们在埃及遭遇的困境，”一位常年在世界各国之间斡旋的外交部官员记录道：“在我看来，我们的困难本质上源于一个显而易见的事实，即我们缺乏力量……从一个严格的现实角度来看，我们应该意识到，力量的缺乏限制了我们的行动，会导致我们在必要的情况下采取投降或者近乎投降的政策。”

正如希特勒所预言的，推动大英帝国殖民地独立进程的，并非当地的民族主义者，而是大英帝国的敌国。当冷战在 20 世纪 60 年代进入白热化时期时，美国和苏联相互较劲，以赢得非洲、亚洲和加勒比海沿岸独立运动的支持。1960 年走访非洲的哈罗德 · 麦克米伦所说的“改革之风”，不是从非洲温得和克或马拉维吹来的，而是来自于华盛顿和墨西哥。不幸的是，它们虽然吹走了殖民统治，却激起了内战。

英镑危机：每英镑可兑换的美元（1900~2000 年）。

底线当然是经济。在胜利的成本下不堪重负的英国，在日本和德国战败后又得不到重新开始的机会，显然，它不再有能力承担大英帝国的成本了。民族主义者的叛乱和新的军事技术的出现迫使大英帝国的防线拉得过长，达到前所未有的程度。1847~1987 年，英国的国防开支占其国内生产总值的 5.8%。一个世纪之前，这个比例是 2.6%。在 19 世纪，英国长期的贸易赤字可以用海外一系列投资收益填补。而如今，英国只能靠岌岌可危的外债来解决问题，而且，全民健康医疗、交通和工业成本的增加也让英国财政部疲于应付。

正如凯恩斯所说，1945 年战争结束——《租借法案》到期后——英国向美国借债，“主要是……为了筹措海外的政治和军事开支”。但是，借款的附加条件立刻产生了削弱英国海外势力的效应。答应出借 37.5 亿美元贷款的同时，美国人要求在 12 个月之内，英镑能够兑换美元。这直接导致了英格兰银行发生挤兑，拉开了一系列英镑危机的序幕，从而加速了英国从帝国领土的撤退：到苏伊士运河事件发生时，这一势头已经无法挽回了。20 世纪 50 年代初，哈罗德 · 麦克米伦宣称，英国所面临的选择是，“要么作为一个第二世界国家，要么向建立第三个大英帝国迈进。”而苏伊士运河事件之后，就只剩下第一个选择了。

英镑兑美元的贬值，只是这个国家经济加速下滑的一个征兆：1950~1973 年，英国在世界制造业出口总值中的占比从 25%跌落到 9%；在世界商船制造吨位中的占比从超过33%下降到4%；在世界钢铁出口总量中的占比从15%下滑到不足5%。由于英国本土并未受到战争摧毁，因此，英国在战后成为欧洲最大的经济体；但到1973年，它已经被德国和法国赶超，也几乎被意大利赶超。1950~1973年期间，英国的人均国内生产总值增速在欧洲是最低的，只有德国的1/2。但是，我们也不要仓促地下结论，认为英国在经济合作方面不得不放弃英联邦而扎根欧洲大陆。虽然1952~1965年，英国与欧共体成员国之间的贸易在英国贸易总额中的比重从12%上升到了18%，但是，英国与英联邦之间的贸易占比还是维持着相当高的比例——虽然从45%下滑到35%，但其重要性仍然是欧共体贸易的两倍。直到英国进入“共同市场”后，欧洲的保护主义关税，尤其是农产品关税的降低，才使得英国的贸易从英联邦大幅转向欧洲大陆。正如我们经常所见的，政治决策会导致经济决策的变化，反之则不然。

对英国来说，英联邦的经济重要性降低了，但问题并不在这里，而是出在英联邦对英国的政治重要性增加了。英联邦本来只包括英国及其白人自治领，1949年，印度、巴基斯坦和锡兰（斯里兰卡）也加入了。到1965年，英联邦已有21个国家，接下来的10年，又有10个国家加入。目前，英联邦有54个成员，地位相当于联合国旗下的子集团或者国际奥林匹克委员会，它的唯一好处就是，它们之间的沟通不必借助于专业翻译。英语成为英联邦各成员之间共有的特征。

大英帝国在1945年已经成了一个待售的帝国，它被击碎了，而不是被接管了；它被清算了，而不是找了个新东家。历时3个世纪建立起来的大英帝国，在其鼎盛时期曾覆盖了全球陆地面积的1/4，统治着全球1/4的人口，然而，就在短短30年间，它却分崩离析了，只留下一些零散的岛屿——从阿森松岛到特里斯坦–达库尼亚岛——作为纪念。

回顾1892年，年轻的丘吉尔正确地预见到了在他漫长的一生中，大英帝国将会爆发“激烈的剧变”。但是，到他1965年去世时，他拯救大英帝国的希望却被证明只是一个轻狂少年的幻想。

在取悦还是反抗历史上最恶劣帝国的问题上，大英帝国作出了正确的选择。甚至是丘吉尔这样顽固的帝国主义者，当希特勒提出让大英帝国与纳粹化的欧洲一起生存的肮脏交易后，丘吉尔很快地拒绝了这一提议。1940 年，在丘吉尔鼓舞人心、不屈不挠、无与伦比的领导下，大英帝国与真正邪恶的希特勒帝国孤军作战。虽然大英帝国没有像丘吉尔所希望的那样屹立 1 000 年，但是，这段时期确实是大英帝国“最辉煌的时期”。

但是，大英帝国真正伟大、真正高贵之处在于，它付出了沉重的代价才获得了胜利。最后，为了阻止德国人、日本人和意大利人建立它们的帝国，英国人不惜放弃了自己的帝国。难道这样的牺牲，还不足以洗清大英帝国的其他罪恶吗？

后记

大不列颠失去了大英帝国，再也找不到自己的角色了。

迪安 · 艾奇逊，1962 年

大英帝国早已不复存在，留下来的只是断壁残垣。当英国经济在两次世界大战的拖累下崩溃时，曾经建立在英国 17~18 世纪的商业及金融优势，以及 19 世纪的工业优势之上的霸权地位也注定岌岌可危，最大的债权人变成了债务人。同样的，曾经带动大英帝国扩张的人口运动，到了 20 世纪 50 年代也开始改变其方向了。从英国向外移民变成了移民到英国。曾经，数以千计的年轻男女被派往世界各地宣扬基督教和主的福音，如今，随着到教堂作礼拜的公众人数的减少，这种传教激情也逐渐湮灭了。今天，基督教在英国的许多前殖民地上，彰显出比英国本土更强的影响力。

理查德 · 特恩布尔爵士，是亚丁的总督，也是工党政治家，曾告诉丹尼斯 · 希利说：“当大英帝国终于沉没在历史的浪潮之下时，它背后只会留下两个遗产：一个是足球协会的比赛，另一个则是一句骂人的话：‘滚出去’。”事实上，帝国的方方面面在现代世界留下了深深的烙印，以至于我们几乎认为这一切都是理所当然。

如果不是英国人的统治扩张到世界各个角落，我们很难相信，自由资本主义的架构会在全球如此多的不同经济体内成功地建立起来。而采取了其他模式的帝国，却给人民带来不可估量的痛苦。如果没有大英帝国统治的影响，很难相信，议会民主制会被世界上大多数国家所采纳，并延续到今天。印度是世界上最大的民主国家，它在很多方面的发展都得益于英国的统治，承认这点并非毫无依据。精英学校、大学、文员机构、军队、新闻机构和议会制度，无不带有清晰可辨的英国模式的烙印。最后，还有英语本身，这也许是英国在过去300年中最重要的一项出口。今天，有3.5亿人以英语为第一语言，约4.5亿人以英语为第二语言。也就是说，地球上大约每7人中就有1人会说英文。

当然没有人会声称大英帝国的纪录毫无污点。相反，我已尽力表明，它常常不能履行它自己所鼓吹的个人主义自由的信仰，尤其是在早期，他们曾奴役和贩运过原住民，甚至对他们进行“种族清洗”。然而，在19世纪，大英帝国不可否认地引领着自由贸易、资本的自由流动、废奴运动和自由劳动力运动。它为全球现代化通信网络的发展投入了巨额资本。它在广大地区传播和实行了法治。虽然大英帝国也卷入了众多小战役，但它总体上维持了空前绝后的全球和平。在20世纪，它也证明了其自身存在的理由，因为取代英国统治的德国和日本帝国的统治显然更为糟糕。如果没有大英帝国的话，英国根本不可能抵挡得住德国和日本的进攻。

如果不是大英帝国，19世纪40年代~20世纪30年代期间肯定不会出现那么多的自由贸易。如果英国在19世纪下半叶放弃殖民地，那么这些市场的关税势必会提高，或者引发其他形式的贸易歧视。

我们甚至不需要假设，也能直接找到现实依据：美国和印度独立之后，它们都采取了高度保护主义政策，这就是证据；19世纪70年代及以后，我们从大英帝国的对手——法国、德国和俄国——所采取的关税政策上也能看出端倪。英国在第一次世界大战之前的军事预算，可以看做为了防范国际贸易保护主义风险而支付的极低的保险费。有人估计，英国开展自由贸易所带来的经济收益本可以高达国内生产总值的6.5%。还没有人敢估计这对整个世界经济作出了多少贡献；可是，考虑到20世纪30年代大英帝国的权力削弱后，全球因保护主义的盛行导致了灾难性后果，大英帝国的自由贸易政策带来的至少不是损失，而是收益，这点似乎是不容置疑的。

如果没有大英帝国，1914 年以前也就不会有那么多的劳动力在全球范围内流动，自然也不可能出现全球收入差距的缩小。诚然，在 19 世纪，美国始终是最吸引欧洲移民的目的地，并非所有的移民都来自殖民国家。但我们不应忘记的是，在独立战争前 1.5 个世纪的大部分时间里，美国的核心始终处于英国的统治之下，而独立后的北美与英属北美之间的差别仍然很小。

同样值得我们记住的是，由于美国加强了移民限制，以及 1929 年之后遭遇了比英镑使用区严重得多的大萧条，1914 年后，白人自治领（比如澳大利亚、新西兰）作为英国人移民目的地的地位显著增加。最后，我们不应该忽略 19 世纪那些大批离开印度和中国，作为契约劳工到海外劳动的亚洲人，他们中的许多人都进入了英国的种植园和矿山。毫无疑问，他们大多数人生活艰苦，许多人留在家里或许日子还好过一些。但是，我们不能再次昧着良心否认，这些涌入异国他乡种橡胶、挖金矿的廉价的或者是未尽其才的亚洲劳动力没有其经济价值。

再看看，大英帝国在促进资本向世界欠发达地区流动的过程中所起的作用。虽然国际金融一体化的某些评估指标似乎表明，20 世纪 90 年代的跨境资本流动比 19 世纪 90 年代的规模更大，但事实上，当今的许多海外投资都发生在发达国家之间。1996 年，只有 28%的境外直接投资流向发展中国家，而在 1913 年，该比例为 63%。我们再来通过另一个更为严格的指标来看，1997 年，世界资本存量中只有 5%投入了人均收入不足美国人均国内生产总值的 20%的国家。而 1913 年，该数据是 25%。一个可能的假设是，帝国，特别是大英帝国，鼓励投资者投资发展中经济体。这背后的逻辑很明显，投资这些经济体是有风险的。它们地处偏远，也更容易陷入经济、社会和政治危机。但是，帝国向欠发达世界的扩张减少了这种风险，因为它们直接或间接地在当地实行了某种欧洲式统治。实际上，英国在其法律意义上的殖民地印度（或者除了名义上，从其他各方面来看都是英属殖民地的国家，如埃及）的投资远比在实际意义上的殖民地——如阿根廷——的投资更安全。这是一个比金本位制（它能有效地帮助投资者防范通货膨胀）更好的"安全系统"——尽管大多数英国殖民地最终两个都有了。

正因为上述所有原因，将大英帝国主义视为陷殖民地国家于贫困的罪魁祸首似乎就有问题了，这倒不是否认许多前殖民地极端贫困的事实。例如，英国人均国内生产总值如今大约是赞比亚的28倍，这意味着普通赞比亚人每日的生活成本不足两美元。但要将这一切归咎于殖民主义遗留下的祸患，并无说服力，因为当殖民时代结束时，英国与赞比亚的收入差距并没有那么大。1955年英国的人均国内生产总值只有赞比亚的7倍。反倒是独立之后，前宗主国和前殖民地的差距才日益演变为一个巨大的鸿沟。撒哈拉以南非洲的所有前殖民地几乎也是同样情况，只有一个国家明显例外：博茨瓦纳。

一个国家的经济前景取决于它的自然条件（广义说来，就是地理）以及人类行为（简单说，就是历史）的结合，这是经济史版的先天基因加后天培育学说。虽然我们有令人信服的理由认为，“天赋”的要素，比如平均温度、湿度、疾病的流行、土壤的质量、临海的位置、纬度和矿产资源等，决定了经济状况，但我们也有有力的证据表明，历史同样发挥了重要作用。特别是有明显证据表明，英国式体制的实行有利于改善一个国家的经济前景，特别是在那些由于人口稀少（或者被减少了），因而原住民文化的影响力相对薄弱，英国式体制能够较为彻底地占据主导地位的地区。如果英国人（就像西班牙人一样）所征服的地区早就建立起了复杂的城市化社会，那么殖民统治的影响往往更趋于负面，因为殖民者更倾向于掠夺现成的财富，而不是建立自己的体制。事实上，这也许是对有些社会在殖民化后产生“巨大落差”的一个最好解释，比如16世纪，印度和中国可能是世界上最先进的经济体系，到20世纪早期却沦为贫穷国家之列。这也解释了为什么英国能够推翻它的伊比利亚对手：这正是因为作为帝国竞赛的一个后起之秀，英国不得不在弗吉尼亚州和新英格兰等前景渺茫的荒原上白手起家，而不是进入显然更有掠夺价值的城市，如墨西哥和秘鲁。

但是，具体是哪些英国体制推动了国家发展呢？首先，我们不应低估英国的法律和行政所带来的好处。近期，一项针对49个国家的调查指出，“就对投资者（包括股东和债权人）的法律保护而言，英美法系国家的保护力度最强，大陆法系国家的力度最弱”。这对鼓励资本市场的形成至关重要，没有了这一要素，企业家也将一事无成。事实上，我们发现调查中的18个样本国家之所以建立了英美法系制度，几乎完全是因为它们曾经处于英国的统治之下。

我们对英国的治理方式，也可以作出类似的判断。与亚洲和非洲的许多现代制度相比，远在19世纪中叶的英国对印度和殖民地管理就有两个突出的特征：首先，英国的行政管理成本低而效率高；其次，政府非常廉洁。英国管理出现的错误通常是疏忽所致，而非有意为之。对比当今经济的疲软与政府的过度开支，以及公共部门的腐败之间显而易见的关联，这个问题确实值得我们关注。

经济历史学家戴维·兰德斯，最近为"致力于增长和发展的理想"政府拟订了一份行动清单。他建议，这样的政府应该：

> 1. 保障私人财产的安全，最好鼓励储蓄和投资；
> 2. 保障个人的自由权利……反对滥用权力和暴政……反对犯罪和腐败；
> 3. 保障合同所规定的权利；
> 4. 建立稳定的政府……受制于公开透明的规则；
> 5. 建立责任政府；
> 6. 建立诚信政府……杜绝个别人通过寻租获得名利地位；
> 7. 建立稳健、高效率、廉洁的政府……维持低税负，减少政府对社会剩余价值的索取。

这份清单中最引人注目的一点就是，它的许多观点正是19~20世纪印度和其他英属殖民地的英国官员们认为他们应该恪守的。唯一明显的例外是第2条和第5条。然而，英国人之所以推迟（有时是无限期地）这些地区向民主转型的理由，是许多殖民地尚未作好准备；事实上，在20世纪，英国殖民部的经典口号（并非毫无诚意）就是：英国的使命正是为了让它们作好准备。

我们有必要强调这点，从很大程度上说，英国的统治确实有其良性的影响。根据诸如西摩·马丁·李普塞特等政治科学家的著作，前英国殖民地在实现独立后，实现持久民主的机会远远超过其他国家的前殖民地。事实上，人口在100万以上的国家中，摆脱殖民统治后，不屈服于独裁统治的国家几乎全都是前英国殖民地。诚然，还有很多英国前殖民地未能保持自由体制，就我目前想到的，比如孟加拉国、缅甸、肯尼亚、巴基斯坦、坦桑尼亚和津巴布韦，等等。但是，在53个前英国殖民地中，近1/2（26个）的国家在1993年仍然是民主政体。这其中的原因就在于英国的统治方式，特别是在“间接”统治的情况下，鼓励了合作派精英阶层的形成，当然，这里也有部分是新教传教士的功劳，他们显然激发了非洲和加勒比地区的人民对西方体制政治自由的渴望。

总而言之，大英帝国的存在，证明了帝国是一种行之有效的国际化政府形式，而它的存在并不只是给统治国带来好处。它寻求的不仅是其经济体系的全球化，更要将其法律体系，最后是其政治体制推广到全球。

最后要讨论的问题是，从大英帝国的例子中，我们究竟吸取了什么教训？

必须指出的是，如果没有大英帝国，这个世界未必就能太平繁荣。后帝国主义时代的特点就是存在两个相互矛盾的趋势：一个是经济的全球化，另一个是政治的分裂。前者无疑促进了经济增长，但增长的成果分配极不均衡。后一个趋势主要与内战和政治动乱有关，它们是导致世界上较为贫困的国家更加贫穷的重要因素。

总体而言，20世纪下半叶，世界的增长速度超过以往任何时期。毫无疑问，这在很大程度上得益于第二次世界大战后重建带来的飞速增长。根据我们可获得的最可靠估计，1950~1973年间，世界人均国内生产总值的增速是2.93%，而1913~1950年饱受战乱之苦的这段时期，该数据只有令人感到可怜的0.91%。总的来说，1913~1973年这段时期是以经济解体为主导的时期，但是前后两段时间则都是经济全球化的时期，人均国内生产总值增速也呈现出惊人的相似：1870~1913年，人均国内生产总值增速达1.30%；1973~1998年，则为1.33%。但是，前一个时期的全球化带来了全球收入水平的趋同，尤其是在大西洋两岸的经济体之间。而近期的全球化却导致了全球经济发展的明显分化，撒哈拉以南的非洲地区与世界其他地区的发展差距尤其显著。不可否认，这部分归咎于经济全球化的不平衡性——比如，资本流动主要发生在发达国家之间，而贸易和移民仍然受到许多方面的限制。这些现象在1914年前的全球化进程中却比较少见，部分原因在于，在帝国架构的影响下，投资者往往会受鼓励去投资发展中的经济体。

在第一次世界大战前夕，由于帝国主义的扩张，世界独立国家的数量降至59个。但随着去殖民化运动的推进，独立国家的数量又开始不断增长。1946年有74个独立国家，1950年，独立国家数量增加到89个，到1995年这一数字更是增至192个。增幅最大的两次浪潮分别出现在20世纪60年代（主要是非洲，1960~1964年，那里新成立的国家有25个）和20世纪90年代（主要在东欧，得益于苏联解体）。新成立的国家中有许多国家的规模非常小。如今，至少有58个国家的人口总量不到250万；35个国家的人口总量不到50万。这种政权分裂带来了两个弊端：小国家往往是早期一个多民族政体内战的产物。内战是1945年以来冲突的最常见形式，本身就具有经济破坏性。此外，从经济角度看，它们即使在和平年代也是效率低下的，因为它们实在太小，却坚持要建立起整套国家机器（包括边防哨所、官僚机构及其他）装饰自己，实在是说不过去。政体的繁殖——或者说国家的分裂，以及随之而来的经济成本，往往成为战后世界不稳定的主要来源。

最后，虽然英语民族的经济和政治自由仍然是世界上最有魅力的文化，但它仍然要面对伊朗革命以来一直存在的恐怖主义的严重威胁。在缺乏一个正式帝国的情况下，我们不得不公开质疑，西方“文明”——源于现代美国的新教－自然神论－天主教－犹太教组合——的传播有多少可以放心地交给迪士尼和麦当劳。

这些趋势极好地解释了为什么历史并未因苏联在1989~1991年的解体而终结，以及冷战后的世界为什么陷入了持续不稳定的局面——最显著的症状，无疑是2001年9月11日对世界贸易中心和五角大楼的袭击。

一种新的帝国主义

在这些袭击发生后不到一个月，英国首相托尼·布莱尔就在布莱顿工党年会上发表了一番救世主式的讲话。在演讲中，他热情地谈到“全球化的政治”，谈到国际关系的“另一个层面”，谈到“建立世界新秩序”的需求。他暗示，为了推翻并取代阿富汗塔利班政权而即将打响的这场战役，不是建立这种新秩序的第一步，也不会是最后一步。此前，国际社会早就对其他流氓政府进行过成功干预，比如对塞尔维亚的米洛舍维奇政权，以及对在塞拉利昂企图夺权的“杀人如麻的黑帮集团”。“我告诉你吧，”他宣称：“如果今天卢旺达再发生像1993年那样的事情，让100万人遭到冷血屠杀，我们也将义不容辞地在那里采取行动。”科索沃和塞拉利昂的例子显然是通过干预手段取得成功的典范，而卢旺达则成为不干预政策酿成恶果的可悲例子。当然，他赶紧补充，不能指望英国会经常采取这种行动。但“国际社会的成员只要愿意”，就可以“采取行动”：

> 在我们的帮助下，刚果民主共和国可以找出持续困扰这个国家的症结，过去10年间，那里有300万人民死于战争或饥荒。如果愿意，我们会与非洲结成伙伴关系，在发达国家和发展中国家之间……

这种伙伴关系在本质上基于一个简单明了的“交易”：

> 从我们这方面来说：提供更多的援助、不附加条件的贸易、减免债务、帮助建立良好的治理体系和基础设施、培训士兵……以解决冲突、鼓励投资、提供进入我们市场的渠道……而非洲方面：实行真正的民主、不要再为专政找借口、不要侵犯人权、不要容忍恶劣的治理体系……杜绝某些国家盛行的腐败……建立适当的商业、法律和金融体系。

这还不是全部。在“9·11”恐怖主义袭击后，布莱尔又宣布了他对“正义”的渴望：

> 不仅仅是惩治犯罪的正义，还有为世界各国人民……饥饿的、悲惨的、无依无靠的、无知的、从北非沙漠到加沙贫民窟，再到阿富汗的山区，生活在肮脏和匮乏之中的人们……带来民主和自由的正义，这种正义同等宝贵：它们同样是我们的事业。

在苏伊士运河危机发生以来，没有一个英国首相能够这样毫无保留地纵情谈论英国能为世界其他地区作出何种贡献。事实上，继格拉德斯通之后，我们就很难想象会有哪位首相愿意将这样听上去纯粹是利他主义的政策作为其外交政策的基础。但令人震惊的是，只要稍作改动，这样美好的承诺听上去又完全像是一个更具威胁性的项目了。动不动就插手推翻被认为是“坏的”的政府；以经济援助为诱饵，帮助当地建立“好的”政府和“适当的商业、法律和金融体系”，以及“为世界各国人民……带来民主和自由”的权力。回顾历史，我们不难看到，这与维多利亚时代将自己的“文明”出口世界的项目存在诸多相似。正如我们所见，维多利亚时代的英国人认为，将阿比西尼亚的流氓政权驱逐到奥德，完全是文明进程的合法组成部分；印度文员机构常常对自己用“好”政府取代了“坏”政府引以为豪；而维多利亚传教士也深信，把基督教和贸易带给“世界各国人民”正是他们的职责所在，而他们眼中的这些人民，也正是如今布莱尔希望传播“民主和自由”的目标人群。

与历史的相似之处，还不只是这些。当英国在19世纪八九十年代与苏丹的托钵僧作战时，他们毫不怀疑，他们为的是“惩处”流氓政权。迈赫迪从很多方面来看，就好像是维多利亚时代的奥萨马·本·拉登——恐怖主义叛徒——他对戈登将军的谋杀俨然一场小型的“9·11”恐怖活动。乌姆杜尔曼战役则是美国自1990年以来对伊拉克、塞尔维亚、塔利班战争的原型。正如美国空军在1999年以“人权”的名义轰炸塞尔维亚一样，19世纪40年代英国皇家海军袭击西非海岸，甚至以战争威胁巴西时，同样也是打着结束奴隶贸易的旗号。当布莱尔为插手推翻“坏”政权辩解，承诺会以援助和投资作为回报时，他不自觉地呼应了格拉德斯通自由派的主张，后者在1881年军事占领埃及后，给出了大致相同的理由。甚至以女权主义的姿态藐视塔利班政权对待妇女的方式，也让我们想起了英国在统治印度时期，为杜绝妇女殉夫自焚和杀害女婴的习俗而作出的努力。

在布莱尔讲话的几个月后，英国外交官罗伯特·库珀发表了一篇文章，其中大胆地阐述了这种“建立世界新秩序”的新政策背后的本质。如果“前现代”流氓国家变得“太过危险，让老牌国家无可容忍的话，”他说，那么我们“可以想象一个防御性帝国主义的诞生”，因为，“在过去，处理骚乱的最合理方式，也是最常用的方式就是实行殖民统治”。不幸的是，在“后现代”世界里，“帝国和帝国主义”等词汇已经成为“一种贬义词了”：

> 今天，不再有愿意承担这项工作的殖民国家了，虽然殖民的机会，甚至殖民的需要都像19世纪一样……帝国主义存在的所有条件仍然具备，但帝国主义的供给和需求都已枯竭了。然而，弱势国家仍需要强势国家，而强势国家则需要一个有序的世界，需要一个支持高效、有序的出口稳定和自由的世界，一个鼓励投资和增长的世界——所有这一切看来还是极为可取的。

库珀解决这个问题的方案，用他的话来说，就是建立“一种新的帝国主义，一个关注人权和国际化的世界可以接受的帝国主义……这种帝国主义就像所有帝国主义一样，旨在带来秩序和组织，但如今它依靠的是自愿原则”。要知道这种“后现代帝国主义”的确切本质，他暗示，我们也许可以看看现有的“建立在自愿原则基础上的全球经济帝国主义”的权力，这指的是国际货币基金组织和世界银行的权力，以及他所称的“邻国帝国主义”——指的是我们在邻国的不稳定因素可能蔓延到境外的情况下，干涉邻国事务的惯用策略。欧盟其实就是践行库珀的新帝国主义机构：

> 后现代的欧盟为我们提供了一个协作性帝国的愿景，这个帝国致力于内部成员共同的自由和安全，消弭了过去的帝国所常常带有的那些种族统治和中央集权专制主义的色彩，同样地避免了民族国家标志性的种族排他问题……一个协作性的帝国可能是……一个合作框架，每个国家都在帝国政府中拥有股权，没有一个国家占据主导地位，不论种族，法律至上。中央政府权力最小化；“帝国官僚”必须受到控制，承担责任，他们是联邦的仆人，而非主人。这样一个机构必须像其成员国一样，致力于自由和民主。像罗马一样，这个联邦将向其公民提供法律的保护，资金的后盾，有时还有道路的指引。

或许，布莱尔的讲话和库珀的文章都无比清楚地显示，在受过高等教育的社会精英的头脑中，帝国的思维是多么根深蒂固。但这两人的论点都存在一个突出的缺陷，即暗示理想主义将战胜现实主义。可现实情况是，无论是布莱尔所说的国际社会，还是库珀所说的欧洲联盟，都不能扮演一个新的大英帝国的角色。理由很简单，这些组织既没有财政资源，也没有军事资源。联合国及其所有附属机构的运营总费用每年约为 180 亿美元，约占美国联邦预算的 1%。而欧盟的总预算只不过是欧洲国内生产总值的 1%多一点；不到国家政府支出的 50%。就此看来，无论是联合国还是欧盟，与其说像罗马皇帝统治下的罗马，倒不如说像罗马教皇统治下的罗马——斯大林曾就罗马教皇提出过一个著名的问题：“他有多少个师？”

说实话，目前只有一个国家能够在现代世界里扮演帝国的角色，那就是美国。事实上，某种程度上来说，它已经在扮演这一角色了。

负重

如今的美国，可以从英国昔日建立帝国的经验中吸取什么教训？一个显而易见的教训是，世界上最成功的经济体——比如 18~19 世纪大部分时期的英国——可以有效地将自己推崇的价值观强加给技术不太先进的社会。另外，英国在不花费巨额国防开支的情况下，就能统治偌大的世界，这确实令人吃惊。确切地说，1870~1913 年期间，英国每年平均国防开支为国民生产净值的 3%多一点，在 19 世纪余下的时间内，这一比例甚至更低，这钱没有白花。毫无疑问，从理论上说，帝国主义希望建立开放的国际市场，但事实上，全球自由贸易过去不是自由产生的，现在更不是。事实上，大英帝国强行推动了自由贸易。

今天的美国比世界其他地区都富裕得多，更甚于早年的英国。1913 年，英国在世界总产值中的占比为 8%；而美国在 1998 年的这一占比为 22%。任何人也不应该伪称，至少从财政角度来说，即使美帝国通过很多像阿富汗战争那样的小规模战争进行扩张，它的成本也会令人望而却步。2000 年，美国的国防支出仅占国内生产总值的 3%，1948~1998 年期间的平均国防支出占比还维持在 6.8%。即使在大幅削减军事开支的情况下，美国仍然是世界上唯一的超级大国，具有无可比拟的金融和军事技术实力。它的国防预算是中国的 14 倍，俄罗斯的 22 倍。大英帝国从来没有领先过对手那么多。

如果美国从一个非正式帝国转变为一个正式帝国（就像维多利亚晚期的英国那样），那么它一定将向政治全球化的方向迈出一步。如果历史重演，我们完全可以预期到这一结果。当年，英国的帝国主义扩张虽然并不完全是在“不经意间”建立起来，但它一开始显然并未打算将世界陆地面积的 1/4 纳入自己的统治。正如我们所见，它的帝国起初不过是沿海基地和一些非正规的势力影响区域所结成的网络，就像 1945 年后的美国。但是，为了让自己的商业利益免受现实和想象中的威胁，英国被一步步诱惑着从非正式的帝国主义走向了正式的帝国主义。这就是世界地图成片地被大英帝国的色彩染红的原因。

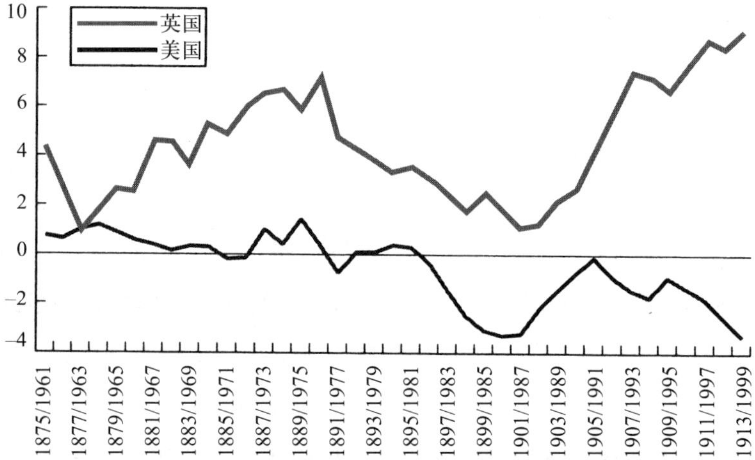

境外净投资在国内生产总值中的占比
（1875~1913 年期间的英国和 1961~1999 年期间的美国相比较）。

没人能否认，非正式的美帝国拓展区域有多广——这是一个跨国公司、好莱坞电影，甚至电视福音传教节目组成的帝国。这与早期的垄断贸易公司和传教士组成的大英帝国，究竟有多少不同呢？另外，只消观察一下美国在世界各地主要军事基地的布局图，我们就会发现，这与 100 年前皇家海军的运煤港布局图极其相似。这恐怕绝非巧合。甚至近期的美国外交政策也让人想起大英帝国在其维多利亚鼎盛时期的炮舰外交，当时，边缘地带的一些小麻烦也会被大英帝国以闪电式的、猛烈的“外科手术式打击”解决。唯一不同的是，如今的炮艇已经会飞了。

然而，如今的全球化还是从三个方面表现出与过去的不同。仔细观察，我们可以发现，美国的实力可能并非一个自然的帝国霸权的实力。一个原因是，以前大英帝国的权力依赖于巨大的资本和人员输出。但是，美国自 1972 年以来一直是一个资本净流入国家（2002 年的流入资本达国内生产总值的 5%之多），而且，它仍然是受世界各国人民青睐的移民目的地，却很少能推动国内居民向外移居和殖民。英国在其鼎盛时期能够建立起一个不折不扣的帝国主义文化，这个文化可以追溯到伊丽莎白时期，而美国——正如布莱尔在会议讲话中所暗示的，并非是从废奴战争中诞生的，而是从反对大英帝国的战争中崛起的——并不愿意统治其他国家的人民。自 1913 年伍德罗 · 威尔逊插手帮助墨西哥的民选政府重新执政开始，美国的行动模式就已定格，它们往往是打一步、前进一步、举行选举、迅速撤退——直到下一次危机来临。海地就是最近的一个例子，科索沃则是另一个。阿富汗可能会成为下一个证明，也有可能是伊拉克。

1899 年，大英帝国最伟大的诗人拉迪亚德 · 吉卜林就曾强烈地呼吁美国承担起帝国的职责：

承担起白人的责任，
派出你最优秀的人，
约束你离乡的儿子，
为你的俘虏效劳；
整装待命，
为那些焦虑的人民和野蛮人，
你刚刚俘获的，闷闷不乐的人民，一半是魔鬼，一半是孩童。

承担起白人的责任，
收获旧时的荣誉：
哪怕你为的是他们的利益，却遭到他们的谴责，
你保护着他们，却遭受他们的憎恨……

如今，没人敢使用这些政治立场不正确的语言了。但现实是，美国已经——不管它承认与否——承担了吉卜林所极力要求的一些全球责任。它认为自己不仅有责任向恐怖主义和流氓国家发起战争，而且有责任向海外传播资本主义和民主的好处。如同过去的大英帝国一样，美帝国不厌其烦地以自由的名义行动，即使其自身的利益明显被放在了首位。在1940年的黑暗时期回顾米尔纳所创建的帝国主义者俱乐部（"幼稚园"）的鼎盛时期，约翰·巴肯提出了这样的观点：

> 我梦想着世界各族人民能够手足情深，如同出自同一个民族和信仰，共同致力于世界的和平；英国用它的文化和传统丰富着世界其他国家，自治领的精神如同一股强风，给古老而闷热的土地带来一股清新……我们相信，我们奠定了一个世界同盟的基础……"白人的责任"现在已是一个几乎没有任何意义的词；但是，它包含着一种新的政治哲学和道德标准，是一种严肃的思考，绝非卑鄙的妄想。

但巴肯，就像丘吉尔一样，在大西洋的另一边找到了其宝贵遗产的继承人。

> ……目前在地球上只有两个大规模社会组织证明了其存在的意义，它们是美国和大英帝国。后者已经不复存在……但是，美国……是联邦的最佳典范……世界要和平昌盛，就必须结成某种形式的联邦——我倒不认为联邦各国必须是民主国家，但它们必须接受法制的观念。从这一任务来看，我认为，美国注定是领导者。

撇开战时的说辞不谈，这番话也道出了不少真相。比起大英帝国，如今统治世界的帝国有过人之处，也有不足之处。它有更强大的经济、更多的人口、更大的武器库。但是，这个帝国缺乏向落后地区输出资金、人口和文化的动力，尽管这些地区迫切地需要这些，而且，一旦它们的需求被忽视，它们将成为危及该帝国安全的最大威胁。总之，这是一个不敢称自己为帝国的国家。这是一个抗拒的帝国。

美国国务卿迪安·艾奇逊说过一句著名的话：大不列颠失去了大英帝国，再也找不到自己的角色了。也许，现实的情况是，美国人承担起了我们以前的角色，但却不愿面对成为帝国所必须面对的事实。统治海外的技术可能已经改变——无畏战舰可能已经让位于F-15飞机。但是，不管我们喜欢与否，也不管我们是否否认这一点，总之，如今帝国的存在是既有事实，就如同在英国统治并塑造着现代世界的300年间一样。